PIA LUISLAMPE

Spiritus vivificans

Grundzüge einer Theologie des Heiligen Geistes nach Basilius von Caesarea

ASCHENDORFF MÜNSTER

Münsterische Beiträge zur Theologie

Begründet von Franz Diekamp und Richard Stapper
fortgeführt von Hermann Volk
herausgegeben von Bernhard Kötting und Josef Ratzinger

Heft 48

D 6

Mit kirchlicher Druckerlaubnis
Nr. 305–6–17–80
Münster, den 21. 10. 1980
Dr. Spital, Generalvikar

Aschendorffsche Buchdruckerei, Münster Westfalen, 1981

ISBN 3-402-03953-2

Geleitwort

Gerne komme ich der Bitte nach, dieser Untersuchung der Pneumatologie Basilius' des Großen ein Geleit-Wort auf den Weg mitzugeben.
Die Besinnung auf die Pneumatologie, die Erforschung ihrer Ausbildung in Patristik, Mittelalter und Neuzeit, die systematische Reflexion auf die Bedeutung des Geistes für das gläubige Verständnis des Menschen und der Kirche scheint mir eines der wichtigsten Desiderate heutiger Theologie zu sein.
Ohne eine solide Pneumatologie werden sich die anstehenden ökumenischen Fragen ebensowenig lösen lassen wie die Probleme der innerkirchlichen Reform im Gefolge des II. Vaticanums. Vor allem aber wird eine angemessene Bestimmung der Aufgabe von Kirche und Gemeinden im Rahmen der schwierigen Gegenwartsproblematik ohne eine pneumatologische Grundlegung unmöglich sein.
Es sind — Gott Dank! — in jüngster Zeit eine Reihe von Untersuchungen zur Lehre vom Heiligen Geist erschienen. Die hier vorgelegte Arbeit stellt ohne Zweifel einen gewichtigen Baustein bei diesem viele Hände, Köpfe und Herzen erfordernden Werk dar.
Möge sich die Geist-haftigkeit dieses Buches an seinen Früchten erweisen!

Peter Hünermann

Vorwort

Die vorliegende Untersuchung, die im Januar 1979 von der Katholisch-Theologischen Fakultät der Westfälischen Wilhelms-Universität Münster als Dissertation angenommen wurde, ist das Ergebnis einer eingehenden Beschäftigung mit den Schriften des Basilius von Caesarea. Ihr war eine Arbeit über die »Struktur der Gotteserfahrung bei Basilius« voraufgegangen.
Im ökumenischen Gespräch mit der Ostkirche ist häufig auf die Notwendigkeit hingewiesen worden, im theologischen Gespräch die mehr beschreibende Struktur der Theologie der griechischen Väter zu beachten.
Bei der Untersuchung der Pneumatologie des Basilius, die nicht in einem geschlossenen System faßbar ist, ergab sich die Notwendigkeit, diese mehr beschreibende Struktur der theologischen Aussage nachzuzeichnen und die Ansätze einer Systematisierung, die beim Autor selbst gegeben sind, aufzugreifen. Diese Absicht hat vor allem im Hauptteil Aufbau und Struktur der Aussage bestimmt.
Die Veröffentlichung der Arbeit gibt mir Anlaß, all denen zu danken, die ihr Zustandekommen angeregt und mitgetragen haben. Mein Dank gilt vor allem Herrn Professor Dr. Peter Hünermann, der mit Interesse und anregender Kritik diese Arbeit begleitet hat. Danken möchte ich aber auch Herrn Professor Dr. Bernhard Kötting, der in den langen Jahren des Studiums die Liebe zu den Kirchenvätern geweckt und fundiert hat. Nicht zuletzt aber möchte ich unserer Frau Äbtissin und allen Schwestern in Burg Dinklage danken, daß sie den Prozeß dieser Arbeit begleitet haben, denn in der gemeinsamen Neubesinnung auf die Einbindung der Regula Benedicti in die westlichen und östlichen Quellen des Mönchtums lag für mich der eigentliche Ausgangspunkt für die Fragestellung dieser Arbeit.

Burg Dinklage im August 1980

Pia Luislampe OSB

Inhaltsverzeichnis

Abkürzungsverzeichnis

AAS	Acta Apostolicae Sedis, Rom
AChr	Antike und Christentum, Münster
Adv. Eun.	Basilius, Adversus Eunomium (PG 29)
BHTh	Beiträge zur historischen Theologie Tübingen
CSEL	Corpus Scriptorum Ecclesiasticorum Latinorum, Wien
DS	H. Denzinger — A. Schönmetzer, Enchiridion Symbolorum, Definitionum et Declarationum de rebus fidei et morum, Freiburg
DSS	Basilius, De Spiritu Sancto, Sources chrétienne, 17 bis
EvTh	Evangelische Theologie, München
GCS	Die griechischen christlichen Schriftsteller der ersten drei Jahrhunderte, Zürich — Köln
Hennecke-Schneemelcher	E. Hennecke — W. Schneemelcher, Neutestamentliche Apokryphen in deutscher Übersetzung, begründet von E. Hennecke, 3. neu bearbeitete Auflage, hrsg. von W. Schneemelcher, 2 Bd., Tübingen
LThK	Lexikon für Theologie und Kirche, Freiburg
MBTh	Münsterische Beiträge zur Theologie, Münster
NZSThR	Neue Zeitschrift für systematische Theologie und Religionsphilosophie, Berlin
OrChrA	Orientalia Christiana (Analecta) Rom
PG	Patrologia Graeca, ed. J.-P. Migne, Paris
PL	Patrologia Latina, ed. J.-P. Migne, Paris
PTS	Patristische Texte und Studien, Berlin
QD	Quaestiones disputatae, hrsg. von K. Rahner — H. Schlier, Freiburg
RAC	Reallexikon für Antike und Christentum, Stuttgart
RGG	Die Religion in Geschichte und Gegenwart, Tübingen
RHE	Revue d'histoire ecclésiastique, Löwen
RQ	Römische Quartalschrift für christliche Altertumskunde und für Kirchengeschichte, Freiburg
SA	Studia Anselmiana, Rom
SAB	Sitzungsberichte der deutschen Akademie der Wissenschaften zu Berlin, Phil.-histor. Klasse

SC	Sources chrétienne, ed. H. de Lubac — J. Daniélou, Paris
ThLZ	Theologische Literaturzeitung, Leipzig
ThPh	Theologie und Philosophie (früher: Scholastik), Freiburg
ThQ	Theologische Quartalschrift, Tübingen
ThSt	Theologische Studien, Zürich
ThW	Theologisches Wörterbuch zum Neuen Testament, hrsg. von G. Kittel, fortgesetzt von G. Friedrich, Stuttgart
TU	Texte und Untersuchungen zur Geschichte der altchristlichen Literatur, Leipzig — Berlin
ZKG	Zeitschrift für Kirchengeschichte, Stuttgart
ZKTh	Zeitschrift für katholische Theologie, Wien
ZRGG	Zeitschrift für Religions- und Geistesgeschichte, Marburg
ZThK	Zeitschrift für Theologie und Kirche, Tübingen
ZNW	Zeitschrift für neutestamentliche Wissenschaft und die Kunde der älteren Kirche, Gießen — Berlin

An Stelle einer Vorrede

Erasmus von Rotterdam zu den Schriften Basilius des Großen

»Von meiner Überzeugung, keine Vorrede mehr zu den Arbeiten anderer zu schreiben, riß mich doch zum Gegenteil der Divus Basilius hin, der mit vollem Recht bereits der Große heißt, aber den Beinamen der Größte verdiente. Schon das, was ich in der Übersetzung gelesen hatte, ließ göttliche Gaben des Geistes und einen Sinn von höherer denn Menschenart vermuten. Aber sobald es mir geglückt war, den christlichen Demosthenes, den Redner vom Himmel, in seiner eigenen Sprache zu hören, da erschütterte die wahrhaft bezwingende Beredsamkeit des von Gottes Geist erfüllten Vorkämpfers mein ganzes Innere so sehr, daß ich glaubte, nichts eher betreiben zu sollen, als daß dieser unermeßliche Schatz zum allgemeinen Nutzen durch den Druck veröffentlicht werde. Denn wenn er schon mich Nachtblinden und Fröstler so sehr zur Liebe entzündet hat, wieviel mehr wird er diejenigen mitreißen, die dank einer glücklicheren Veranlagung und reicherem Wissen nicht nur schärfere Augen besitzen, sondern für geistliche Studien mehr Neigung empfinden. Dies wurde in mir nicht, wie ich gaube, durch eine Art geistiger Verwandtschaft hervorgerufen, sondern jener allmächtige Geist ergreift in dieser Weise unsere Gemüter, indem er durch ein auserwähltes Werkzeug seine »ἐνέργεια« übt.

An Basilius weiß ich nicht, was selbst ein kritischer Leser vermissen könnte. Alles wird dargeboten, was Kunst vermag, und doch findet sich nirgends ein Anzeichen von Kunst. Du würdest tiefste Kenntnis der Philosophie wahrnehmen, aber keinerlei Großtun. Du würdest erkennen, daß er in den freien Künsten beschlagen ist, und zwar auf allen Gebieten; aber sie werden so verwandt, daß sie nur der Frömmigkeit dienstbar sind. Die Zeugnisse aus den heiligen Schriften mischt er so passend in den Fluß der Rede, daß du sagen könntest, die Edelsteine seien dem Purpur nicht aufgenäht, sondern darin gewachsen.

Für die Predigt scheint er von Natur aus veranlagt gewesen zu sein, da er seine Worte so sehr auf das Empfinden der Hörer abstimmt, daß er den Ungelehrten durchsichtig ist und bei den Gebildeten Bewunderung erweckt. Auch in seinem Buch über den Heiligen Geist gibt er nichts von seiner Eigenart auf, sondern welchen Stoff er auch behandelt, nirgends verläßt ihn seine leichte und angenehme Art zu reden, und sie ist nicht angelernt, sondern angeboren. Wie seine Rede, so war auch sein Leben. Er besitzt etwas, wofür ich die rechte Bezeichnung noch nicht gefunden habe: eine besondere Art von Anmut, die den Leser niemals sättigt, sondern stets dürstend entläßt.«[1]

[1] Praefatio zur Baseler Ausgabe von 1532 (Auszug), PG 29, CCLXXVII. — Das beredte Zeugnis des Erasmus von Rotterdam spricht für sich und spiegelt etwas von der Renaissance wider, die Basilius von Caesarea durch die Humanisten erlebte. Die Tatsache, daß innerhalb weniger Jahre die Basiliusausgaben mehrfach neu aufgelegt worden sind (1520 in Paris, 1528 in Hagenau, 1532 in Basel, 1535 in Venedig, 1551 wiederum in Basel, 1556 nochmals ebenda und 1618 aufs neue in Paris, vgl. Migne PG 29, CCXXV ff.; ferner O. Ring, Drei Homilien der Frühzeit Basilius' des Großen, Paderborn 1930, 11), läßt eine vielseitige Beschäftigung mit dieser großen Gestalt der Kirchengeschichte erkennen.

»Von Gott
wird uns durch Christus
im Geist
das Leben geschenkt.«

Basilius, Adv. Eun. III,4

»Ihm, der mächtig ist in seinem Wirken, unfaßbar in seiner Größe, weiß ich nicht besser die Ehre zu erweisen als im Erzählen seiner erfahrenen Wunder. Ihrer zu gedenken ist der größte Lobpreis.«

Basilius, DSS XXIII,54

§ 1 Einleitung

Der Heilige Geist ist »immer mehr oder weniger ein Stiefkind der Theologie gewesen und die Dynamik des Geistes ein Schreckgespenst für die Theologen« — so schrieb Emil Brunner Anfang der fünfziger Jahre.[1] Diese Aussage mag, auch wenn sie für die Ostkirche nicht in gleicher Weise gilt, für die westliche Theologie zutreffend sein. Die »Geistvergessenheit«, auf die Leo XIII. Ende des vergangenen Jahrhunderts in seiner Enzyklika »Divinum illud munus«[2] hinwies, ist auch für die theologische Reflexion der Gegenwart noch weitgehend bestimmend. Zwar sind nach dem II. Vaticanum Neuansätze zu verzeichnen, aber sie sind noch vereinzelt.[3] Ein Blick in die Theologiegeschichte zeigt, daß die Pneumatologie noch relativ unentfaltet ist. Der Forschung zur Pneumatologie eignet, wie H. Saake feststellt,[4] noch oft der Charakter des Expedi-

[1] Zit. nach V. Vajta, Der Hl. Geist und die Strukturen der Kirche, in: Wiederentdeckung des Hl. Geistes. Ökumenische Perspektiven 6 (1974) 77.

[2] ASS 29 (1896/97) 654.

[3] Hier sind zu nennen die Arbeiten von H. Mühlen, Der Hl. Geist als Person, Münster ²1966; ders., Una mystica Persona, Paderborn ³1968; ders., Die abendländische Seinsfrage als der Tod Gottes und der Aufgang einer neuen Gotteserfahrung, Paderborn ²1968; vgl. H. G. Koch, Neue Perspektiven der Theologie des Hl. Geistes? Zu einigen Versuchen einer zeitgerechten Pneumatologie, in: Herderkorrespondenz 30 (1976) 456—462; Hans Urs von Balthasar, Spiritus Creator. Skizzen zur Theologie III, Einsiedeln 1967.

[4] Vgl. H. Saake, Beobachtungen zur athanasianischen Pneumatologie, in: NZSTh 15 (1973) 348.

tionshaften. Die Motive für die »Geistvergessenheit« auch nur annähernd zu skizzieren, würde den Rahmen der Einleitung überschreiten. Aber vom Ziel der Arbeit her ergibt sich die Notwendigkeit, auf einen der möglichen Gründe zu verweisen.

Ausgangspunkt der westlichen Trinitätslehre waren seit Tertullian,[5] Augustinus und später Petrus Lombardus nicht die drei göttlichen Personen und ihr heilsgeschichtliches Wirken, sondern das eine Wesen Gottes, das in sich dreifaltig ist.[6] Das für dieses Trinitätsverständnis angemessene Vorstellungsmodell ist der Kreis: Der Geist schließt diesen Kreis als das Band der gegenseitigen Liebe, er ist das vinculum amoris zwischen Vater und Sohn.[7] Das Pneuma ist sozusagen das Innerste und Verborgenste Gottes.[8] Der Osten hat die augustinische spekulative Vorstellung vom Geist als dem Band der gegenseitigen Liebe, das den Kreis des trinitarisen Lebens innerlich abschließt, stets abgelehnt.[9] Diese westliche Konzeption führte dazu, daß die Bedeutung der Trinität aus der Heilsgeschichte in die Metaphysik verlagert wurde.[10] In der scholastischen Theorie von den »Appropriationen« ist es schließlich nur eine Frage der »Sprachregelung«, ob in der Schrift von einem Handeln des Sohnes, des Geistes oder aller drei Personen die Rede ist.[11] In dieser Konzeption bleibt der »theologische Ort« für das Pfingstgeschehen ungeklärt und eine persönliche »nicht-appropriierte« Einwohnung des Geistes fraglich.[12]

Angesichts dieser Vernachlässigung der Pneumatologie, auf die die Orientalen während des Konzils mehrfach hingewiesen haben,[13]

[5] Vgl. C. Andresen, Zur Entstehung und Geschichte des trinitarischen Personbegriffes, in: ZNW 52 (1961) 1—39.

[6] Vgl. W. Kasper, Jesus der Christus, Mainz [2]1975, 307.

[7] Vgl. G. Wagner, Der Hl. Geist als offenbarmachende und vollendende Kraft, in: C. Heitmann / H. Mühlen, Erfahrung und Theologie des Hl. Geistes, München 1974, 220.

[8] Vgl. Hans Urs v. Balthasar, Spiritus Creator, 102.

[9] Vgl. G. Wagner, a.a.O. 220.

[10] Vgl. W. Kasper, Jesus der Christus, 308.

[11] Vgl. G. Wagner, a.a.O. 220.

[12] Die meisten Theologen haben das Werk der Begnadung und die Einwohnung des Geistes diesem nur zugeschrieben (appropriiert); nur wenige (Petavius, Thomassin, Passaglia, Scheeben, Schauf u. a.) haben unter beträchtlichen Denkanstrengungen von einer persönlichen (nichtappropriierten) Einwohnung des Geistes gesprochen, vgl. H. Schauf, Die Einwohnung des Geistes. Die Lehre von der nicht-appropriierten Einwohnung des Hl. Geistes als Beitrag zur Theologiegeschichte des neunzehnten Jahrhunderts unter besonderer Berücksichtigung der beiden Theologen C. Passaglia und C. Schrader, Freiburg 1941; vgl. auch W. Kasper a.a.O. 309.

[13] Vgl. P. Evdokimov, Welches sind die Hauptanliegen der orthodoxen Kirche gegenüber der katholischen Kirche? in: Concilium 2 (1966) 266: »Wie die Orientalen feststellen, räumt der Westen dem Wirken des Geistes als des

zeigt sich für die Theologie in zunehmendem Maß die Notwendigkeit, auf die frühchristlichen, noch ganz an der Schrift orientierten Quellen zurückzugehen und sie für die heutige theologische Reflexion zu erschließen. In diesem Sinn können die »Desiderata« der orthodoxen Kirche katholischen Theologen zum Anlaß schöpferischer Reflexion werden; sie führen zudem gleichzeitig auch zur »Quelle der Theognosis« der Väter zurück, wie P. Evdokimov treffend formuliert: »Die große Lehre, die sich aus den alten Konzilien ergibt, lädt uns ein, uns auf den Heiligen Geist zu verlassen, denn er ›schöpft von hinten her‹ (Joh. 16, 13—15) in der dogmatischen Wahrheit eines jeden, ohne dabei irgend etwas davon aufzugeben, um sodann diese gleiche Wahrheit ›nach vorn hin zu verkünden‹, wobei er sie jedoch stets des belebenden und erfinderischen Geistes teilhaftig bleiben läßt.«[14]

Eine weitere Neubesinnung auf die Pneumatologie ergibt sich aus dem »charismatischen Aufbruch« der »Pfingstbewegung« (Pentecostals). Ausgehend von einer echten Bekehrungserfahrung als Initiationserlebnis versuchen die charismatischen Gruppen an die Geisterfahrung urchristlicher Gemeinden anzuknüpfen. Diese Erneuerungsbewegung, die bereits seit dem Ende des letzten Jahrhunderts vor allem außerhalb der Großkirchen wirksam war[15], hat seit 1967 auch in der katholischen Kirche die Rückbesinnung auf die urchristliche Geisterfahrung belebt. Die in den charismatischen Gruppen mit einer gewissen Selbstverständlichkeit vorausgesetzte Berufung auf ein sichtbar wahrnehmbares Wirken des Geistes, oft verbunden mit enthusiastisch-ekstatischen Erfahrungen führt zu der Frage nach möglichen Kriterien der Geisterfahrung, die in der Schrift und der frühchristlichen Tradition gegeben sind. Der charismatische Aufbruch stellt sich somit als theologische Aufgabe[16].

zweiten Parakleten im Vergleich zum Osten wenig Raum ein und legt sehr wenig Gewicht auf das Pfingstereignis und seine Bedeutung für die historische Kirche, auf seine Charismen und seine Ausrichtung auf die Eschata und die Parusie.«

[14] Ebd. 263.

[15] Aus der zahlreichen Literatur seien genannt: W. J. Hollenweger, Enthusiastisches Christentum. Die Pfingstbewegung in Geschichte und Gegenwart, Zürich-Wuppertal, 1969; J. Massingberd Ford, Pfingstbewegung im Katholizismus, in: Concilium 8 (1972) 684—687; H. Mühlen, Die Erneuerung des christlichen Glaubens. Charisma — Geist — Befreiung, München 1974; ders., Mysterium — Mystik — Charismatik, in: Geist und Leben 46 (1973) 247—256; W. Smet, Ich mache alles neu. Kirchliche Erneuerung im Hl. Geist, Regensburg 1975; C. Heitmann / H. Mühlen Erfahrung und Theologie des Hl. Geistes, München 1974.

[16] Vgl. K. Rahner, Das enthusiastisch-charismatische Erlebnis in Konfrontation mit der gnadenhaften Transzendenzerfahrung, in: C. Heitmann / H. Mühlen, Erfahrung und Theologie des Hl. Geistes, 64—80; ders. Theologie aus Erfah-

Wie immer man diese Bewegungen im einzelnen auch bewerten mag, sie weisen auf Aspekte und Dimensionen der Wirklichkeit und des Menschen hin, die sowohl in unserer verwissenschaftlichten Zivilisation wie in den Kirchen und der Theologie lange Zeit vergessen und verschüttet waren, und sie stellen das Thema des Geistes erneut zur Diskussion[17]. »Eine Erneuerung der Pneumatologie dürfte gegenwärtig zu den wichtigsten Aufgaben der Theologie gehören[18].« Aber — so ist hinzuzufügen — eine Theologie, die den Heiligen Geist selbst thematisch werden läßt, gehört auch zum schwersten, was es gibt, so formuliert es H. U. von Balthasar im Geleitwort zu seinem Werk »Spiritus Creator«[19].
In dem Bemühen um eine Erneuerung der Pneumatologie ist es unerläßlich, frühchristliches Geistverständnis neu zu erschließen[20].

rung des Geistes, Schriften zur Theologie XII, Einsiedeln 1975; O. Knoch, Der Geist Gottes und der neue Mensch. Der Hl. Geist als Grundkraft und Norm des christlichen Lebens in Kirche und Welt nach dem Zeugnis des Apostels Paulus, Stuttgart 1975; W. Kasper / G. Sauter, Kirche — Ort des Geistes, Freiburg 1976.

[17] Vgl. W. Kasper, Kirche — Ort des Geistes, 25.

[18] Ebd. 25.

[19] H. U. von Balthasar, Spiritus Creator, 9.

[20] Von den Arbeiten zur frühchristlichen Pneumatologie sind zu nennen: Th. Schermann, Die Gottheit des Hl. Geistes nach den griechischen Vätern des 4. Jahrhunderts, Freiburg, 1901. Leider ist diese Arbeit sowohl durch die Einbeziehung unechter Schriften wie auch durch mangelndes historisches Verständnis kaum brauchbar und nicht einmal als Materialsammlung ausreichend, wie schon K. Holl (Amphilochius von Ikonium, 140 A 3) bemerkte. Lesenswert und als Materialsammlung brauchbar ist das Buch von H. B. Swete, The Holy Spirit in the Ancient Church, London 1912. Die Grenzen dieser Arbeit liegen vor allem darin, daß Swete mehr registriert als interpretiert. Die philosophiegeschichtliche Arbeit von G. Verbecke, L' évolution de la doctrine du pneuma, Paris/Louvain 1945, hat vor allem das philosophisch-anthropologische Geistproblem thematisiert. Außer Betracht bleiben in dieser Studie Athanasius, Didymus der Blinde, Markell von Ankyra und die drei Kappadozier, vgl. hierzu die Anmerkung von H. Saake, Beobachtungen zur athanasianischen Pneumatologie, a.a.O. 348. Die Entstehung der Lehre vom Hl. Geist bei Ignatius von Antiochien, Theophilus von Antiochien und Irenäus von Lyon versucht Th. Rüsch darzustellen (Die Entstehung der Lehre vom Hl. Geist, Zürich 1952). Diese Untersuchung leidet jedoch unter dem Mangel, daß Rüsch nicht das gesamte Material berücksichtigt und die irenäische Theologie nur unbefriedigend herausarbeitet. Zur Pneumatologie des Irenäus hat jetzt H. J. Jaschke (Der Hl. Geist im Bekenntnis der Kirche. Eine Studie zur Pneumatologie des Irenäus von Lyon im Ausgang vom altchristlichen Glaubensbekenntnis, Münster 1976) eine umfassende Arbeit vorgelegt, die sowohl die Bezeugung des pneumatologischen Artikels in der Symboltradition untersucht, wie auch die Auslegung des pneumatologischen Bekenntnisses in der Theologie des Irenäus darstellt. Die Geistlehre des Athanasius von Alexandrien in der Auseinandersetzung mit den Tropikern darzustellen, ist das Anliegen A. Laminskis (A. Laminski, Der Hl. Geist als Geist Christi und Geist der

In dem für die Geschichte der Pneumatologie so wichtigen vierten Jahrhundert ist Basilius der Große von Caesarea eine der bedeutendsten Gestalten, da seine Theologie die definitive und für uns heute noch gültige Formulierung des III. Glaubensartikels in entscheidender Weise mitgeprägt hat. Aber seine Pneumatologie stellt sich uns nicht als ein geschlossenes System dar, seine Ausführungen sind nicht systematisch vorbereitet, sondern weitgehend Gelegenheitsschriften: Briefe, Ansprachen, Homilien, ein apologetisches Werk und eine dem Heiligen Geist gewidmete Abhandlung. Das Schrifttum der drei kappadozischen Theologen Basilius, Gregor von Nazianz und Gregor von Nyssa ist zwar schon wiederholt untersucht worden[21], vor allem auf ihren Beitrag zur damaligen und späteren Trinitätstheologie hin, wobei man aber von der Voraussetzung einer völligen Übereinstimmung der Trinitätslehre der Kappadozier ausging und dadurch den einzelnen Autoren nicht gerecht werden konnte[22]. Solange man die kappadozische Formel

Gläubigen. Der Beitrag des Athanasius von Alexandrien zur Formulierung des trinitarischen Dogmas im 4. Jahrhundert, Leipzig 1969). Als konstitutiv für die athanasianische Pneumatologie können demzufolge betrachtet werden die triadischen Formeln des AT und NT, das johanneische Korrelationsprinzip der Gleichheit des Verhältnisses zwischen Vater und Sohn wie zwischen Sohn und Geist, sowie die Formulierung der Trinität im Taufbefehl, vgl. A. Laminski, a.a.O. 100 ff.; H. Saake, Beobachtungen zur athanasianischen Pneumatologie, a.a.O. 355 f. Es wird sich im Verlauf der Arbeit zeigen, daß diese Elemente auch für die basilianische Pneumatologie von grundlegender Bedeutung sind. Zu nennen ist ferner die Studie von W. D. Hauschild (Gottes Geist und der Mensch. Studien zur frühchristlichen Pneumatologie, München 1972). Hauschild untersucht vor allem Clemens Alexandrinus und Origenes im Kontext der christlichen und pseudo-christlichen Spekulationen der Spätantike, schränkt seine Untersuchung aber leider auf die Aspekte »Pneumatologie und Anthropologie« ein und verkürzt damit den Ansatz der frühchristlichen Pneumatologie.

21 Vgl. C. Braun, Der Begriff der Person in seiner Anwendung auf die Lehre von der Trinität und Inkarnation auf dogmengeschichtlicher Grundlage dargestellt, Mainz 1876; Th. Schermann, Die Gottheit des Hl. Geistes nach den griechischen Vätern des 4. Jahrhunderts, Freiburg 1901.

22 Als erschwerendes Faktum einer Differenzierung in den Aussagen der drei Kappadozier ist die mangelnde Rezeption von Forschungsergebnissen hinsichtlich der Zuordnung der einzelnen Schriften zu sehen. So wird — um nur ein Beispiel zu nennen — ein als Ep. 38 des Basilius umlaufender Traktat von A. Cavallin (Studien zu den Briefen des hl. Basilius, Lund 1944) schon 1944 als Eigentum des Gregor von Nyssa erwiesen, aber von den meisten Forschern noch als Ep. 38 des basilianischen Schrifttums angeführt. Als Werk des Basilius behandeln diese Epistola J. Lebon, Le sort du »consubstantiel« nicéen II: RHE 48 (1953) 632—682; C. Andresen, Zur Entstehung und Geschichte des trinitarischen Personbegriffes, in: ZNW 52 (1961) 31 A 63; A. M. Ritter, Das Konzil von Konstantinopel und sein Symbol. Studien zur Geschichte und Theologie des II. Ökumenischen Konzils, Göttingen 1965, 282 A 1; A. Adam, Lehrbuch der Dogmengeschichte I, Gütersloh 1965, 236 f.

»μία οὐσία — τρεῖς ὑποστάσεις« einheitlich interpretiert, wird es eine klare Erkenntnis des allmählichen Werdens und der verschiedenen Fortgestaltung in der Pneumatologie wie auch in der Trinitätstheologie der drei Väter nicht geben. Nach der Untersuchung von R. Hübner zum Verständnis der Usia bei den kappadozischen Brüdern wird man nicht mehr von einem einheitlichen Verständnis des Usia-Begriffes sprechen können[23]. Will man über die fast klassisch gewordene Darstellung[24] der Trinitätslehre der Kappadozier durch K. Holl[25], der Basilius einseitig von einer metaphysischen Begrifflichkeit her interpretiert, hinausgelangen, dann müssen die charakteristischen Unterschiede mehr beachtet werden. Diesem Anliegen versucht H. Dörries in seiner Monographie[26] gerecht zu werden. An dieser Arbeit ist zu begrüßen, daß er die Hauptschrift Basilius des Großen »De Spiritu Sancto« aus der Geschichte und Umgebung des Verfassers zu verstehen versucht. Indem Dörries der Beurteilung der einzelnen Lehraussagen jeweils eine Wiedergabe des basilianischen Gedankengutes voranschickt, entgeht er der Gefahr, die Lehre, die kein System gebildet hat, aus ihrem geschichtlichen Ort zu lösen. Da dieses Anliegen im Vordergrund seiner Untersuchung stand, konnten andere Aspekte der Pneumatologie, wie etwa eine Entfaltung der Wirksamkeit des Geistes, nicht entsprechend berücksichtigt werden, obwohl er auf diesen Ansatz immer wieder verweist[27]. Aufschlußreich für das Verständnis der Pneumatologie des Basilius ist ferner eine Studie von A. Heising[28], die trotz ihrer begrenzten Thematik der Engelheiligung einen Einblick in die Arbeitsweise des Basilius vermittelt. Für sein methodisches Vorgehen spricht ein Satz: »Das Aufspüren der theologischen Arbeitsweise unter den konkreten Bedingungen und mannigfaltigen Einflüssen vermag zu lehren, daß eine rein materielle Auswertung und ein Aneinanderreihen von Aussagen

[23] Vgl. R. Hübner, Gregor von Nyssa als Verfasser der sog. Ep. 38 des Basilius. Zum unterschiedlichen Verständnis der οὐσία bei den kappadozischen Brüdern, in: Epektasis. Melanges patristique offerts au Cardinal J. Daniélou, publiés par J. Fontaine et C. Kannengiesser, Paris 1972, 463—490, hier 465 ff.

[24] Vgl. R. Hübner, ebd. 464.

[25] K. Holl, Amphilochius von Ikonium in seinem Verhältnis zu den großen Kappadoziern, Tübingen u. Leipzig 1904.

[26] H. Dörries, De Spiritu Sancto. Der Beitrag des Basilius zum Abschluß des trinitarischen Dogmas, Göttingen 1956.

[27] H. Dörries, Basilius und das Dogma vom Heiligen Geist, in: Wort und Stunde I, Gesammelte Studien zur Kirchengeschichte des 4. Jahrhunderts, Göttingen 1966, 133.

[28] A. Heising, Der Hl. Geist und die Heiligung der Engel in der Pneumatologie des Basilius von Cäsarea. Ein Beitrag zum Verständnis der theologischen Arbeitsweise in der griechischen Patristik, in: ZKTh 87 (1965) 257—308.

ohne Berücksichtigung des ›Sitzes im Leben‹ zu theologiewissenschaftlichem Materialismus führt[29].« Schließlich ist als letzte Arbeit die Untersuchung von M. Orphanos zu nennen, der die Stellung des Sohnes und des Geistes in der Triadologie des Basilius untersucht. Leider ist diese in Athen[30] veröffentlichte Arbeit in griechischer Sprache verfaßt und nur mit einer englischen Zusammenfassung versehen. Hier sind von einem der kompetentesten Basilius-Forscher (der Verfasser schrieb bereits seine Dissertation über Basilius: Creation and Salvation according to St. Basil of Caesarea, Athen 1975) die zentralen Aspekte der basilianischen Pneumatologie im Hinblick auf die trinitätstheologische Relevanz untersucht worden. Von der oben aufgezeigten Problemanalyse und dem bisherigen Forschungsstand ergab sich daher die Notwendigkeit, in der Darstellung der Pneumatologie den Schwerpunkt auf die Wirkungen des Geistes zu legen und darin die Entfaltung der basilianischen Pneumatologie aufzuzeigen. Ausgehend von der geschichtlichen Situation wird im Hauptteil zunächst die Problemstellung der basilianischen Pneumatologie erarbeitet, um dann das schöpferische, prophetische, charismatische und heiligende Wirken des Geistes aufzuzeigen. Die Darstellung, die sich an der bei Basilius im XVI. Kap. »De Spiritu Sancto« grundgelegten Oikonomia orientiert, geht damit über den religions-phänomenologischen Ansatz der Arbeiten von H. Gunkel[31], H. Weinel[32], wie auch H. Leisegang[33] hinaus. Zwar ist die Struktur der theologischen Aussage bei Basilius auch »beschreibend«, aber in einem in der Anbetung wurzelnden doxologischen Sinn[34], und der hinter diesen Aussagen stehende Erfahrungsbegriff ist am ehesten mit dem Begriff der »Teilhabe« (μέθεξις) zu bestimmen[35]. Aus den Wirkungen des

[29] A. Heising, ebd. 308.

[30] M. A. Orphanos, Ὁ Υἱός καὶ τὸ Ἅγιον Πνεῦμα εἰς τὴν τριαδολογίαν τοῦ M. Βασιλείου, Athen 1976.

[31] H. Gunkel, Die Wirkungen des Hl. Geistes nach der populären Anschauung der apostolischen Zeit und der Lehre des Apostels Paulus, Göttingen 1909.

[32] H. Weinel, Die Wirkungen des Geistes und der Geister im nachapostolischen Zeitalter bis auf Irenäus, Freiburg 1899.

[33] H. Leisegang, Der Hl. Geist. Das Wesen und Werden der mystisch-intuitiven Erkenntnis in der Philosophie u. Religion der Griechen, Darmstadt ^{1}1919 (^{2}1967).

[34] Dadurch unterscheidet sie sich grundlegend von dem phänomenologischen Vorgehen der mehr religionsgeschichtlich orientierten Arbeiten.

[35] Zu diesem »Schlüsselwort« der Vätertheologie ist neuerdings auf die Arbeit von F. Normann, Teilhabe — ein Schlüsselwort der Vätertheologie, Münster 1978, zu verweisen. »Freilich ist ›Teilhabe‹ befrachtet mit dem Erbe seiner griechischen, näherhin platonischen und neuplatonischen Herkunft . . . Dennoch ist die Bedeutung dieses verschwommenen Begriffes ›Teilhabe‹ für die systematische Theologie faktisch bei weitem größer, als man gemeinhin denkt.

Geistes werden dann im letzten Teil der Arbeit die Konsequenzen für sein Gottesverständnis, näherhin für seinen Pneumabegriff eruiert.

Man darf sogar behaupten, die christliche Lehre sei ›das Heilsgeheimnis der Teilhabe schlechthin‹, indem Gott der ›Teilgebende‹, der Mensch der ›Teilnehmende‹ ist«, a.a.O. 9.

§ 2 Das Mönchtum und die theologischen Auseinandersetzungen als prägende Faktoren der basilianischen Pneumatologie

I. DIE PNEUMATOLOGISCHE FRAGE IM 4. JAHRHUNDERT

1. Zur trinitätstheologischen Entwicklung im 4. Jahrhundert

Versucht man, die Stellung des Hl. Geistes in der Theologie Basilius des Großen darzustellen, dann setzt dies voraus, in kurzen Zügen auch den theologie-geschichtlichen Hintergrund in den Blick zu nehmen; denn gerade sein Beitrag zur Trinitätstheologie ist erwachsen aus der Auseinandersetzung mit den verschiedenen theologischen Parteiungen seiner Zeit. Es geht hier nicht darum, eine bunte Vielfalt von Programmen, Synoden und Veränderungen dieser Parteiungen darzustellen, sondern um die sachlichen Gründe für die Vielfalt der theologischen Argumentation. Mit Recht weist W. D. Hauschild[1] darauf hin, daß man die Trinitätstheologie des 4. Jahrhunderts in all ihren Schattierungen nicht verstehen kann, wenn man es nicht immer wieder neu als ein Problem empfindet, wie man auf denkerischem Weg zur Behauptung der Gottheit Christi und des Hl. Geistes kommen kann[2]. Die theologischen Parteiungen, mit denen sich Basilius auseinanderzusetzen hat, gehören in den größeren Zusammenhang des trinitätstheologischen Klärungsprozesses. In diesem Prozeß spielen die Pneumatomachen zwar eine besondere Rolle, weil sie die trinitarische Frage ausdrücklich als trinitarisches Problem aufwerfen, aber auch die anderen Strömungen gehören in diesen Klärungsprozeß hinein.

Bis zum 4. Jahrhundert war die Geistvorstellung theologisch noch kaum begrifflich präzisiert. Basilius schildert treffend die Situation, wenn er zum Stand des Geistproblems im Hinblick auf die schlichte Formulierung des nicaenischen Symbols schreibt: »Der Satz über den Heiligen Geist ist nur so nebenbei erwähnt und noch keiner weiteren Ausarbeitung gewürdigt worden, weil dies Problem damals noch nicht diskuiert wurde, sondern die Vorstellung von ihm war noch ohne Falsch in den Seelen der Gläubigen vorhanden.

[1] W. D. Hauschild, Die Pneumatomachen. Eine Untersuchung zur Dogmengeschichte des vierten Jahrhunderts, Hamburg 1967.

[2] Ebd. 4 f.

Allmählich aber trat der böse Same der Gottlosigkeit hervor, der zunächst von Arius, dem Anführer der Häresie, ausgestreut, später aber von seinem Anhang großgezogen wurde; und die Gottlosigkeit enthüllte sich in der Folgezeit als Lästerung wider den Heiligen Geist[3].« Basilius zeigt damit die Notwendigkeit einer begrifflichen Klärung auf.
Die Anschauungen vom Wesen des Heiligen Geistes stammten weitgehend noch aus der spätjüdischen Theologie. In dieser trinitarischen Auseinandersetzung ging es letztlich um das Problem des Monotheismus, das durch die Frage nach der Bedeutung Christi gestellt war. Dieses Problem gewann an Schärfe dadurch, daß für die spätjüdisch-frühchristliche Theologie heidnischer Polytheismus von je her das schlimmste Übel war und andererseits waren hellenistische Philosophie und Religiosität längst auf dem Weg zum Monotheismus. Es kam nun darauf an, auf die Herausforderung an das christliche Denken zu antworten und eine theologische Begrifflichkeit zu entwickeln, die den Monotheismus in Einklang zu bringen vermochte mit der Tatsache, daß in Christus Gott selbst erschienen war. Dieses Problem versuchte man seit dem 3. Jahrhundert mit Hilfe des Subordinatianismus zu lösen. Für die Lösung boten sich zwei Wege an: einerseits das monotheistische Schöpfer-Geschöpf-Schema und andererseits das binitarische Schema »Urbild-Abbild« und »Vater-Sohn«[4]. Die erste Lösung wurde der Weg des Arianismus[5], die zweite setzte sich — vor allem im Gefolge des Origenes — weithin im Orient durch und wurde als Lösung des Problems empfunden. Die Schwierigkeit jedoch war, daß man die Einheit des Geistes mit Gott in jenem Schema nicht ausdrücken konnte. Man versuchte, sich der Schwierigkeit dadurch zu entledigen, daß der Geist seinem Wesen nach nicht Gott oder Gott gleich war, wohl aber in einem bestimmten (inferioristischem) Verhältnis zu ihm gedacht wurde[6]. »Man verstand ihn entweder als göttliche Gabe und Kraft oder als dienendes göttliches Wesen, wobei letzteres die im Osten verbreitetste Anschauung war. Ein t r i n i tarisches Problem gab es mithin vor der Mitte des 4. Jahrhunderts noch nicht[7].«

[3] Ep. 125,3 (II, 33 Courtonne). Der Überblick über die pneumatologische Frage bezieht sich in erster Linie auf die östliche Theologie; zur trinitätstheologischen Entwicklung bei den lateinischen Vätern vgl. C. Andresen, Zur Entstehung u. Geschichte des trinitarischen Personbegriffes, in: ZNW 52 (1961) 1—39. Zum Folgenden vgl. die Übersicht bei W. D. Hauschild, Die Pneumatomachen, 4—15.
[4] Vgl. W. D. Hauschild, Die Pneumatomachen, 7.
[5] Vgl. J. Liébaert, Art. Arianismus, LThK I, Sp. 846.
[6] Vgl. W. D. Hauschild, Die Pneumatomachen, 7.
[7] Ebd. 7.

Basilius sah sich als Mönch, Theologe und Bischof in diesen theologischen Klärungsprozeß hineingestellt. Es ergibt sich damit die Notwendigkeit, in kurzen Zügen die verschiedenen subordinatianistisch-pneumatomachischen Systeme darzustellen.

2. *Die theologischen Auseinandersetzungen*

a) Der Arianismus

Der Arianismus versucht, das eben aufgezeigte Problem dadurch zu lösen, daß er das Schema »Schöpfer — Geschöpf« konsequent durchführt. Gott ist ein einziger, ungeschaffen und ungezeugt (ἀγέννητος). Der Sohn hat sein Dasein unmittelbar vom Vater empfangen, aber er geht nicht aus der Substanz des Vaters hervor, er ist nicht ὁμοούσιος, er ist schlechthin ein anderer und dem Vater unähnlich (ἀνόμοιος)[8]. Er ist ein Geschöpf durch Schöpfung aus dem Nichts. Arius nennt ihn oft »gezeugt« (γεννηθείς), doch ist seine Terminologie ungenau und schwankend, wie aus der Häufigkeit des gleichsinnigen Gebrauchs von γεννητός (gezeugt) und γενητός (geschaffen) deutlich wird[9].
Dieses konsequent durchgeführte Schöpfer-Geschöpf-Schema bot keine Möglichkeit, den Heiligen Geist in die Göttlichkeit einzubeziehen. Wie der Logos das erste Geschöpf des (ungezeugten) Gottes ist, so ist der Heilige Geist das erste Geschöpf des Logos[10]; denn alles außer ihm (Gott Vater) existiert lediglich durch seinen Willen, der Sohn ist sein unmittelbarstes Werk; alles übrige ist durch dessen Vermittlung geschaffen[11]. Arius bringt somit zum Ausdruck, daß Vater, Sohn und Heiliger Geist drei verschiedene und unähnliche Hypostasen sind[12]. Die Verschiedenheit an Herrlichkeit und Wesen der drei Hypostasen ist im subordinatianistischen Sinn zu verstehen, wie Athanasius berichtet[13]. Auch von Epiphanius wird die subordinatianistische Tendenz der Arianer verdeutlicht: »Sie bekannten, daß der Heilige Geist wieder das Geschöpf eines Geschöpfes sei, da alles durch den Sohn geworden[14].«
Nach dem Tod des Arius bemühten sich Aëtius von Antiochien und Eunomius von Kyzikos durch einen systematischen Rückgriff

[8] J. Liébaert, Art. Arianismus, LThK I, Sp. 846.
[9] Ebd. 846.
[10] Vgl. J. Quasten, Patrology, Utrecht 1960, III, 8.
[11] Vgl. die erhaltenen Fragmente bei G. Bardy, Recherches sur Lucien d' Antioche et son école (Paris 1936) 246—274.
[12] Brief des Arius an Alexandros, vgl. G. Bardy, ebd. 252 f.
[13] Or. c. Arian I, 6 (PG 26, 24 B).
[14] Epiphanius, Haer. 69,56 (PG 42, 289 A).

auf die aristotelische Dialektik aus der Lehre des Arius ein wissenschaftliches System zu machen[15]. Aëtius, der nach einem abenteuerlichen Leben den Weg zur Theologie fand[16], griff die Frage nach dem Verhältnis von Vater und Sohn — das eigentliche Anliegen des Arius — wieder auf und trug dafür die radikalste Lösung vor. Nach ihm ist der Sohn dem Vater weder wesensgleich noch wesensähnlich, noch überhaupt nur ähnlich; er lehnte also die bislang diskutierte Terminologie ab und trat für die Formel »ἀνόμοιος« ein. Die Dogmengeschichte sieht in ihm den Begründer der Anhomäer, des radikalen arianischen Flügels[17]. In Alexandrien konnte Aëtius Eunomius für seine Theorien gewinnen.

Während bei Arius die Stellung des Heiligen Geistes sich mehr aus der Konsequenz des durchgeführten Schemas »Schöpfer — Geschöpf«, »Vater — Sohn« ergab[18], hat Eunomius sich eingehend mit Stellung und Natur des Heiligen Geistes beschäftigt. Eunomius veröffentlichte um 361 unter dem Titel Ἀπολογία ein kleines Buch, das sich auffälligerweise erhalten hat und der Gegenschrift des Basilius beigegeben ist[19].

Eunomius arbeitet ebenfalls mit dem Schema ἀγέννητον — γεννητόν. Sein System läßt sich folgendermaßen umreißen:

Ein Gott, ungeworden und ohne Anfang, Schöpfer[20] alles Seins; der Eingeborene ist sein erstes und einziges Werk; durch ihn hat Gott den Heiligen Geist gemacht (ἐποίησεν), durch eigene Macht und Befehl, durch Tätigkeit und Kraft des Sohnes[21]. Der Heilige Geist ist der Natur und Stellung nach dritter[22]; ihm fehlen die Gottheit und die Schöpferkraft[23]. Doch nimmt er die erste und

[15] J. Liébaert, Art. Arianismus, LThK I, Sp. 847; neuere Untersuchungen haben festgestellt, das Eunomius in sein System nicht nur aristotelische, sondern auch stoische und neuplatonische Elemente aufgenommen hatte, vgl. L. Abramowski, Art. Eunomius, RAC VI, 942 f.

[16] Vgl. O. Bardenhewer, Geschichte der altkirchlichen Literatur, III, 239; Baus, Handbuch der Kirchengeschichte, II/1,46.

[17] Vgl. Baus, Handbuch der Kirchengeschichte, II/1,46.

[18] Die leitenden Gedanken des arianischen Systems ermöglichen es uns, auch auf die Anschauung des Arius von der Gottheit des Heiligen Geistes, über die er sich explizit nicht ausgesprochen hat, einige Schlüsse zu ziehen, vgl. Th. Schermann, Die Gottheit des Hl. Geistes, 3.

[19] Vgl. PG 30, 835—868 = 1. Apologie; erst im Jahre 378, kurz vor dem Tod des Basilius trat Eunomius mit einer Antwort auf die Schrift des Basilius hervor. Diese 2. Apologie ist zugrunde gegangen bis auf die Auszüge, die Gregor von Nyssa seinem Werk »Contra Eunomium« einfügte, vgl. O. Bardenhewer III, 139.

[20] PG 30, 868 A.

[21] PG 30, 868 B.

[22] PG 30, 861 CD; vgl. 864 AB.

[23] PG 30, 861 D.

höchste Stellung unter allem Geschaffenen ein und ist allein ein so beschaffenes Werk[24]. Er hat heiligende und belehrende Kraft in Fülle[25]; der Sohn braucht den Parakleten zum Heiligen, Lehren und Festigen der Gläubigen[26]. Immer aber bleibt die Erhabenheit Gottes und die Monarchie gewahrt, da der Heilige Geist zusammen mit allem Christus unterworfen ist, der Sohn aber dem Vater.

Die Feststellung, daß Eunomius in seiner Schrift einen starren Monotheismus vertritt, wird seinem Anliegen noch nicht gerecht. Was Eunomius vor allem zum Ausdruck bringen wollte, ist die dem griechischen Denken vertraute Idee von der harmonischen Ordnung der himmlischen Welt, die in fester Abfolge der Seinsstufung zur sichtbaren Welt überleitet[27]. Dieses Schema liegt, auch wenn hier vornehmlich mit Bibelzitaten argumentiert wird, der Apologie des Eunomius zugrunde: Von Gott, dem Ungewordenen, der Ursache des Seins, stammt der Eingeborene, das erste und einzige Geschöpf, von ihm der Paraklet als erstes Gebilde. Wir haben drei Wesenheiten ungleichen Ranges und verschiedener Natur, die in fester wohlabgestimmter Ordnung stehen[28]. Von hier aus erfolgt die Abwehr des Homousios, die nachdrückliche Bestimmung des Heiligen Geistes als Kreatur und das Suchen nach Vermittlungen zwischen Gott und Welt[29]. In diesem System konnte man auf denkerischem Weg nicht zur Gottheit des Heiligen Geistes kommen.

b) Der Sabellianismus

Eine weitere Gefahr sah Basilius in der modalistischen Spielart des Monarchianismus, dem Sabellianismus. Auch die Sabellianer kamen von einem abstrakten jüdischen Monotheismus her, der in Gott nur ein streng einpersönliches Wesen anerkennen wollte[30]. Sie versuchten das Problem des Monotheismus mit der Wahrheit von der Gottheit Christi in der Weise zu verbinden, daß sie in Christus nur eine Erscheinung des einen Gottes sahen. Zur Stützung ihres Systems zogen sie neben dem Beweis aus den alttestamentlichen Theophanien auch Elemente der stoischen Kategorienlehre heran,

[24] PG 30, 861 D.
[25] PG 30, 861 D.
[26] PG 30, 864 D.
[27] H. Dörries, De Spiritu Sancto, 10.
[28] Ebd. 10.
[29] Eunomius erweist sich hier als Neuplatoniker wie Abramowski bemerkt, vgl. Art. Eunomius, RAC VI, 943.
[30] L. Scheffczyk, Lehramtliche Formulierungen und Dogmengeschichte der Trinität, Mysterium Salutis II, 165.

in der die Erkenntnis vorbereitet war, daß ein Wesen in bezug auf verschiedene mögliche Beziehungen auch in unterschiedlichen Erscheinungsweisen auftreten kann. Sabellius verband hiermit die Vorstellung von einer heilsökonomischen Aufeinanderfolge der Manifestationen Gottes, wonach Gott sich zunächst als Schöpfer durch das πρόσωπον des Vaters geoffenbart hätte, in der Menschwerdung aber hätte derselbe Gott das πρόσωπον des Sohnes angenommen. Die letzte Erscheinungsform nahm Gott schließlich im Heiligen Geist an, in dessen πρόσωπον er sich als der lebenspendende und heiligende Gott erweist[31]. Damit war eine Trias eingeführt, aber doch nur eine solche der Erscheinung.

Athanasius und Basilius haben die Sinnhaftigkeit einer solchen Offenbarungs- und Erscheinungstrinität bestritten und ihr eine eigentliche Bedeutung für die Heilsordnung aberkannt. Es zeigt sich an dieser Stelle der Auseinandersetzung mit der sabellianischen Erscheinungstrinität, daß der kirchlichen Theologie die dringende Frage nach dem Wesen und Bestand der biblischen Offenbarungstrinität gestellt war. Dabei deutet sich schon das Problem an, daß die Annahme einer heilsökonomischen Trinität nicht bedeutungsvoll ist, wenn mit den Hypostasen nicht auch eine eigenpersönliche Wirksamkeit verbunden ist. Der Modalismus vermochte dieses Problem nicht zu lösen, weil er die Trinität in ein reines »pro nobis« umdeutete[32].

c) *Die Pneumatomachen*

Die Bedeutung der Pneumatomachen für die Dogmengeschichte liegt darin, daß sie unausweichlich die trinitarische Frage als t r i n i tarisches Problem aufwarfen. Obwohl die Leugnung der Gottheit des Heiligen Geistes Grundgedanke bei allen Pneumatomachen ist, kann man doch nicht von einer »Einheitlichkeit« sprechen, da es entscheidend auf die Durchführung dieses Grundgedankens ankommt[33]. Die folgenden Ausführungen beschränken sich auf den Ansatz, der aus den Schriften des Basilius zu erheben ist.

Man darf gewiß von der Voraussetzung ausgehen, daß Basilius in seinem Werk »De Spiritu Sancto«, das er 374—375 gegen die Angriffe der Pneumatomachen schrieb, auch deren Anschauungen zu Wort kommen läßt. Eine Frage ist nur, inwiefern diese Zitate auch als pneumatomachische Quelle zu bezeichnen sind. H. Dörries hat

[31] Ebd. 166.
[32] Vgl. unten 162 ff.
[33] Über die Vielfalt des pneumatomachischen Ansatzes vgl. W. D. Hauschild, Die Pneumatomachen, 16 ff.

die Hypothese aufgestellt[34], der Schrift »De Spiritu Sancto« liege das Protokoll eines Gespräches zugrunde, das Basilius mit Eustathius im Jahre 373 in Sebaste geführt habe[35]. Gewiß wird man hier nicht von der Voraussetzung ausgehen dürfen, daß der Schrift »De Spiritu Sancto« ein wörtliches Stenogramm des Gespräches zugrunde liege, wohl aber, daß hier Äußerungen des Pneumatomachenführers Eustathius aufgenommen sind[36].

Ein Vergleich mit einem bei Sokrates überlieferten Ausspruch des Eustathius stimmt mit den pneumatomachischen Anschauungen in »De Spiritu Sancto« überein[37].

Der Ansatz des Eustathius geht von der Feststellung aus, daß Vater und Sohn eine Einheit bilden, in die der Geist nicht einbezogen sei. Der Geist wird deswegen von Gott und Christus abgehoben, er hat keine κοινωνία κατὰ τὴν φύσιν[38] mit ihnen, weil seine Natur andersartig, d. h. nicht göttlich ist[39]. Es geht jedoch aus den Zitaten nicht eindeutig hervor, ob Eustathius den Geist zu den Geschöpfen zählt.

[34] H. Dörries, De Spiritu Sancto, 81—90.

[35] Diese Hypothese wird von Hauschild (Pneumatomachen, 39 ff.) in Frage gestellt. Hauschild kommt aber doch zu der Feststellung, daß Basilius mit Eustathius vor Abfassung der Schrift DSS ein Gespräch über strittige Fragen der Trinitätstheologie geführt habe, aus dem Eustathius eindeutig als Unterlegener hervorgegangen sei und darum auf Drängen des Basilius das Dokument Ep. 125 (von Dörries als »Friedensurkunde« bezeichnet — vgl. De Spiritu Sancto, 35 ff.) unterzeichnet habe.

[36] Eustathius war zweifellos schon seit den Anfängen einer der Führer der kleinasiatischen Pneumatomachen, vgl. F. Loofs, Eustathius von Sebaste und die Chronologie der Basiliusbriefe, Halle 1898; O. Bardenhewer, Geschichte der altkirchlichen Literatur III, 128; H. Dörries, De Spiritu Sancto, besonders 28 ff. Er war einer der bedeutendsten Asketen und kann als der eigentliche Begründer des Mönchtums in Kleinasien bezeichnet werden. Basilius bezeugt seine Bewunderung für ihn und nennt ihn seinen Freund, Ep. 223,5 (III, 14 Courtonne). Eustathius war wohl der erste Asket, der in der Askese nicht eo ipso einen Rückzug aus der Welt sah (vgl. Hauschild, Pneumatomachen, das Kap. über die Theologie des Eustathius und das Verhältnis von Pneumatomachen und Askese 217—224). Wie Zeitgenossen berichten, sei das auffälligste Zeichen seiner Askese sein Asketengewand gewesen, das er auch als Bischof trug, vgl. Basilius Ep. 223,3 (III, 11 Courtonne). Das Asketengewand dürfte für ihn als Bischof den Sinn gehabt haben, die Haltung zu demonstrieren, daß man zwar in dieser Welt lebe, aber als einer, der »nicht von dieser Welt sei«. »Das muß der Kern seiner asketischen Theorie gewesen sein! Man versteht von daher, daß seine zu Gangra 340/341 verurteilten Schüler in libertinistischer Weise daraus Konsequenzen zogen, wie es Eustathius selber nicht tat«, Hauschild, Pneumatomachen, 219. Es ist notwendig, diese Umstände hier zu erwähnen, da es vermutlich Zusammenhänge zwischen seiner asketischen Theorie und seiner Pneumatologie gibt.

[37] Vgl. Sokr. Hist. eccl. II, 45 (PG 67, 360 A—B).

[38] Basilius, DSS XVIII, 47 (414,32 Pruche).

[39] Basilius, DSS X, 24 (332,1 f. Pruche).

»Wenn nun aus der Prophetie . . . zu erkennen ist, daß Gott in den Propheten ist, dann sollen unsere Gegner überlegen, welchen Rang sie dem Heiligen Geist geben wollen; ob es gerechter ist, ihn neben Gott zu stellen oder ihn zur Schöpfung zu zählen[40].« Ein Hinweis darauf, wie Eustathius das Wesen des Heiligen Geistes verstanden hat, ist die Bezeichnung φύσις λειτουργική. Eustathius und seine Anhänger haben den Heiligen Geist zu jener Zwischenwelt der Geister, die zwischen Gott und eigentlicher Schöpfung steht, gerechnet. Basilius sagt von ihnen: »Die den Heiligen Geist zu den dienenden Geistern rechnen, sollen uns antworten[41]«; und: »Sie halten es für gut, den Geist von Vater und Sohn zu trennen und zur dienenden Natur zu rechnen[42].« Die Verbindung mit Hebr. 1,14 (DSS XXI, 52), in der Christus einzigartig über die Welt der Engel hinausgehoben wird, verstärkt die Annahme, daß der Geist eben nur als ein λειτουργικὸν πνεῦμα anzusehen ist. Die dienende Funktion wird auch an anderen Stellen deutlich ausgedrückt durch δοῦλος, ὑπήκοος, ὄργανον[43]. Das Schema δοῦλος — δεσπότης, das an anderer Stelle gebraucht wird[44], ersetzt oft den Gegensatz Θεός-κτίσμα[45]. Wesen und Werk des Geistes gehören also eng zusammen und bestimmen einander. Weil sein Werk ein mittlerisches »Dienen« ist, darum kann er seinem Wesen nach nicht göttlicher Natur sein, nicht mit dem Vater und dem Sohn eine Einheit bilden, sondern nur als λειτουργκὸν πνεῦμα bestimmt werden[46].

Doch ist mit dieser Terminologie der Ausgangspunkt der eustathianischen Lehre noch nicht gegeben. Die eigentliche Grundlage des Geist-Verständnisses scheint bei Eustathius in der Vorstellung zu bestehen, daß der Geist G a b e an den Christen ist: »In uns ist der Geist wie ein Geschenk von Gott[47].« Aber diese Gabe erweist sich als »aktiv«, sie wirkt in und am Menschen, ist Vermittler zwischen Gott und Mensch. Gabe kann für Eustathius offensichtlich nur Mittler-Charakter haben. Mit dieser mittlerisch-dienenden Funktion des Geistes war für Eustathius auch eine Abwertung seiner ontologischen Stellung und seines Verhältnisses zu Gott gegeben[48]. Das bedeutet jedoch nicht, daß Eustathius ihn nicht als

[40] Basilius, DSS XVI, 37 (374,11 f. Pruche).
[41] Basilius, DSS XXI, 52 (434,30 f. Pruche).
[42] Basilius, DSS X, 25 (334,20 Pruche).
[43] Basilius, DSS XIX, 50 (424,20 f. Pruche).
[44] Basilius, DSS XX, 51 (426,1 Pruche).
[45] Vgl. K. Holl, Amphilochius von Ikonium in seinem Verhältnis zu den großen Kappadoziern, 127.
[46] Vgl. W. D. Hauschild, Die Pneumatomachen, 48.
[47] Basilius, DSS XXIV, 57 (452,1 Pruche).
[48] Vgl. W. D. Hauschild, Die Pneumatomachen, 48.

Realität erfahren hat. Im Gegenteil, gerade weil er ihn in seinem Leben als von Gott verliehene Gabe, als Helfer erfahren hat, konnte er ihm nicht die Göttlichkeit zusprechen.
Während man bei Eustathius von »De Spiritu Sancto« her die Meinung herausstellen konnte, der Geist sei »weder Gott noch Geschöpf«[49], finden wir in den Homilien und Briefen des Basilius verhältnismäßig oft den Vorwurf, die Pneumatomachen behaupteten die Geschöpflichkeit des Geistes. In Homilie XXIV, die unter dem Titel »Contra Sabellianos, et Arium, et Anomoeos«[50] überliefert ist, setzt Basilius sich eingehend mit diesem Vorwurf auseinander. Diese Homilie befaßt sich im ersten Teil mit der Natur des Sohnes. Aber plötzlich unterbricht Basilius seine Rede und geht auf die Hörersituation ein, in der noch der pneumatomachische Streit unmittelbar spürbar wird. »Ich sehe, ihr werdet ungeduldig, warum ich mich solange beim Unbestrittenen aufhalte und die vielerörterte Frage nicht berühre. Denn alle Ohren sind gespannt, etwas über den Heiligen Geist zu hören. Aber es ist kein unbefangenes Hören: Ihr steht vor mir mehr als Richter denn als Schüler, wollt mich prüfen, nicht etwas empfangen. Ich muß immer wie vor Gericht mich ausforschen lassen und auf Einwürfe antworten[51].« Die Einwürfe der Pneumatomachen sind eindeutig: Sie nennen den Geist κτίσμα[52] und sie rechnen ihn zur κτίσις[53]. Auch aus dieser Argumentation geht hervor, daß der Geist streng vom Vater und Sohn getrennt und als untergeordnetes und dienendes Wesen verstanden wird. Es wird ferner deutlich, daß die Pneumatomachen[54] eine folgerichtig durchgedachte Trinitätstheologie hatten. Sie argumentieren mit dem Schema ἀγέννητον — γεννητόν — κτιστόν[55], das für sie den ganzen Seinsbereich umfaßt. Die Konsequenz, die sie daraus ziehen, ist, daß sie es als denkunmöglich demonstrieren wollen, daß der Heilige Geist Gott sei[56]. Die Gottheit ist für sie nur im Schema Vater-Sohn (= ἀγέννητος — γεννητός) faßbar, so daß der Geist unmöglich Gott sein kann, weil es neben ἀγέννητον und γεννητόν als drittes Seinsprinzip nur κτιστόν gibt[57].

[49] In Ep. 128,2 (II, 38,14 ff. Courtonne) verweist Basilius auf diese Mittelstellung des Eustathius.
[50] PG 31, 600—617.
[51] PG 31, 608 C.
[52] PG 31, 612 B; Hom. Adv. eos qui per calum. 3 (PG 31, 1492 C); Hom. Contra Sab. et Ar. 5 (PG 31, 609 D).
[53] Hom. Contra Sab. et Ar. 5 (PG 31, 609 D).
[54] Die Gegner werden hier ausdrücklich als πνευματομάχοι bezeichnet, PG 31, 613 C.
[55] PG 31, 612 D.
[56] PG 31, 612 C.
[57] Vgl. W. D. Hauschild, Die Pneumatomachen, 60.

Der Vorwurf des Tritheismus, den die Pneumatomachen gegen Basilius erheben, wie die Hom. »Adversus eos qui per calumniam dicunt dici a nobis deos tres«[58] zeigt, ist vom trinitätstheologischen Ansatz der Pneumatomachen, nach dem es in der Gottheit nur die Zweiheit Vater-Sohn gibt, zu verstehen. Weil Basilius den Heiligen Geist nicht verachtet[59] und ihn nicht als Geschöpf bezeichnet[60], weil er ihn damit — wenn auch nicht expresso verbo — als Gott bekennt, darum wird ihm Tritheismus vorgeworfen[61].
Diesem kurzen Überblick über die verschiedenen theologischen Systeme sollen nun, bevor die basilianische Pneumatologie entfaltet wird, die Anfänge der kirchlichen Lehrverkündigung gegenübergestellt werden.

3. Basilius zwischen Nicaea und Konstantinopel

Mit Recht betont L. Scheffczyk[62], daß die Ausbildung des trinitarischen Dogmas ohne die Auseinandersetzung mit der innerkirchlichen Häresie nicht zu verstehen sei. Die extremen Positionen der verschiedenen theologischen Strömungen verlangten nach einer Klärung. Das erste ökumenische Konzil von Nicaea (325) sollte in einer Zeit, als die Auseinandersetzungen mit dem Arianismus ihrem Höhepunkt zustrebten, einen entscheidenden Klärungsprozeß einleiten. Es kann hier nicht darum gehen, den Verlauf des Konzils auch nur annähernd zu schildern, sondern lediglich darum, einige Aspekte hervorzuheben, die im Hinblick auf die weitere Entfaltung im Constantinopolitanum wichtig sind. Hinzuweisen ist hier vor allem auf den Terminus »ὁμοούσιος« (wesensgleich), der in der Folgezeit zum Schlüssel- und Losungswort der nicaenischen Theologie werden sollte[63]. Während für die arianisch gesinnten Bischöfe das »ὁμοούσιος« als Beschreibung der Beziehung des Sohnes zum Vater unannehmbar schien und auch manchen anderen Bischöfen des Ostens Unbehagen bereitete, schien es den Vertretern der lateinischen Kirche angemessen, da sie in ihm die exakte Entsprechung dessen fanden, was im Westen seit Tertullian mit »consubstantialis«

[58] Hom. Adv. eos qui per calum., PG 31, 1488—1496.
[59] PG 31, 1492 A.
[60] PG 31, 1492 B.
[61] Mit dem Vorwurf des Tritheismus setzt Basilius sich auch in Ep. 131,2 (II, 46,20 f. Courtonne) auseinander.
[62] L. Scheffczyk, Lehramtliche Formulierungen und Dogmengeschichte der Trinität, Mysterium Salutis, II, 161.
[63] Vgl. A. M. Ritter, Das Konzil von Konstantinopel und sein Symbol, 270 ff.; Baus, Handbuch der Kirchengeschichte, II/1,27; H. Kraft, Ὁμοούσιος, in: ZKG 66 (1954/55) 1—24.

oder »eiusdem substantiae« ausgedrückt wurde[64]. Die in den endgültigen Text des Symbols aufgenommenen Einzelformulierungen — »gezeugt vom Vater, das heißt aus der Wesenheit (ἐκ τῆς οὐσίας) des Vaters, Gott von Gott, Licht vom Lichte, wahrer Gott vom wahren Gott, gezeugt, nicht geschaffen, wesenseins (ὁμοούσιον τῷ πατρί) mit dem Vater«[65] — sicherten die Aussagen über Christus gegen jede arianische Auslegung ab. Im Hinblick auf die Bestimmung des Heiligen Geistes wurde jedoch nur ausgesagt: »Wir glauben ... an den Heiligen Geist — καὶ εἰς τὸ ἅγιον πνεῦμα[66].«
Man darf den Fortschritt, der mit der Definition des ὁμοούσιος erreicht wurde, zwar nicht verkennen, aber über das Verhältnis der göttlichen Einheit zur Zwei- oder Dreiheit der Personen ist noch nichts ausgesagt[67]. Ein anderer theologischer Mangel, der für die weitere Entwicklung eine negative Bedeutung gewinnen sollte, ist das Fehlen jedes Hinweises auf die ökonomische Trinität, wie sie die ältere kleinasiatische und die jüngere abendländische Tradition (Tertullian) als wichtiges Anliegen vertreten hatte[68]. »Der Ausschluß des Gedankens an die ökonomische Trinität verhinderte zwar jedes Neuaufflammen des Modalismus, lockerte aber auch die Beziehung dieser Wahrheit zur Schöpfungs- und Heilsgeschichte und beraubte das gläubige Denken der Möglichkeit, die göttliche Dreiheit aus der lebendigen Offenbarung zu erfassen[69].« Die trinitarische Frage war durch das erste allgemeine Konzil unvollkommen beantwortet.
Die Gestalt des Athanasius und sein Einsatz für die Anerkennung des Nicaenums gaben der trinitarischen Auseinandersetzung bis in die Mitte des 4. Jahrhunderts das Gepräge. Aber Athanasius, der für die Hervorhebung der Wesensidentität zwischen Vater und Sohn auch das »ὁμοούσιος« verwandte, gelang es nicht eindeutig, die Personverschiedenheit und die Dreiheit lehrhaft zum Ausdruck zu bringen. Das hatte seinen Grund in terminologischen Unzulänglichkeiten. Athanasius verstand οὐσία und ὑπόστασις als Synonyme und wollte andererseits das sabellianische πρόσωπον nicht als Aequivalent des lateinischen persona verwenden, so blieb die eigentliche Personbezeichnung offen[70].

[64] Baus, Kirchengeschichte, ebd. 27.
[65] Deutscher Text Neuner-Roos, 155, vgl. den kritischen Text bei G. L. Dosetti, 226—240.
[66] DS 150; Neuner-Roos, 155.
[67] L. Scheffczyk, Mysterium Salutis II, 176.
[68] Vgl. L. Scheffczyk, ebd.
[69] Ebd.
[70] Vgl. H. Dörrie, Hypostasis, Wort- und Bedeutungsgeschichte, 56 f.

Hier liegt nun der Ansatz für den entscheidenden Beitrag, den die Kappadozier zur Entwicklung der Trinitätslehre und zur Erklärung des nicaenischen Glaubensbekenntnisses leisteten.
Es bleibt das unbestrittene Verdienst der Kappadozier, durch ihre theologische Arbeit die Glaubensentscheidung des Konzils von Konstantinopel vorbereitet, die Trinitätslehre zu einem ersten Abschluß gebracht und damit der nicaenischen Theologie zu einem dauerhaften Durchbruch verholfen zu haben[71]. Basilius, der das Konzil von Konstantinopel nicht mehr erlebte, beeinflußte maßgeblich Gregor von Nazianz und Gregor von Nyssa.
Eine Textanalyse des Symbols von Konstantinopel läßt erkennen, daß man die Aussagen des Nicaenums unangetastet bestehen ließ[72]. Die über dieses hinausgehenden Zusätze finden sich schon in anderen Formeln und Texten, stellen also keine Neuschöpfungen der Väter von Konstantinopel dar[73]. Es sind vielmehr die neuen Aussagen im III. Artikel über den Heiligen Geist, auf denen die theologische Bedeutung dieses Symbols beruht. Während das Nicaenum noch schlicht sagt: »Wir glauben . . . an den Heiligen Geist — καὶ εἰς τὸ ἅγιον πνεῦμα«, finden sich hier folgende Erweiterungen:
»Ich glaube an den Heiligen Geist, den Herrn und Lebensspender, der vom Vater ausgeht. Er wird mit dem Vater und dem Sohne zugleich angebetet und verherrlicht. Er hat gesprochen durch die Propheten[74].«

»καὶ εἰς τὸ πνεῦμα τὸ ἅγιον,
τὸ κύριον καὶ ζωοποιόν,
τὸ ἐκ τοῦ πατρὸς ἐκπορευόμενον,
τὸ σὺν πατρὶ καὶ υἱῷ συμπροσκυνούμενον,
καὶ συνδοξαζόμενον, τὸ λαλῆσαν διὰ
τῶν προφητῶν[75].«

Mit Nicaea und Konstantinopel ist damit gewissermaßen der Rahmen abgesteckt, in dem die theologische Arbeit des großen Kappadoziers sich bewegt. Es wird die Aufgabe der folgenden Kapitel sein, aufzuzeigen, wie die basilianische Pneumatologie die Aussagen des III. Artikels bis in die Formulierungen hinein geprägt hat.

[71] Vgl. H. Dörries, Basilius und das Dogma vom Heiligen Geist, in: Wort und Stunde I, Gesammelte Studien zur Kirchengeschichte des 4. Jahrhunderts, Göttingen 1966, 141.
[72] Vgl. Baus, Handbuch der Kirchengeschichte, II/1,75.
[73] Vgl. I. Ortiz de Urbina, Nicaea und Konstantinopel, Mainz 1964, 214—217.
[74] Deutscher Text Neuner-Roos, 250.
[75] DS 150.

II. DAS MÖNCHTUM ALS PRÄGENDER FAKTOR DER BASILIANISCHEN PNEUMATOLOGIE

1. Die charismatische Struktur des Mönchtums

Wenn hier von »prägenden Faktoren« gesprochen wird, dann muß vorausgesetzt werden, daß die Einflüsse, die die Pneumatologie des Basilius bestimmen, so vielschichtig sind, daß sie kaum artikuliert und benannt werden können, man denke hier nur an seine philosophische Prägung durch sein Studium in Athen. Hier sei deshalb nur als ein Moment das Mönchtum hervorgehoben, in dem der Glaube an das Wirken des Geistes ein nicht zu übersehendes Faktum war, das auch den »Mönch« Basilius in entscheidender Weise geprägt hat, wie dies aus seinen Schriften zu ersehen ist.

Die apostolische Urgemeinde hat von je her auf das Mönchtum eine starke Anziehungskraft ausgeübt. Athanasius verknüpft die Bekehrung seines Helden Antonius mit Apg. 4,34f[76]. Basilius liebt es, seine Mönchsgemeinde als Abbild der Urgemeinde, wie sie die Apostelgeschichte schildert, hinzustellen[77]. Ebenso wie bei Basilius weiß man auch im pachomianischen Koinobion um die urkirchliche Situation der Kommunität[78]; und Augustinus wird in seinen Mönchsschriften zum Lobredner der urkirchlichen Gemeinde[79].

Mit Recht wird das Mönchtum oft gedeutet als »Heimweh nach der Urkirche«[80]. Das Leben der ersten christlichen Gemeinde, so wie es die Apostelgeschichte und die Paulusbriefe schildern, ist erfüllt und getragen von einem Überschwang an Geistesgaben. Die pneumatischen Gaben, Prophetie, Erkenntnis, Zungenreden und Heilungswunder wurden als Erfüllung der prophetischen Verheißung verstanden[81]. Wenn Paulus im Zusammenhang mit der Gabe des Geistes wörtlich oder sachlich auf Ez. 36,27 oder Jer. 31,33 verweist, so folgt er damit der gemeinchristlichen Tradition.

Aber bereits um die Wende des 1. Jahrhunderts ist ein einschneidender Rückgang der Geistesgaben zu verzeichnen. »Die Prophetie hat am Ende des 1. Jahrhunderts ihre ursprüngliche Bedeutung

[76] Vita Antonii 2 (PG 26, 841 BC).

[77] Reg. fus. tract. 7 (PG 31, 933 C).

[78] Liber Orsiesii (Boon 142).

[79] Regula II, 1 (Arlesmann-Hümpfner, 494,4—11).

[80] H. Bacht, Heimweh nach der Urkirche, in: Weltnähe oder Weltdistanz, Frankfurt 1962, 114—140; vgl. auch S. Frank, Angelikos Bios, Begriffsanalytische und begriffsgeschichtliche Untersuchung zum »engelgleichen Leben« im frühen Mönchtum, Münster 1964.

[81] J. S. Vos, Traditionsgeschichtliche Untersuchungen zur paulinischen Pneumatologie, Van Gorcum's Theol. Bibliothek, Assen 1973.

verloren[82].« Unter den Gründen, die zum Rückgang der Prophetie führten, wird an erster Stelle die steigende Unsicherheit der Gemeinde gegenüber der prophetischen Verkündigung genannt.

Im Montanismus wird die enthusiastische Berufung auf den Heiligen Geist noch einmal lebendig. »Neue Prophetie« nennt sich diese Bewegung und stellt damit treffend ihre Grundidee in den Vordergrund. Sie greift die seit den Tagen der Urgemeinde bekannte und geschätzte Form des religiösen Enthusiasmus wieder auf[83]. Aber von einem echten Wiederaufleben der urkirchlichen Prophetie kann kaum die Rede sein. Die antimontanistischen Autoren stießen sich weniger an den ekstatischen Elementen im allgemeinen als vielmehr an den Symptomen des mantischen Furors und an der Verdrängung des Ichbewußtseins durch das Pneuma[84]. Der Montanismus war sozusagen das »letzte große Aufflackern der Prophetie in der Kirche«[85]. In der Auseinandersetzung mit dem Montanismus zeigt und verstärkt sich die großkirchliche Reserve gegenüber der Prophetie und der Berufung auf den Heiligen Geist[86]. Prophetisches Wirken konnte ein Einfallstor für die Irrlehre werden[87] (vgl. 1 Joh. 4,2; Offb. 2,20) und war als solches verdächtig[88]. Im Mönchtum geschieht nun in der Tat das Erstaunliche, daß der Glaube an das Wirken des Geistes neu erwacht. K. Holl spricht von einer Wiedererweckung des urkirchlichen Enthusiasmus[89].

Kann man von einem inneren Zusammenhang zwischen urchristlichem Pneumatikertum und dem Geistbesitz des altkirchlichen Mönchtums sprechen?

[82] Vgl. E. Hennecke — W. Schneemelcher, Neutestamentliche Apokryphen, Tübingen, [3]1964.

[83] Vgl. K. Baus, Handbuch der Kirchengeschichte, Von der Urgemeinde zur frühchristlichen Großkirche, I 231; vgl. Th. Baumeister, Montanismus und Gnostizismus, in: Trierer Theol. Zeitschrift 87 (1978) 44—60.

[84] H. Bacht, Art. Montanismus LThK VII, 580; ders., Die prophetische Inspiration in der kirchlichen Reflexion der vormontanistischen Zeit, in: Scholastik 19 (1944) 1—18.

[85] Friedrich, Art. προφήτης, ThWb VI, 863.

[86] G. Dautzenberg, Urchristliche Prophetie, Stuttgart 1975, 38.

[87] Vgl. E. Hennecke — W. Schneemelcher, Neutestamentl. Apokryphen, II, 427.

[88] Vgl. Friedrich, Art. προφήτης, ThWb VI, 857 f.

[89] Harnack und Holl prägten für diesen Typus des Geistbesitzes den Begriff »Enthusiasmus«, vgl. den Titel von Holl »Enthusiasmus und Bußgewalt«; Harnack, SBA 1891, 381. Aber der Begriff »Enthusiasmus« dürfte schwerlich die ganze Breite der Geisterfahrung im Mönchtum zum Ausdruck bringen. Der Terminus »Pneumatophoros«, den Heussi für den asketisch-mönchischen Geistträger gebraucht, ist vorzuziehen, da er einer geläufigen Selbstbezeichnung der Asketen entspricht, vgl. K. Heussi, Ursprung des Mönchtums, Tübingen 1936, 164 ff.; P. Nagel, Die Motivierung der Askese in der alten Kirche und der Ursprung des Mönchtums, Berlin 1966, 72.

Harnack hat mit Hilfe der pseudoclementinischen Briefe »De virginitate« gezeigt, daß die Funktion der charismatischen Lehr- und Wanderpropheten auf die wandernden Asketen übergegangen sei[90]. Diese Beobachtung erklärt wohl den Ursprung des Phänomens der Wanderaskese, aber kann sie auch die Kontinuität des urchristlichen und mönchischen Pneumatikertums hinreichend wahrscheinlich machen[91]? Die Funktion, die den charismatischen Wanderprediger auswies, ist im Mönchtum bereits erloschen.

Im Mönchtum werden wir vielmehr auf eine andere urchristliche Anschauung verwiesen, und zwar die, daß Askese zum Empfang des Heiligen Geistes disponiert[92]. Die frühchristliche Askese hat dieses Motiv aufgenommen, in mannigfacher Weise ausgebaut und ins Mönchtum tradiert. K. Holl suchte die pneumatische Begabung des Mönchtums aus dem asketisch-mönchischen Ideal der Vita Antonii zu erklären. Antonius, der fortwährend mit den Mächten des Bösen kämpft, erfährt, daß der Herr, für den er streitet, ihn mit dem Geist erfüllt; er erhält Macht, Kranke zu heilen und Dämonen auszutreiben[93]. Der Geistbesitz ist hier nicht an eine Funktion, sondern an eine bestimmte Lebenshaltung gebunden. »Der Mönch ist Geistträger, weil er Asket ist. Es ist ein Geistbesitz besonderer Art, der sich durch Wunder, Visionen und Prophetie ausweist. Ihm eignet ein dynamisches, ekstatisches Moment[94].«

In der Mönchsvita, in der von Anfang an das Wunder eine bedeutende Rolle gespielt hat[95], erweist der Mönch sich überall als »Mann des Geistes und der Kraft«. Die »Historia Monachorum«[96] führt die Mönche einfach als die »neuen Propheten« ein. Die Na-

[90] Vgl. SBA 1891, 361—385; jetzt veröffentlicht in: S. Frank (Hrsg.) Askese und Mönchtum in der alten Kirche, Darmstadt 1975, 37—68; es wird nach dieser Ausgabe zitiert.

[91] P. Nagel, Motivierung der Askese, 71.

[92] Vgl. Lk 2,36; Apg. 13,2; 21,9; Hermas, Vis. II, 2,21; III 10; 2 Clem. 14,3 f.; 1 Clem. 55; vgl. auch bei Basilius die Ansicht, daß Voraussetzung für den Empfang des Geistes die Trennung von den Leidenschaften ist. Nur der Gereinigte kann dem Parakleten nahen, De Spir. S. IX, 23; H. Dörries, De Spiritu Sancto, 159.

[93] K. Holl, Über das griechische Mönchtum, in: Ges. Aufsätze, Tübingen 1928, II 271.

[94] P. Nagel, Motivierung der Askese, 71.

[95] H. Lietzmann, Geschichte der alten Kirche, Berlin 1944, IV 151; P. Nagel, Motivierung der Askese, 69.

[96] Die »Historia Monachorum«, eine Reisenovelle, die um 400 griechisch niedergeschrieben und wenige Jahre später von Rufin lateinisch bearbeitet wurde, gibt die Eindrücke einer Reisegesellschaft wieder, die um 395 von Jerusalem aus die Mönchsniederlassungen in der Thebais besucht hatte, vgl. die deutsche Übersetzung von S. Frank, Mönche im frühchristlichen Ägypten, Düsseldorf 1967.

mensgleichheit mit den alttestamentlichen Propheten und die Betonung des Geistbesitzes bringen den Nachfolgegedanken sehr deutlich zum Ausdruck[97]. Die Symbolhandlung des alttestamentlichen Propheten setzt sich beim Mönch fort[98]. Der Mönch ist zum neuen Propheten und Apostel geworden und beweist das, indem er die gleichen Wunder vollbringt[99]. Bis in die Stilisierung der Erzählung hinein findet sich der Anschluß an die alttestamentlichen Prophetenerzählungen, so z. B. bei Makarius, von dem Antonius sagt: »Siehe, mein Geist ruht auf dir, in Zukunft sollst du der Erbe meiner Tugenden sein[100].« Die Mönche besitzen auch die Prophetengabe und die Gabe der Herzensschau, wie es von Elisäus berichtet wird[101].

Aber nicht jeder beliebige Mönch der Sketis konnte den Anspruch auf charismatische Begabung erheben; ausdrücklich zugestanden wurde sie nur denen, denen das Prädikat »Abbas« gegeben wurde. Der Name »Abbas« ist im sketischen Mönchtum noch ein rein und ausschließlich pneumatischer Begriff, der auf charismatischer Begabung beruht und sich in der Mitteilung eines Logion und Rhema bekundet[102]. Die Bitte um ein Rhema setzt die Anerkennung voraus, daß der Angeredete Pneumatiker ist und der Geist Gottes durch ihn spricht[103].

Die Zeugnisse, die die Geistbegabung in allen ihren Äußerungen auf die Askese zurückführen, könnten den Anschein erwecken, als verlaufe eine gerade Linie vom urchristlichen Charismatiker zum mönchischen Pneumatophoros[104]. Tatsächlich aber verlief die Entwicklung wesentlich komplizierter, denn zunächst trat nicht der Asket, sondern der Martyrer das Erbe des urchristlichen Pneumatikertums an.

Aufschlußreich ist für diesen Zusammenhang eine Stelle aus dem Hirten des Hermas. Die als Frau erscheinende Kirche weist dem, der um ihres Namens willen gelitten hat, den Platz an ihrer rechten Seite an, während dem Propheten der Platz zu ihrer Linken zu-

[97] Hist. Mon. 7,1 (45 Festugière).

[98] Hist. Mon., Prolog (7 Festugière).

[99] Vgl. das Wunder der Brotvermehrung bei Abbas Apollo, Hist. Mon. 8,47 (65 Festugière).

[100] Hist. Mon. 21,2 (124 Festugière).

[101] Hist. Laus. 17 (44,20 Butler). Wenn die Biographen von ihren Mönchen dieselben Wunder berichten wie die Propheten sie vollbrachten, so ist das als literarisches Mittel anzusehen, mit dem erwiesen werden soll, daß die Nachin die Gleichgestaltung übergegangen ist und von Gott bestätigt wurde, vgl. S. Frank, Angelikos Bios, 5 f.

[102] H. Emonds, Art. Abt., RAC I, 53.

[103] R. Reitzenstein, Hist. Mon. u. Hist. Lausiaca, Göttingen 1916, 190.

[104] P. Nagel, Motivierung der Askese, 72.

gewiesen wird[105]. Aus dieser Stelle wird ersichtlich, wie das Verhältnis zwischen Prophet und Martyrer sich z. Z. des Hermas verschob. Der Märtyrer ist über den Propheten hinaufgestiegen und damit an die Spitze der in der Gemeinde geehrten Persönlichkeiten gerückt[106].

Aber während nun der Märtyrer zu neuer Würde aufsteigt, tritt an seine Seite der Mönch, der eine ähnliche Geltung beansprucht[107]. Die Vita Antonii macht den von Clemens[108] zuerst ausgesprochenen Gesichtspunkt geltend, daß das Martyrium der Askese dem Martyrium im eigentlichen Sinn gleichzuachten sei[109].

Im Mönchtum, so läßt sich zusammenfassend sagen, hat das pneumatophorische Motiv der Askese seinen Höhepunkt erreicht. Aber das Mönchtum hat nicht nur die Bedeutung gehabt, daß es das sittliche Ideal auf eine höhere Stufe hob, sondern es hat den Glauben an die Kraft des Geistes wieder geweckt[110]. Ein Erbteil aus der alten Kirche ist somit auf das Mönchtum übergegangen; es konnte noch übergehen, weil in den Kreisen der Asketen der Glaube an den Besitz geistlicher Gaben noch nicht erloschen war[111]. Dabei hat sich die ursprüngliche Auffassung, daß ein Charisma die Fähigkeit zur Askese verleiht[112], dahingehend verlagert, daß die Askese selbst charismatische Kräfte entbindet[113].

b) *Charismatische Elemente im basilianischen Mönchtum*

Basilius begegnet uns in seinen Schriften als Mönch und Mann der Kirche zugleich. »Er hat nicht nur äußerlich beides miteinander verbunden, sondern er ist als Mönch Bischof geworden und hat als Bischof nicht aufgehört, Mönch zu sein. Seine Absicht als Mönch stößt sich nicht an seiner Absicht als Bischof der Kirche, er weiß vielmehr beides zu verbinden. Er ist Mönchsbischof[114].«

Diese Tatsache ist nicht ohne Bedeutung. Basilius ist zwar nicht der erste, der in Kleinasien das Mönchtum begründet, aber er ist der-

[105] Vis. III, 18 — Vgl. K. Holl, Die Vorstellung vom Märtyrer und die Märtyrerakte in ihrer geschichtlichen Entwicklung, in: Ges. Aufsätze II, 68—102.

[106] Vgl. K. Holl, ebd. 69.

[107] K. Holl, ebd. 88.

[108] Vgl. W. Völker, Der wahre Gnostiker nach Clemens Alexandrinus, Berlin 1952 (TU 57), 560.

[109] Vita Antonii, Kap. 47 (PG 26, 912 B).

[110] Vgl. K. Holl, Enthusiasmus und Bußgewalt, 153.

[111] Ebd. 153.

[112] 1 Clem. 35,1; (SC 167, 156 Jaubert).

[113] Vgl. K. Holl, Enthusiasmus und Bußgewalt, 148; ferner P. Nagel, Die Motivierung der Askese in der alten Kirche, 74.

[114] L. Vischer, Basilius der Große, Basel 1953, 51.

jenige, der das Mönchtum in die Kirche integriert[115]. Und andererseits ist seine Herkunft aus dem Mönchtum auch für seine theologische Auseinandersetzung von prägender Kraft gewesen.
Da im folgenden Hauptteil[116] im einzelnen zu erheben sein wird, wo Basilius im Heiligungswirken den Heiligen Geist am Werk sieht, seien hier nur einige Aspekte hervorgehoben, die als »charismatische Elemente« im Mönchtum des Basilius in Erscheinung treten.
Wie schon im vorhergehenden Kapitel angedeutet, liebt auch Basilius es, die Mönchsgemeinde als Abbild der Urgemeinde, wie sie in der Apg. (2,44; 4,32) geschildert wird, hinzustellen[117]. Noch fruchtbarer aber ist für ihn der paulinische Gedanke, daß die Jünger Christi in sich eine Einheit darstellen, daß die Mönchsgemeinschaft σῶμα χριστοῦ ist[118]. »Wir alle, in einer Hoffnung aufgenommen, sind ein Leib und haben Christus zum Haupt, und wir sind nur dadurch Glieder, daß wir durch die Eintracht im Heiligen Geist zur Harmonie des Leibes vereinigt werden[119].« Basilius ist überzeugt, daß in diesem »Leib« der Geist das belebende Prinzip ist. Schon K. Holl hatte darauf hingewiesen, daß im Ideal des Basilius sehr deutlich Motive des urchristlichen Enthusiasmus enthalten sind; d. h. Basilius ist überzeugt, daß in jedem seiner Mönche der Heilige Geist wirksam ist, bzw. wirksam sein kann. Aber Basilius sieht erst in der Gemeinschaft die Möglichkeit gegeben, alle Charismen des Geistes zu empfangen. »Da einer allein nicht imstande ist, alle Charismen zu empfangen, sondern der Geist nach dem Maß des Glaubens, der in jedem ist, verliehen wird, so wird im gemeinsamen Leben das einem jeden verliehene Charisma zum Gemeingut der Gemeinschaft. Denn dem einen wird das Wort der Weisheit verliehen, dem anderen das Wort der Erkenntnis, einem dritten Glaube, diesem Weissagung, jenem die Gabe zu heilen etc. (1 Kor. 12,8—10). Und was ein jeder besitzt, das hat er nicht so sehr seinet- als der übrigen wegen empfangen. Darum muß im gemeinsamen Leben die einem jeden verliehene Wirksamkeit des Heiligen Geistes zugleich auf alle übergehen[120].« Für die Bewertung dieser Aussage ist zu beachten, daß sie nicht nur literarische Form ist, nicht in einer Predigt oder erbaulichen Meditation steht, sondern in einer Regel, die als Grundlage einer Lebensform ge-

[115] Zur Bedeutung der Moralia und zum Verhältnis von klösterlicher Gemeinschaft und Kirche vgl. L. Vischer, Basilius der Große, das Kapitel: Askese, Mönchtum, Kirche, 28 ff.
[116] Vgl. unten § 3, III, 5.
[117] Reg. fus. tract. 7,4 (PG 31, 933 C).
[118] Reg. fus. tract. 7,2 (PG 31, 929 C).
[119] Reg. fus. tract. 7,2 (PG 31, 929 C).
[120] Reg. fus. tract. 7,2 (PG 31, 932 A).

dacht ist[121]. Basilius hätte dem Anachoretentum gegenüber nicht das Argument verwenden können, daß ein Einzelner nicht alle Charismen besitze, wenn er selbst nicht an den Besitz der Geistesgaben bei seinen Mönchen geglaubt hätte. Die Regeln legen Zeugnis dafür ab, daß man in den Koinobien wirklich nach dem Besitz des Geistes strebte. In den Kleinen Regeln wird direkt die Frage aufgeworfen, wie man des Heiligen Geistes teilhaftig werden könne, und Basilius antwortet: »Dies hat uns der Herr gelehrt, indem er sagte: ›Wenn ihr mich liebt, so haltet meine Gebote! Und ich will den Vater bitten, daß er euch einen anderen Tröster gebe, damit er in Ewigkeit bei euch bleibe‹[122].« Eine scheinbar unerfüllbare Bedingung für den Empfang des Geistes wird hier genannt, aber Basilius ist überzeugt, daß der Mensch die Gebote Gottes erfüllen kann, daß sie im Menschen geradezu eine »schöpferische Wirksamkeit« entfalten[123]. Bei Basilius äußert sich das Verlangen nach der Anteilnahme am Leben Gottes in dem Verlangen nach der Erfüllung »aller Gebote«. Die οἰκειότης, die Freundschaft, die Verbindung mit dem Herrn erkennt man nicht κατὰ σάρκα, sondern sie wird bewirkt durch eifriges Erfüllen seiner Gebote[124]. Gott erkennen heißt, seine Gebote kennen und sie befolgen, und das heißt: sich mit ihm vereinigen[125]. Für Basilius bilden die Gebote einen Ring, d. h. sie stehen alle in einem so engen Zusammenhang, daß die Übertretung des einen, notwendigerweise die der anderen zur Folge hat[126]. Diese vom alttestamentlichen Gesetzesverständnis geprägte Auffassung der »Gebote Gottes« verbindet sich bei Basilius mit seiner Pneumatologie[127]. Aufschlußreich ist auch die Gleichstellung des Mönches mit dem Märtyrer, die hier von einer neuen Seite her begründet wird. Der Mönch, der im Gehorsam alles Schwere und alles Ungemach auf sich nimmt, wird Christus gleich, der gehorsam wurde bis zum Tod[128]. Wer alles, auch die kleinsten Handlungen im Gehorsam tut, dessen Leben ist ein geistiger Gottesdienst, eine λογικὴ λατρέια, ja es ist ein ständiges Leben im Geist, eine πνευματικὴ ζωή[129].

So begegnet Basilius dem Wirken des Geistes in der mönchischen Gemeinschaft im Empfangen der Charismen, im Ausrüsten mit der

[121] Vgl. K. Holl, Enthusiasmus und Bußgewalt, 165.
[122] Reg. brev. tract. 204 (PG 31, 1217 B).
[123] Reg. fus. tract. 2,1 (PG 31, 908 D).
[124] Reg. morales XXII, 2 (PG 31, 741 B).
[125] Ep. 235,3 (III, 46 Courtonne).
[126] Prooem. in Ascet. magn. 2 (PG 31, 892 C); Reg. fus. tract. 16,3 (PG 31, 960 C).
[127] Reg. brev. tract. 1 (PG 31, 1081 A).
[128] Reg. fus. tract. 28 (PG 31, 989 B).
[129] Reg. brev. tract. 230 (PG 31, 1236 B).

Kraft zum Guten, in der Festigung im Glauben und im Hinführen zum geistigen und wahren Gottesdienst, zur Anbetung, wie er es in »De fide«, einer Schrift an eine Mönchsgemeinschaft, dargelegt hat[130].

Überall ist bei Basilius der Empfang des Geistes an sittliche Voraussetzungen geknüpft. Der »fleischliche Mensch« kann zum Licht der Wahrheit nicht aufblicken, das den Leidenschaften verpflichtete Leben kann die Gnade des Geistes nicht in sich aufnehmen[131]. Ja, um zur vertrauten Gemeinschaft mit dem Heiligen Geist zu kommen, ist die völlige Reinigung vorausgesetzt[132]. Eine so vorbereitete Seele führt der Heilige Geist zur Vollendung. Er macht die von ihm Aufgenommenen zu Geistesmenschen, die licht geworden, den in sie einstrahlenden Glanz auch an andere weitergeben. Sie erkennen das Künftige, begreifen Geheimnisse, haben vollen Anteil an den Charismen. Ihr Wandel ist im Himmel[133].

Dieser hymnenartige Stil begegnet uns im IX. Kapitel der dogmatischen Hauptschrift »De Spiritu Sancto«, einem Kapitel, das offensichtlich eine eigene Geschichte gehabt hat. Vermutlich ist dieses Blatt für sich entstanden, wahrscheinlich für Mönche niedergeschrieben[134]. Zweifellos nimmt dieses Kapitel innerhalb der Schrift »De Spiritu Sancto« eine Sonderstellung ein, aber es ist durch viele Klammern mit der Theologie, auch mit der Mönchstheologie des Basilius, verknüpft. Basilius beschließt dieses Kapitel mit den Worten: »Das sind unsere Begriffe über Größe, Würde und Wirkungen des Geistes[135].« Man kann von hier aus ermessen, welchen Rang für Basilius die inneren Wirkungen des Heiligen Geistes hatten, von denen er stets seinen Ausgang nahm. Schon hier deutet sich an, welchen Weg auch seine Theologie des Heiligen Geistes nehmen wird.

Die in der pneumatologischen Forschung viel diskutierte Frage nach den »bewegenden Mächten der Lehrentwicklung« des III.

130 De fide, 4 (PG 31, 685 C).

131 DSS XXII, 53 (440,20 f. Pruche).

132 DSS IX, 23 (326,3 Pruche).

133 DSS IX, 23 (328,15—23 f. Pruche).

134 Es ist häufig nachgewiesen worden, wieviel platonisches und neuplatonisches Erbe in dieses Kap. aufgenommen wurde, aber umgeformt und in seinen einzelnen Begriffen in einen anderen Zusammenhang eingeordnet, vgl. H. Dörries, De Spiritu Sancto, 53 ff.; H. Dehnhard, Das Problem der Abhängigkeit des Basilius v. Plotin. Dieses Kap. hat dann eine eigene Geschichte erlebt. Es begegnet in der Überlieferung des ›makarischen‹ Schrifttums, ist also von der spiritualistischen Bewegung der Messalianer angeeignet und als Werk ihres eigenen Führers gelesen worden, vgl. H. Dörries, a.a.O. 54 f.

135 DSS IX, 23 (328,26 f. Pruche).

Glaubensartikels[136] kann dahingehend beantwortet werden, daß das an der Urgemeinde orientierte Mönchtum, das den Glauben an die urchristlichen Charismen neu belebt hatte, als »Erfahrungshorizont« bezeichnet werden kann, der auch die Weise der theologischen Aussage maßgeblich beeinflußte. Das schließt nicht aus, daß die begriffliche Klärung sich weitgehend in der Auseinandersetzung mit der »apologetisch-monotheistischen Trias-Spekulation«[137] vollzog. Man wird deshalb kaum mit H. Saake annehmen können, daß es sich als zwingend abzeichnet, »daß die Pneumatologie nicht aus dem Mönchtum abzuleiten ist«[138].

[136] Vgl. H. Dörries, De Spiritu Sancto, 160 f.; ders., Basilius und das Dogma vom Heiligen Geist, a.a.O. 130—133; A. M. Ritter, Das Konzil von Konstantinopel und sein Symbol, 293 A 2; H. Saake, Minima Pneumatologica, in: NZSThR 14 (1972) 109 f.

[137] Insofern ist H. Saake (a.a.O. 110) zuzustimmen.

[138] Vgl. H. Saake, a.a.O. 110.

§ 3 Grundzüge der basilianischen Pneumatologie

I. ZUR STRUKTUR DER BASILIANISCHEN PNEUMATOLOGIE

1. Die doxologische Struktur der basilianischen Pneumatologie

»Der göttlich ist in seiner Natur (Θεῖον τῇ φύσει), unfaßbar in seiner Größe, mächtig in seinen Wirkungen, gut in seinen Wohltaten, ihn sollen wir nicht preisen und erheben? Ich aber weiß ihm nicht besser die Ehre zu erzeigen als im Erzählen seiner erfahrenen Wunder, ihrer zu gedenken ist der größte Lobpreis. Anders können wir ja auch nicht Gott, den Vater unseres Herrn Jesus Christus und seinen eingeborenen Sohn preisen, als indem wir nach unserem Vermögen ihre Wunder erzählen[1].«

Dieses Zitat, das in gewisser Weise als Motto über der Pneumatologie des Basilius stehen könnte, charakterisiert in sehr treffender Weise den Ansatz seiner theologischen Argumentation. Basilius ist zutiefst überzeugt, daß Gott unfaßbar ist in seiner Größe, daß der Geist jedes Begreifen übersteigt und sich der Natur des Wortes entzieht[2]. Nur in seinen Wirkungen und seinen Wohltaten strahlt seine Größe auf; und weil Gott am Menschen gehandelt hat, darum wird er gepriesen. Basilius geht es in seiner Pneumatologie nicht um eine metaphysische Spekulation über das Wesen Gottes. In seinem Traktat über den Heiligen Geist wehrt er ja gerade die rationale »Technologie«[3] der Eunomianer mit Entschiedenheit ab und wagt es selbst nur im Hymnenstil von den Geheimnissen zu reden, die allem menschlichen Denken enthoben bleiben. Wohl darf man feiernd und anbetend von der göttlichen Majestät, ihrer Allmacht und Größe, ihrer Güte und Schönheit sprechen, aber über das Wesen Gottes, über seine οὐσία etwas auszusagen, das hatte Basilius stets abgelehnt. Daß die göttliche οὐσία unserem Denken unzugänglich bleibt, hatte er schon in seinem Erstlingswerk »Adversus Eunomium« verteidigt. Gegen Eunomius, der glaubt, Gott in seiner οὐσία erfassen zu können, betont Basilius, daß Gott in seinem Wesen für uns unerkennbar sei, aber in seinen ἐνέργειαι,

[1] DSS XXIII, 54 (444,17—446,26 Pruche).

[2] DSS XXVIII, 70 (498,25 Pruche).

[3] Mit »Technologie« bezeichnet Basilius die übersteigerte Wichtigkeit, die Eunomius philosophischen Unterscheidungen beilegt, vgl. DSS III, 5 (264 Pruche).

in seinen Wirkungen für uns erfahrbar werde. Diese ἐνέργειαι sind es, die zu uns herniedersteigen, seine οὐσία aber bleibt uns unzugänglich[4]. Es geht ihm in erster Linie nicht darum, zu ergründen, »was« Gott sei, sondern »daß« er sei. »Wir wollen . . . das unnütze Grübeln über die οὐσία als unseren Verstand übersteigend aufgeben und der einfachen Ermahnung des Apostels glauben: ›Denn zuerst muß man glauben, daß Gott sei . . .‹ Denn nicht die Erforschung dessen, was er sei, sondern das Bekenntnis, daß er sei, führt uns zum Heil[5].« Darum geht es Basilius, um das Bekenntnis, »daß« Gott sei und um den Lobpreis seiner Liebe. Theologische Aussagen, vor allem auch Aussagen über das Wesen des Heiligen Geistes, gewinnt Basilius nicht deduktiv vom Gottesbegriff her, sondern umgekehrt durch Vertiefung in das Geschehen, in dem Gott erfahrbar wird. Von daher wird verständlich, daß Erkenntnis Gottes und Halten der Gebote in einem Entsprechungsverhältnis zueinander stehen. »Siehst du wohl«, so argumentiert Basilius, »es ist gesagt: Es kennen mich die Meinen, und ich kenne die Meinen! — Was sagt er, daß sie kennen? Daß sie die οὐσία kennen? Daß sie die Größe ausmessen? Daß jenes von der Gottheit erkannt werde, was du mit frecher Zunge versprichst? . . . Was kennen wir von Gott? Meine Schafe hören meine Stimme. Siehst du, wie Gott erkannt wird? Dadurch, daß wir seine Gebote hören und tun, was wir hören. Das ist Erkenntnis Gottes: die Erfüllung der Gebote Gottes. Es kennen mich die Meinen, und ich kenne die Meinen. Es genügt dir, zu wissen, daß der Hirte gut ist; daß er sein Leben für die Schafe gab. Das ist die Grenze der Erkenntnis Gottes. Wie groß aber Gott ist, und welches sein Maß und welcher Art der οὐσία nach, solche Fragen sind gefährlich für den Fragenden und ausweglos für den, der gefragt wird. Schweigen ist dafür die Therapie[6].« Es ist eindeutig, daß Basilius hier in der Interpretation eines Johanneswortes (Joh. 10,14f.) auf den biblischen Erkenntnisbegriff zurückgreift, wobei zu beachten ist, daß das johanneische γινώσκειν dem hebräischen ידע entspricht. Im Erkenntnisvorgang, wie ihn das Alte Testament mit ידע umschreibt, tritt das objektivierende Konstatieren zurück hinter dem Spüren und Fühlen oder Zu-erfahren-bekommen[7]. Es ist ein Kennen im Umgang, in der Erfahrung. Aber dies ist nicht ein Wissen um Gottes ewiges Wesen, sondern um seinen Anspruch: es ist ehrende Anerkennung von Gottes

[4] Ep. 234,1 (III, 42,30 Courtonne).
[5] Adv. Eun. I, 14 (PG 29, 545 A).
[6] Hom. in Mamantem 4 (PG 31, 596 D — 597 B); vgl. Adv. Eun. I, 14 (PG 29, 545 A).
[7] Vgl. R. Bultmann, Art. γινώσκω, ThWb I, 696.

Macht. ידע wird darum auch vor allem gebraucht, um die Anerkennung der Taten Gottes zu bezeichnen[8]. Ihn und seinen Namen »kennen« heißt, ihn »bekennen«, »anerkennen«, ihm die Ehre geben[9].

Es ist dieses Staunen vor dem Wunder der Liebe und vor dem unergründlichen Geheimnis Gottes, aus dem der Verzicht auf ein rationales System erwächst. Der Verzicht auf begriffliche Erfassung darf bei Basilius nicht als Unvermögen gedeutet werden, sondern darin liegt gerade seine Größe. Dieses Vorgehen entspringt der Einsicht, daß vor dem Wesen Gottes menschliche Kategorien versagen[10]. Basilius gebraucht sehr wohl Begriffe der aristotelischen und stoischen Metaphysik, aber eine eingehende Untersuchung ihrer begrifflichen Verwendung zeigt, daß sie, indem er sie verwendet, gleichzeitig eine tiefgreifende Korrektur und Umwandlung erfahren[11]. Man wird sich hüten müssen, aus Basilius einen stoischen Metaphysiker machen zu wollen. In der Tatsache, daß er scheinbar unbekümmert um die philosophischen Implikationen der benutzten Begriffselemente das, was ihm nützlich schien, aus allen philosophischen Schulen zusammensucht, zeigt sich, welchen Geltungsbereich er philosophischen Begriffen in der Theologie zumaß[12]. Wenn er auf der philosophischen Ebene argumentiert, dann tut er dies, um dem Gegner nicht den Schein der Wahrheit zu lassen und um nicht als widerlegbar zu erscheinen[13]. Es ist mehr theologische Verantwortung, die ihn bewegt, als die Lust am Spekulieren, denn die Liebe zu den Brüdern und die Gewichtigkeit der Gegner läßt ihm keine Ruhe[14].

Es würde das Bild verzeichnen, wollte man bei der Darstellung dessen, was Basilius über den Heiligen Geist zu sagen hat, seine Worte in ein vorgegebenes System pressen[15]. Dort, wo andere deutliche Begriffe verlangen, versagt er sich meist. Gregor von Nyssa,

[8] Ebd. 697.

[9] Ebd. 698.

[10] Vgl. R. Hübner, Gregor von Nyssa als Verfasser der sog. Ep. 38 des Basilius. Zum unterschiedlichen Verständnis der οὐσία bei den kappadozischen Brüdern, in: Epektasis. Melanges patristiques offerts au Cardinal Jean Daniélou, publiés par J. Fontaine et C. Kannengiesser (Paris 1972), 483.

[11] Vgl. die Untersuchung des οὐσία-Begriffes bei Basilius, R. Hübner, ebd. 467—490.

[12] Ebd. 483.

[13] Adv. Eun. I, 1 (PG 29,497—500 B).

[14] DSS XVII, 41 (396,34 Pruche).

[15] Vgl. H. Dörries, Basilius und das Dogma vom Heiligen Geist, in: Wort und Stunde. Gesammelte Studien zur Kirchengeschichte, Göttingen 1966, 131.

der ohne Zweifel eine spekulativere Anlage besaß, hat eine Art Prinzip aus dem Vermeiden allzu scharfer Begriffe gemacht: sie begrenzen, was sie deuten wollen, und verdunkeln das Licht[16]. Auch dort, wo Basilius den Leser auffordert, sich denkend zur höchsten Natur zu erheben wie in »De Spiritu Sancto« IX[17], tragen seine Wesensaussagen hymnischen Charakter, die in dieser Gestalt keiner weiteren Rechtfertigung mehr bedürfen. Die Homilie »De fide«, die in ihrem doxologischen Charakter die Aussagen von Kap. IX, »De Spiritu Sancto« zu ergänzen vermag, will sich zum Organ des allgemeinen Verlangens nach dem δοξάζειν τὸν θεόν machen und läßt darin erkennen, daß der Umfang des Lobpreises sich keineswegs auf die liturgische Formel beschränken läßt, sondern da noch zum Reden auffordert, wo die Größe des Gegenstandes jedes Wort verstummen lassen sollte, gerade bei denen, die in der Erkenntnis wachsen[18]. Die Beschreibung des Aufstiegs der Seele durch alle irdischen und himmlischen Sphären hindurch artikuliert darin auch Aussagen über das Wesen der göttlichen Trinität, die aber gerade als Wesensaussagen doxologischen Charakter tragen.

Zusammenfassend läßt sich sagen: Doxologische Aussagen sind »letzte Aussagen, über die hinaus von Menschen nichts weiter gesagt werden kann, — Aussagen, in denen der Glaubende im Lobpreis der göttlichen Herrlichkeit sich selbst, sein Wort, die Folgerichtigkeit seines Denkens Gott als Lobopfer darbringt«[19].

2. *Die Doxologie als Grundform theologischer Aussage*

Die Tatsache, daß Basilius auf ein rationales System verzichtet, entspringt — wie wir sahen — der Einsicht, daß vor dem unergründlichen Geheimnis Gottes menschliche Kategorien versagen. Seine Größe wird für uns erfahrbar in seinen Wirkungen, in seinen ἐνέργειαι[20] und in seinen Wohltaten, in den εὐεργεσίαι, wie das oben

[16] H. Dörries, De Spiritu Sancto. Der Beitrag des Basilius zum Abschluß des trinitarischen Dogmas, Göttingen 1956, 133.

[17] DSS IX, 22 (324,17 f. Pruche).

[18] Hom. De fide 1 (PG 31,464 B).

[19] E. Schlink, Die Struktur der dogmatischen Aussage als ökumenisches Problem, in: Der kommende Christus und die kirchlichen Traditionen, Göttingen 1961, 44.

[20] Zum Verständnis der ἐνέργεια in der Theologie der Ostkirche vgl. V. Lossky, Die mystische Theologie der morgenländischen Kirche. Geist und Leben der Ostkirche, Bd. I, Köln 1961. Hier ist besonders auf das Kapitel »Die ungeschaffenen Energien« (87—115) zu verweisen. Die Untersuchung von

angeführte Zitat zeigte. Und die Antwort des Menschen kann nach Basilius nur sein: dieser Wunder zu gedenken und sie zu rühmen und zu preisen. Die hier zum Ausdruck kommende doxologische Struktur theologischer Aussage soll im folgenden in einigen Schritten bedacht werden.

Ausgangspunkt für die Struktur dieser theologischen Aussage ist die Tatsache, daß Gott am Menschen gehandelt hat; und weil er in der Geschichte gehandelt hat, darum wird er gepriesen. Wir finden diese Struktur der Rede von Gott vor allem in den Lobpsalmen des Alten Testamentes. Im Hauptteil des berichtenden Lobpsalmes z. B. steht der Gottes Tat bekennende Bericht.

Das rettende Handeln Gottes und das daraus entstehende Lob sind nahe miteinander verbunden[21]. Oft geht das berichtende Lob in ein beschreibendes über. »Der Blick dessen, der in seinem Leben Gottes rettende Tat erfuhr, geht in die Weite des Handelns Gottes[22].« Diesem beschreibenden Lob sind die Schlußdoxologien am Ende der Psalmbücher, die Doxologien im Amosbuch, Jeremias 10,6—16, und der Lobpreis der Seraphen in Isaias 6,3 zuzuordnen[23]. Es geht hier in den Psalmen um zwei Formen des Lobes, um den Dank für eine bestimmte Tat Gottes, von der der Gerettete berichtet und um das beschreibende Lob, das nicht ein einmaliges Tun Gottes lobt, sondern es sieht auf das Tun des großen Gottes zu allen Zeiten und an allen Orten und lobt ihn[24]. Alle doxologische Rede von Gott, sofern sie über die Bezeichnung eines besonderen Wirkens hinaus ihn selbst meint, wie er von Ewigkeit zu Ewigkeit ist, wurzelt in dieser danksagenden Anbetung und ist in diesem Sinn doxologisch[25]. Dieses in der Anbetung wurzelnde Reden von Gott unterscheidet sich nun grundlegend von dem Verfahren, die Eigenschaften des göttlichen Ursprungs aus seinen

M. Strohm, Die Lehre von der Energeia Gottes, in: Kyrios VIII (1968) 63—84, versucht die Phasen der Entwicklung in der Lehre von der Energeia Gottes aufzuzeigen. Während der lateinischen Theologie der Begriff der »Energeia Gottes« fast unbekannt ist, kommt diesem Begriff bei den Griechen eine wichtige Bedeutung zu: Ihre Lehre von der Gnade und von der Vergöttlichung des Menschen ist auf der Lehre von der göttlichen Energie aufgebaut, vgl. M. Strohm, a.a.O. 63.

[21] Vgl. C. Westermann, Der Psalter, Stuttgart 1967, 64.

[22] Ebd.

[23] Vgl. ebd. 69.

[24] Vgl. C. Westermann, Lob und Klage in den Psalmen, Göttingen 5, 1977, 26.

[25] Vgl. W. Pannenberg, Analogie und Doxologie, in: Grundfragen systematischer Theologie, Göttingen[2] 1971, 184. Pannenberg bemerkt an dieser Stelle, daß die theologische Lehre von Gott vor Fehlurteilen bewahrt bleiben kann, wenn sie der Verwurzelung ihrer Aussagen in der Anbetung eingedenk ist, vgl. ebd. 184 f.

Wirkungen nach Analogie zu erschließen. Für den analogen Rückschluß aus der Schöpfung auf die Eigenschaften des göttlichen Ursprungs ist es entscheidend, daß trotz aller Verschiedenheit Gottes vom Bereich des Endlichen doch jeweils ein gemeinsamer Logos besteht, der es erlaubt, Gott selbst die betreffende Eigenschaft zuzuschreiben[26]. Im Akt der Anbetung hingegen bringt der Glaubende im Lobpreis der göttlichen Herrlichkeit sich selbst, sein Wort und die Folgerichtigkeit seines Denkens Gott als Lobopfer dar[27]. Der Anbetende sieht von sich selbst ab und allein auf Gott. Für sein Reden bedient er sich zwar menschlicher Worte, deren allgemeine Bedeutung von anderen Zusammenhängen her geläufig ist. Aber auf diese Kontinuität der gebrauchten Worte kommt es im Akt der Anbetung letztlich nicht an, im Gegensatz zum analogen Rückschluß[28]. Vielmehr werden im Akt der Anbetung die Worte aus unserer Verfügung entlassen und der Unendlichkeit Gottes übereignet, d. h. sie übersteigen jeweils den Inhalt des gebrauchten Wortes. »Das in der Anbetung wurzelnde Reden von Gott intendiert also zwar durch analoge Übertragung Gottes ewige Wirklichkeit, aber es intendiert sie nicht als analog, sondern öffnet sich unbegrenzt der göttlichen Unendlichkeit[29].«

So gründet die Doxologie einerseits auf Gottes geschichtlicher Heilstat, aber sie bleibt nicht beim Lobpreis dieser Heilstat stehen, sondern preist Gott als den, der von Ewigkeit zu Ewigkeit derselbe ist. Die Doxologie erweist sich, wie aus dem Zusammenhang deutlich geworden sein dürfte, als eine Grundform theologischer Aussage.

Die Doxologien[30], wie wir sie am Ende der Psalmbücher und an zahlreichen anderen Stellen im Alten Testament finden, wurden zum Vorbild für die frühchristlichen Doxologien, die in die Liturgie aufgenommen wurden[31]. Fast alle im Alten Testament und im

[26] Vgl. ebd. 185.

[27] Vgl. E. Schlink, Die Struktur der dogmatischen Aussage als ökumenisches Problem, 44.

[28] Vgl. W. Pannenberg, Analogie und Doxologie, 185.

[29] Ebd. 186.

[30] Gemeint sind hier die Doxologien im formgeschichtlichen Sinn. Zu einem terminus technicus ist der Ausdruck »Doxologie« erst in der neueren liturgiewissenschaftlichen Forschung geworden, vgl. A. Stuiber, Art. Doxologie, RAC IV, 210.

[31] Vgl. die Stellenverweise bei A. Stuiber, a.a.O. 212. Für die Bedeutung des Lobpreises im Spätjudentum ist folgender Ausspruch charakteristisch: »Wenn der Fromme Gott nennt, dann fügt er sofort einen Lobpreis an, meist in der Form: der Heilige, gepriesen sei er!«, vgl. A. Stuiber, a.a.O. 212.

Spätjudentum entstandenen Doxologien leben im Neuen Testament weiter. Lk. 1,68 z. B. beginnt mit dem typischen εὐλογητός. Röm. 15,6 und 2 Kor. 9,13 f. fordern auf, die berakah, den Lobpreis, wie aus einem Mund zu sprechen[32]. Während die neutestamentlichen Doxologien noch weitgehend alttestamentliche Formulierungen übernommen haben, zeigt sich doch deutlich das Bedürfnis, in die herkömmlichen Doxologien Jesus Christus und später auch den Heiligen Geist aufzunehmen. Dies geschieht dadurch, daß die bisher ausschließlich Gott geltende Doxologie unverändert auf Jesus Christus übertragen und damit zugleich die Gottgleichheit Jesu ausgesprochen wird[33]. Für die Doxologien der Folgezeit wird besonders wichtig die im Neuen Testament häufige Formel διὰ Ιησοῦ Χριστοῦ: die Gläubigen loben Gott durch Jesus. Die dafür klassische Formulierung findet sich im Hebräerbrief 13,15: »Durch ihn nun wollen wir darbringen ein Opfer des Lobes . . .« Diese durch die διά-Struktur gekennzeichneten Doxologien werden in den ersten christlichen Jahrhunderten weiter ausgebildet. Im ersten Klemensbrief findet sich z. B. eine Doxologie, die durch ein doppeltes διά gekennzeichnet ist. »Wir preisen dich durch . . . Jesus Christus, durch welchen dir die Herrlichkeit und Größe sei . . .[34].« Es wird deutlich, daß mit dem ersten διά unser Lobpreis Gott durch Jesus dargebracht wird und mit dem folgenden δῖα οὗ die doxologischen Prädikate (Herrlichkeit, Größe etc.) Gott durch Jesus zugeeignet werden[35]. Die durch Jesus Christus vermittelte Doxologie ist aber von Anfang an nur eine der möglichen Formen. Bereits bei Paulus findet sich als Synonym zu »in Christus« die Wendung »im Heiligen Geist«[36]. Es läßt sich nicht mehr genau feststellen, ob und inwieweit Röm. 11,36 und 1 Kor. 8,6 auf die Prägung der frühchristlichen Doxologien eingewirkt haben. In der dreigliedrigen Formel des Römerbriefes läßt sich eine trinitarische Zuordnung der Präpositionen noch nicht erkennen, — »Aus ihm und durch ihn und für ihn ist alles. Ihm sei die Ehre in Ewigkeit, Amen[37].« — während sich in 1 Kor. 8,6 die Zuordnung der Präposition ἐξ οὗ auf den Vater und des δι' οὗ auf den Sohn findet: »So haben wir nur einen Gott, den Vater, aus dem alles ist und für

[32] Vgl. die bei A. Stuiber angegebenen Stellen, a.a.O. 213.
[33] Vgl. A. Stuiber, a.a.O. 213.
[34] 1 Clem. 58,2 (SC 167,192 Jaubert).
[35] Vgl. A. Stuiber, RAC IV, 216.
[36] Vgl. J. A. Jungmann, Die Stellung Christi im liturgischen Gebet, Münster ²1962, 130.
[37] Röm. 11,36 ἐξ αὐτοῦ καὶ δι'αὐτοῦ καὶ εἰς αὐτον τὰ πάντα αὐτῷ ἡ δόξα εἰς τοῦς αἰῶνας. ἀμήν.

den wir da sind, und wir haben nur einen Herrn, Jesus Christus, durch den alles ist, durch den auch wir sind[38].«
Es läßt sich jedoch vermuten, daß die Interpretation dieser Texte durch Origenes auf spätere Formeln eingewirkt hat. Der Kommentar zum Römerbrief läßt keinen Zweifel daran, wie Origenes eine Harmonisierung beider Texte versuchte (der Text ist nur lateinisch erhalten): »Unus Deus Pater ex quo omnia et unus Dominus noster Jesus Christus per quem omnia (1 Kor. 8,6) et item in spiritu Dei dicit revelari omnia (1 Kor. 2,10)[39].« In »De oratione« empfiehlt Origenes ausdrücklich, das Gebet zu schließen, »indem man den Vater des Alls preist durch Jesus Christus im Heiligen Geist«[40]. Diese Form ist es, die auch bei Serapion und in den Apostolischen Konstitutionen VIII regelmäßig wiederkehrt und die im 4. Jahrhundert im ganzen Orient verbreitet war[41].
Auch Basilius war diese Doxologie des Typus διά — ἐν ἁγίῳ Πνεύματι — »Ehre sei dem Vater — durch den Sohn — im Heiligen Geist«[42] geläufig. Es wird sich im Verlauf der Arbeit zeigen,

[38] 1 Kor. 8,6 ἡμῖν εἷς, θεὸς ὁ πατήρ, ἐξ οὗ τὰ πάντα καὶ ἡμεῖς εἰς αὐτόν, καὶ εἷς κύριος Ιησοῦς Χριστός, δι᾽ οὗ τὰ πάντα καὶ ἡμεῖς δι᾽ αὐτοῦ.

[39] Origenes, Comment. ad Rom. (PG 14,1202), vgl. De princ. IV, 3,15 (781 Görgemanns-Karpp); H. Dörrie, Die Epiphanias-Predigt des Gregor von Nazianz (Hom. 39) und ihre geistesgeschichtliche Bedeutung, in: Kyriakon, Festschrift für J. Quasten, Münster 1970, 416 f.; ders. Präpositonen und Metaphysik. Wechselwirkung zweier Prinzipienreihen, in: Museum Helveticum 26 (1969) 225 f.

[40] Origenes, De oratione 33 (GCS II, 401, 15.25, S. 402 Koetschau).

[41] Vgl. J. A. Jungmann, Die Stellung Christi im liturgischen Gebet, 131.
Die trinitarische Doxologie findet sich bereits bei Justin, Apol. I, 65 (Corpus Apologetarum I, 3,178, Otto). Justin schreibt bei seiner Schilderung der Eucharistiefeier: Der Vorsteher nimmt Brot und den Becher mit Wasser und Wein »und sendet Lob und Preis dem Vater aller Dinge durch den Namen des Sohnes und des Heiligen Geistes hinauf . . .«. Das ist der älteste bekannte Hinweis auf eine trinitarische Doxologie, vgl. G. Kretschmar, Studien zur frühchristlichen Trinitätstheologie, Tübingen 1956, 185. Die trinitarische Doxologie findet sich auch bei Clemens von Alexandrien. Er schließt seine Homilie »Quis dives salvetur« mit dem Lobpreis an Gott »durch den Knecht Jesus Christus, den Herrn der Lebendigen und Toten, und durch den Heiligen Geist« (GCS Clem. Al. III, 191,10 ed. Stählin).

[42] Basilius, DSS I, 3 (256,4 Pruche). Da es in diesem Kapitel vornehmlich um die triadischen Formeln geht, die für die Pneumatologie des Basilius von konstitutiver Bedeutung sind, wurde die Anaphora der Basilius-Liturgie hier nicht berücksichtigt. Diese Anaphora, die in einer längeren und einer kürzeren Rezension und einer archaischen Fassung (griechisch, koptisch, äthiopisch) überliefert ist und deren Verfasserschaft lange diskutiert worden ist, wurde jetzt eindeutig Basilius zugeschrieben. Vgl. H. Engberding, Das eucharistische Hochgebet der Basiliusliturgie, Münster 1931; B. Capelle, Les liturgies basiliennes et St. Basile, in: J. Doresse — E. Lanne (Hg.), Un temoin archaique de la liturgie copte de Basile, Löwen 1960, 74 f. Griechisch und lat. Text

wie diese Doxologie, die durch die Arianer der Gefahr einer Uminterpretation ausgesetzt war, für Basilius wie für die Väter seiner Zeit die zusammenfassende Formel für das Wirken Gottes war. Die Formel vom Wirken Gottes »durch den Sohn im Heiligen Geist« war in der Tat von den Vätern ausgebildet worden, um das Verhältnis der drei göttlichen Personen im schöpferischen Wirken darzustellen[43]. Athanasius hatte diese ἐκ διά-ἐν-Formel, gestützt auf Eph. 4,6, vor allem in den Auseinandersetzungen mit den Tropikern gebraucht[44]. Es war also neben der trinitarischen Doxologie eine analoge Formel des göttlichen Wirkens ausgebildet worden. Es zeigt sich hier der fundamentale Zusammenhang von Doxologie und kirchlicher Lehre. Die altkirchlichen dogmatischen Aussagen sind in besonderem Maß bestimmt von der Struktur der Doxologie. Sie sind bestimmt von der gottesdienstlichen Homologie, in der das doxologische Moment unübersehbar ist[45]. Die dogmatischen Konzilsentscheidungen von Nicaea und Konstantinopel sind gottesdienstliche Bekenntnisaussagen[46]. »Die christologischen Aussagen des Nicaenums . . . ›Gott aus Gott, Licht aus Licht, wahrer Gott aus wahrem Gott, geboren nicht geschaffen‹ — sind deutlich hymnisch-doxologischen Charakters, und in diesem Strukturzusammenhang ist die ontologisch-begriffliche Interpretation ›das ist aus dem Wesen (Substanz) des Vaters‹ und das ›homoousios‹ zu verstehen[47].«
Aus diesem Zusammenhang von Doxologie und Homologie wird noch einmal deutlich, daß in der frühen Kirche (und diesen Hintergrund haben wir auch bei Basilius vorauszusetzen) in der Liturgie »der logos der Theologie zum Tönen gebracht wird«[48], bzw. daß es um eine vollkommene Entsprechung der Liturgie — lex orandi und der Theologie — lex credendi geht[49].

mit weiterer Literatur: A. Hänggi — P. Pahl (Hg.), Prex Eucharistica I, Fribourg 1968, 230—243; 347—357.
Zum pneumatologischen Aspekt der Anaphora verweise ich auf die Untersuchung von B. Bobrinskoy, Liturgie et ecclesiologie trinitaire de saint Basile, in: Verbum Caro 23 (1969) 1—32. Die Termini »ζωοποιὸς δύναμις« und »πηγὴ ἁγιασμοῦ« wie auch die Tatsache, daß das Pneuma jedes vernünftige Geschöpf zu Anbetung und Doxologie befähigt (vgl. Hänggi 232), verweisen auf zentrale Themen der basilianischen Theologie.

[43] Vgl. J. A. Jungmann, Die Stellung Christi im liturgischen Gebet, 156.

[44] Athanasius, Ad Serap. I, 28 (PG 26,596 A).

[45] Vgl. E. Schlink, Die Christologie von Chalcedon, in: Der kommende Christus und die kirchlichen Traditionen, 82.

[46] Ebd. 82.

[47] Ebd. 83.

[48] H. Dombois, Das Recht der Gnade, Ökum. Kirchenrecht, Witten 1961, 691; W. Kasper, Dogma unter dem Wort Gottes, Mainz 1965, 33.

[49] G. Söll, Dogma und Dogmenentwicklung, Handbuch der Dogmengeschichte, Bd. I, Fasz. 5, Freiburg 1971, 8.

II. HINFÜHRUNG ZUR PROBLEMSTELLUNG DER BASILIANISCHEN PNEUMATOLOGIE

1. Die Doxologie des Typus »διά — ἐν ἁγίῳ Πνεύματι« *und die arianische Metaphysik der Präpositionen*

Die Doxologie »Ehre sei dem Vater durch den Sohn im Heiligen Geist« war eine im 4. Jahrhundert allgemein anerkannte Form des Lobpreises, in dem nach dem Verständnis des Basilius die Bewegung des Heiligen Geistes zu uns, seine Gnade »in« uns angezeigt ist[50]. »Im Heiligen Geist« Gott die Verherrlichung darzubringen, das konnten auch die Gegner des Basilius bejahen[51], aber der Gebrauch der Präposition »σύν« rief ihren erbitterten Widerstand hervor. Neben der geläufigen Form der Doxologie des Typus »ἐν ἁγίῳ Πνεύματι« hatte Basilius an einem Festtag die symmetrische Doxologie »Ehre sei dem Vater und dem Sohn mit dem Heiligen Geist« eingeführt[52]. Die Verwendung dieser Formel rief — wie Basilius berichtet —[53] einen Sturm der Entrüstung hervor. Weshalb? Basilius gebrauchte diese Formel ganz bewußt, um die arianische Interpretation der alten Doxologie abzuwehren. In der zweiten Hälfte des 4. Jahrhunderts spielte der Streit um die Doxologien in der arianischen Kontroverse eine wichtige Rolle. Der Arianer Aëtius hatte die These aufgestellt: »Was in seiner Natur ungleich ist, muß auch ungleich ausgesprochen werden, und umgekehrt muß, was ungleich ausgesprochen ist, ungleich sein auch nach seiner Natur[54].« Von dieser These aus legt Aëtius die den einzelnen Personen zugeschriebenen Präpositionen genau fest: das dem Vater zugeschriebene ἐξ οὗ, das dem Sohn eignende δι' οὗ, das dem Heiligen Geist vorbehaltene ἐν ᾧ weisen auf die Verschiedenheit der Natur als des Schöpfers, des Werkzeugs und der Zeit und des Ortes hin[55].

Die »präpositionale Umschreibung«, mit der Aëtius argumentiert und die er, wie Basilius anführt[56], durch 1 Kor. 8,6 zu begründen versucht, hat eine lange philosophische Tradition. Im Platonismus kommt der Lehre von den Prinzipien eine besondere Bedeutung zu. Diese Prinzipienlehre war durch die typische Besonderheit der

[50] DSS XXVI, 63 (472,6 Pruche).
[51] DSS XXV, 60 (464,22 f. Pruche).
[52] DSS I, 3 (256,2 f. Pruche).
[53] DSS I, 3 (258,5 f. Pruche).
[54] DSS II, 4 (260,8 f. Pruche).
[55] DSS II, 4 (262,22 f. Pruche).
[56] DSS II, 4 (260,13 f. Pruche).

›präpositionalen Umschreibung‹ gekennzeichnet[57], d. h. vor das Relativpronomen treten diejenigen Präpositionen, welche die Wirkungsrichtung des jeweils angesprochenen Prinzips kennzeichnen wie z. B. in der platonischen Reihe ὑφ οὗ — ἐξ οὗ πρὸς ὅ[58]. Diese Reihe der präpositionalen Umschreibung basiert auf der Metapher vom schaffenden Handwerker und ist von der Vorstellung des τεχνίτης oder des δημιουργός gar nicht zu lösen[59]. Bei ernstlichem philosophischem Durcharbeiten einer so ausgesprochenen Metaphysik ergaben sich in der Folgezeit große Schwierigkeiten. »Es ist bezeichnend für die geistige Situation des Mittelplatonismus, daß diese Lehre Jahrhunderte hindurch tradiert wurde, obgleich sie frühzeitig als ein Hemmnis, ja als eine unphilosophische Einschaltung erkannt wurde[60].«

Der Arianer Aëtius weist nun darauf hin, daß man nach gängiger philosophischer, also platonischer Terminologie in dem Prinzip δι' αὐτοῦ das Werkzeug zu erblicken habe[61], in dem Prinzip ἐν ᾧ aber die Zeit oder den Ort[62], die den Heiligen Geist als zum Seienden gehörig kennzeichnen. Basilius führt einen ausführlichen Vergleich der christlichen Doxologie mit der Prinzipienreihe der Platoniker durch und führt aus: Was sie zu diesem Irrtum geführt habe, sei die Tatsache, daß sie das ἐξ οὗ dem Stoff (ὕλη), das δι' οὗ dem ὄργανον, dem Werkzeug, zuordnen[63]. Sie sprechen von vorangehenden Ursachen, von den mithelfenden oder mitbewirkenden und von denen, die einen notwendigen Grund haben[64]. Das ἐν ᾧ schließlich stelle den Gedanken an Raum und Zeit vor Augen und führe zu der Frage: Wann ist es entstanden? »In« dieser Zeit. Wo? »In« diesem Raum. Wenn diese (Raum und Zeit) dem Gewordenen auch nichts hinzufügen, so ist es doch ohne sie nicht möglich, daß etwas geschieht. Die Handelnden bedürfen der Zeit und des Raumes[65].

Diesem philosophischen Exkurs fügt Basilius abschließend hinzu: »Solche Beobachtungen, unwichtig und leerer Trug, lernen und bewundern unsere Gegner und übertragen sie auf die einfache und schlichte Lehre des Geistes, um Gott, den Logos, zurückzusetzen und den Heiligen Geist geradezu abzuschaffen. Diese Leute scheuen sich nicht, den Ausdruck, der von den heidnischen Philosophen auf leblose Werkzeuge angewendet wird, ich meine dieses δι' οὗ, auf

[57] Vgl. H. Dörrie, Präpositionen und Metaphysik, 217.
[58] Ebd. 217.
[59] Ebd. 217.
[60] Ebd. 217.
[61] DSS II, 4 (262,29 Pruche).
[62] DSS II, 4 (262,29 Pruche).
[63] DSS III, 5 (264,4 f. Pruche).
[64] DSS III, 5 (264,12 Pruche).

den Herrn des Alls zu übertragen, und diese Christen schämen sich nicht, den Meister der Schöpfung mit einer Säge oder einem Hammer zu vergleichen[66].«
Diese Auseinandersetzung mit der arianischen Interpretation der Präpositionen steht hinter der Anfrage des Amphilochius von Ikonium, auf die Basilius im Jahre 375 mit seiner Schrift »De Spiritu Sancto« antwortet. Die These der Gegner, mit denen sich Basilius in seiner Schrift auseinanderzusetzen hatte, lautete also: Wegen der Andersartigkeit seiner Natur und der Unterlegenheit seiner Ehre ist es nicht erlaubt, den Vater und den Sohn dem Heiligen Geist gleichzustellen[67]. Denn was von Natur ungleich ist, muß auch ungleich ausgedrückt werden; und umgekehrt: was ungleich ausgedrückt wird, ist auch ungleich (ἀνόμοιος) hinsichtlich seiner Natur[68]. Die Schlußfolgerung, die die Gegner daraus ziehen, ist, daß der Geist nicht mit dem Vater und dem Sohn zusammen gezählt werden darf (das Stichwort der Diskussion ist »συναριθμεῖσθαι«) und daß der Geist demzufolge nicht mit ihnen zusammen gottesdienstlich verehrt werden darf (hier ist das Stichwort »συνδοξάζεσθαι«). Denn dies widerspricht nach ihrer Meinung zutiefst dem Wesen des Geistes: Er ist ja nicht gleichgestellt hinsichtlich seiner Natur, darum muß man ihn »unterzählen« (ὑπαριθμεῖν)[69]. Dieser etwas unglückliche Ausdruck »ὑπαριθμεῖν«, von dem Basilius sagt, es sei nicht leicht zu verstehen, was sie Unterzählung nennen und unter welcher Bedeutung sie dieses Wort gebrauchen[70], ist offensichtlich eine von den Pneumatomachen gebildete abstrakte Gegensatzbildung zu συναριθμεῖν, die ihren Entstehungsort in der Diskussion verrät[71]. Dieser Begriff der »Unterzählung« drückt nach der Meinung der Gegner das ontologische Verhältnis des Geistes zum Vater und zum Sohn aus; und wie die ὑπαρίθμησις die ontologische Verschiedenheit anzeigt, so auch die verschiedene doxologische Würde: Der Geist steht im Rang tiefer[72], ihm fehlt die göttliche Würde[73], er ist nicht ὁμότιμον mit dem Vater und dem Sohn[74].
Die Frage nach der rechten Doxologie ist nicht nur der äußere Anlaß der Schrift »De Spiritu Sancto«, sondern sie ist auch das Thema, das nie aus dem Auge verloren wird und in das auch alle

[65] DSS III, 5 (266,27—30 Pruche).
[66] DSS III, 5 (266,33—40 Pruche).
[67] DSS X, 24 (332,1 f. Pruche).
[68] DSS II, 4 (260,11 Pruche).
[69] DSS XVII, 43 (398,11 Pruche).
[70] DSS XVII, 41 (392,1 f. Pruche).
[71] Vgl. W. D. Hauschild, Die Pneumatomachen, 51.
[72] DSS X, 24 (332,10 f. Pruche).
[73] DSS X, 24 (332,12 Pruche).
[74] DSS XVII, 42 (396,2 Pruche).

Einzelerörterungen einmünden[75]. Es wird sich im weiteren Verlauf der Arbeit zeigen, daß die Frage nach dem rechten Gebrauch der Präpositionen »ἐν« und »σύν« kein nebensächlicher Streit um Silben ist, sondern hier geht es um fundamentale Grundwahrheiten des Glaubens. Obwohl Basilius mit Entschiedenheit die arianische Interpretation der Formel »ἐν ἁγίῳ Πνεύματι« abwehrt, hält er doch grundsätzlich an der Berechtigung auch dieser Formel fest. In der Frage, wo und wie der Heilige Geist zu situieren ist, haben beide Formeln ihre Berechtigung, da sie sowohl die Relation des Geistes zu uns wie auch die Beziehung des Geistes zum Vater und zum Sohn auszudrücken vermögen. »Der von uns dargebrachte Lobpreis ›im Geist‹ enthält nicht das Bekenntnis seiner Würde, sondern das Eingeständnis unserer Schwäche, indem wir so zeigen, daß wir zur Verherrlichung nicht von uns aus fähig sind, sondern unsere Fähigkeit im Heiligen Geist ist, in dem wir befähigt werden, Gott unseren Dank für seine Wohltaten an uns zu vollziehen nach dem Maß unserer Reinigung von dem Bösen, da der eine mehr und der andere weniger von der Hilfe des Geistes aufnimmt, um Gott Opfer des Lobpreises darzubringen. Auf diese Weise vollziehen wir gläubig im Geist unseren Dank[76].« Aber das Dasein des Geistes vor der Zeit und sein unaufhörliches Verweilen bei Vater und Sohn verlangen, wie Basilius ausführt, nach Bezeichnungen der ewigen Verbindung[77]. Wenn wir daher die eigentümliche Würde des Geistes bedenken, betrachten wir ihn ›mit‹ dem Vater und dem Sohn; wenn wir hingegen an die Gnade denken, die er in denjenigen wirkt, die an ihm Anteil haben, sagen wir: der Geist ist in uns[78].

2. Abwehr der arianischen Interpretation durch die Doxologie des Typus »σὺν ἁγίῳ Πνεύματι«

Die Doxologie »ἐν ἁγίῳ Πνεύματι«, die nach Basilius die Bewegung des Heiligen Geistes zu uns, seine Gnade »in« uns anzeigt, verlangt — wie Basilius sagt — nach der notwendigen Ergänzung, dem Aufweis der Gemeinschaft des Geistes mit dem Vater und dem Sohn. Die Immanenz des Geistes in der Welt, seine Wirksamkeit in den Herzen der Menschen, sie wäre nicht möglich, wenn der Heilige Geist nicht gleichzeitig auch in die volle Gemeinschaft

[75] Vgl. H. Dörries, De Spiritu Sancto, 154.
[76] DSS XXVI, 63 (474,23—30 Pruche).
[77] DSS XXVI, 63 (474,6 Pruche).
[78] DSS XXVI, 63 (474,20—23 Pruche).

mit dem Vater und dem Sohn einbezogen würde. Die Gegner der Gottheit des Geistes waren bemüht, dessen Wirksamkeit auf die menschliche Sphäre zu beschränken. In der Tat beziehen sich seine von der Schrift verwendeten Attribute sämtlich auf diesen Wirkungsbereich. Daraus hat man dann für den Geist eine dem Menschen näherstehende Stellung abgeleitet, ihn also mehr als Bindeglied zwischen Gottheit und Menschheit verstanden denn als die Gottheit selbst[79].

Basilius sieht also für seine Zeit die Notwendigkeit einer ergänzenden Antwort und stellt der Herausforderung seiner Gegner, die die Doxologie »im Heiligen Geist« als Interpretament für ihre These benutzten, die symmetrische Doxologie entgegen: »Ehre sei dem Vater und dem Sohn mit dem Heiligen Geist[80].«

Wenn Basilius nun diese Doxologie, die keineswegs eine Neuerung war, sondern deren Tradition er hinreichend nachweist[81], als öffentliche Form des Lobpreises proklamiert, dann ist zu fragen,

[79] Vgl. W. Jaeger, Gregor von Nyssas Lehre vom Heiligen Geist, Leiden 1966, 21.

[80] DSS I, 3 (256,3 Pruche) »δόξα . . . τῷ θεῷ καὶ πατρί . . . μετὰ τοῦ Υἱοῦ σὺν τῷ Πνεύματι τῷ ἁγίῳ«.

[81] DSS I, 3 (258,5 f. Pruche). Im XXIX. Kap. seiner Schrift »De Spiritu Sancto« beruft Basilius sich auf die Tradition, in der jene von ihm gebrauchte Doxologie überliefert ist. Da ist zunächst Dionysius von Alexandrien, der in einem seiner Briefe geschrieben habe: »In Übereinstimmung mit all diesen und indem wir von den Presbytern vor uns Vorbild und Richtschnur übernahmen, sagen wir Dank und schließen jetzt unseren Brief an Euch so: Gott, dem Vater und dem Sohn, unserem Herrn Jesus Christus, mit dem Heiligen Geist ist die Herrlichkeit und die Macht für alle Zeit. Amen.« (DSS XXIX, 72, 504,9—11 f. Pruche) Die Einleitung dieser Schlußdoxologie weist darauf hin — und das dürfte für Basilius wichtig gewesen sein — daß wir hier die offizielle Gebetsform von Alexandrien vor uns haben (vgl. G. Kretschmar, Studien zur frühchristlichen Trinitätslehre, 183). Mit fast demselben Lobpreis schließen auch alle großen Gebete in der Apostolischen Tradition Hippolyts (vgl. die Übersicht bei J. A. Jungmann, Die Stellung Christi im liturgischen Gebet, 160 ff. und G. Kretschmar a.a.O. 183). Basilius beruft sich ferner auf Irenäus, auf Clemens von Rom, Dionysius von Rom, auf Eusebius aus Palästina, auf Origenes. Er erwähnt außerdem den Geschichtsschreiber Africanus, der in seiner um 220 verfaßten Weltchronik (vgl. J. A. Jungmann, Die Stellung Christi, 160 A. 30) die Form dieser Doxologie nennt. Auch in einem alten Abendhymnus findet Basilius diese Form bereits vor. Dann verweilt er lange bei seinem geliebten Lehrer Gregorios Thaumaturgos. Von ihm stammt der Lobpreis, der jetzt Gegenstand des Widerspruches ist (DSS XXIX, 74,512,36 Pruche). Im Osten (offenbar ist Antiochien gemeint) ist dieses Wort geradezu zu einem Unterscheidungszeichen geworden. Aus Mesopotamien hat Basilius erfahren, daß in der dortigen (syrischen) Sprache eine andere Verbindung als mit »und« gar nicht bekannt, ja nicht einmal möglich sei (DSS XXIX, 74,514,45 Pruche). Zur Bestätigung dieser Aussage, vgl. G. Kretschmar, Studien zur frühchristlichen Trinitätslehre, 194.

wie er diese Gleichheit der Natur und die Gleichheit der Ehre, die er durch den Gebrauch der Präposition »σύν« zum Ausdruck bringt, begründet.
Für Basilius ist der Taufbefehl das notwendige und heilbringende Dogma[82], das untrennbar den Geist mit dem Vater und dem Sohn verbindet. »Denn die Namen des Vaters und des Sohnes und des Heiligen Geistes sind auf die gleiche Weise gegeben worden (Mt. 28,19). Wie also der Sohn sich zum Vater verhält, so der Geist zum Sohn, der Ordnung der Worte gemäß, die bei der Taufe verwendet werden[83].« Der Herr selbst ist es, der diese σύνταξις des Geistes mit dem Vater und dem Sohn vollzogen[84] und dem Geist dadurch die ihm eigene Doxa erwiesen hat[85]. Der Taufbefehl ist der sichere Schriftbeweis, mit dem die »συναρίθμησις« des Geistes mit dem Vater und dem Sohn begründet und die »ὑπαρίθμησις« der Gegner widerlegt werden kann[86].
Der Heilige Geist ist mit dem Vater und dem Sohn untrennbar verbunden, das ist die sichere Schlußfolgerung, die Basilius aus dem Taufbefehl gewinnt. Diese διδασκαλία τοῦ κυρίου[87] überträgt Basilius wie eine Richtschnur auf das Bekenntnis des Glaubens, und die ὁμολογία τῆς πίστεως ist ihm Ursprung und Maß[88], auch für die Doxologie. »Sie sollen uns beibringen, nicht zu taufen, wie wir es gelernt haben, nicht zu glauben, wie wir getauft worden sind, nicht zu verherrlichen, wie wir geglaubt haben! Soll uns jemand zeigen, daß diese Folgerung nicht notwendig und unzerreißbar . . . ist[89].« Wie wir getauft sind, so glauben wir, und wie wir glauben, so sprechen wir auch die Doxologie — das ist der Grundsatz, den Basilius in der Schrift »De Spiritu Sancto« entfaltet und der auch zum Kriterium der Orthodoxie werden sollte.
Wir finden diesen Grundsatz in einem wichtigen Dokument in Ep. 125[90]. »Ein Beweis des rechten Denkens ist es, ihn (den Heiligen

[82] DSS X, 25 (334,18 Pruche).
[83] DSS XVII, 43 (398,14 Pruche).
[84] DSS X, 25 (334,18 Pruche).
[85] DSS XXIX, 75 (516,24 Pruche).
[86] DSS XVII, 43 (398,11 Pruche).
[87] DSS XXVII, 68 (488,11 Pruche).
[88] DSS XXVII, 68 (490,16 Pruche).
[89] DSS XXVII, 68 (490,18—22 Pruche).
[90] Ep. 125 ist das zwischen Basilius und Meletius sowie Theodotus in Getasa verabredete Dokument, das Eustathius im Jahr 373 als Bekenntnis des rechten Glaubens unterschrieben hat, vgl. Ep. 99,3 (I, 216 f. Courtonne). Nach Hauschild gibt es keine Anhaltspunkte dafür, daß es auf einer Synode in Nikopolis formuliert worden sei und demnach als »Tomus von Nikopolis« bezeichnet werden könnte (gegen Dörries, De Spiritu Sancto, 38,88), vgl. Basilius, Briefe ed. Hauschild A 79.

Geist) nicht vom Vater und Sohn zu trennen (denn wir müssen getauft werden, wie uns überliefert wurde, und so glauben, wie wir getauft werden, und so die Doxologie sprechen, wie wir geglaubt haben: auf Vater und Sohn und Heiligen Geist bezogen)[91].« Dies ist auch die Formulierung, die dem Nicaenum hinzugefügt werden muß. Dieses sonst für alle verpflichtende Bekenntnis des Glaubens hat — wie Basilius ausführt — den Heiligen Geist nur so nebenbei erwähnt und ihn keiner weiteren Ausarbeitung gewürdigt[92], da das Problem damals noch nicht diskutiert wurde und die Pneumatomachen noch nicht erschienen waren[93]. Aber weil jetzt die Diskussion um den Heiligen Geist, die von den Alten mit Schweigen übergangen wurde, neu entfacht ist, deswegen sieht Basilius sich genötigt, folgende Ausführungen hinzuzufügen, der Schrift gemäß, wie er sagt: »Wie wir getauft werden, so glauben wir auch; wie wir glauben, so sprechen wir auch die Doxologie. Da uns nun die Taufe vom Erlöser anbefohlen worden ist ›auf den Namen des Vaters und des Sohnes und des Heiligen Geistes‹ (Mt. 28,19), formulieren wir das Glaubensbekenntnis der Taufe gemäß, indem wir den Heiligen Geist zusammen mit Vater und Sohn verherrlichen, weil wir überzeugt sind, er sei der göttlichen Natur nicht fremd. Denn was der Natur nach verschiedenartig ist, kann doch unmöglich dieselben Ehren empfangen[94].« So ist die Doxologie in der Tat die liturgische Explikation des Glaubens aus der Taufe[95].

Basilius sieht eine Gefahr für den Glauben darin, die Doxa des Heiligen Geistes zu verkleinern[96], denn wie unsere Verherrlichung die eigene Doxa des Geistes voraussetzt, so stellen wir mit den doxologischen Formeln nur seine οἰκεία ἀξία ins Licht[97]. »Sein Dasein vor der Zeit und sein unaufhörliches Verweilen bei Vater und Sohn verlangen nach Bezeichnungen der ewigen Verbindung. Zu Recht und wahrheitsgemäß spricht man von dem Miteinander-Sein derer, die untrennbar zusammen sind . . . wo immer es um eine innige, natürliche und unzertrennbare Gemeinschaft geht, ist das Wort ›σύν‹ deutlicher, da es die Vorstellung der untrennbaren Gemeinschaft geradezu aufdrängt[98].« Wenn wir also die eigen-

[91] Ep. 125,3 (II, 33 Courtonne).
[92] Ep. 125,3 (II, 33 Courtonne).
[93] Ep. 140,2 (II, 62 Courtonne).
[94] Ep. 159,2 (II, 86 Courtonne).
[95] Vgl. B. Pruche, Sur le Saint-Esprit, Introduction 108, vgl. zum trinitarischen Aspekt der Basilius-Liturgie, B. Bobrinskoy, Liturgie et ecclesiologie trinitaire de saint Basile, in: Verbum caro 23 (1969) 1—32.
[96] Hom. Contra Sab. et Ar. 7 (PG 31,616 C).
[97] DSS XXVI, 63 (474,20 Pruche); XXVIII, 69 (488,8 Pruche).
[98] DSS XXVI, 63 (474,13 ff. Pruche).

tümliche Würde des Geistes (οἰκεία ἀξία) bedenken, betrachten wir ihn »mit« Vater und Sohn, wenn wir aber an die Gnade denken, die er in denen wirkt, die an ihm Anteil haben, dann sagen wir, der Geist ist in uns[99]. So stellt die Präposition »in« dar, was sich auf uns bezieht, die Präposition »mit« aber zeigt die Gemeinschaft des Geistes mit Gott. Deshalb gebrauchen wir beide Ausdrücke: »mit dem einen stellen wir die Würde des Geistes heraus, mit dem anderen bekunden wir seine Gnade für uns. So geben wir Gott die Ehre sowohl »im« Geist als auch »mit« dem Geist[100].«

Nach Basilius gibt es eine »δόξα φυσική«[101], die dem Geist eignet, wie das Licht die Doxa der Sonne ist[102]. Diese Doxa ist es, die den Geist mit dem Sohn und dem Vater verbindet. Sowohl in »De Spiritu Sancto« wie auch in der Hom. Contra Sab. et Ar. wird diese »δόξα φυσική« von Joh. 16,14 und Joh. 17,4 her interpretiert[103]. Jene aber (die Gegner) verweigern dem Heiligen Geist die Ehre[104], als überschritten sie damit seine Würde[105]. Dagegen müßten sie ihr Unvermögen erkennen und eingestehen, daß unsere Worte nicht ausreichen, um für das, was wir in Wirklichkeit erfahren, zu danken. Der Geist übersteigt nämlich jedes Begreifen und entzieht sich der Natur des Wortes, die auch nicht den kleinsten Teil seiner Würde erreicht, dem Wort der Schrift . . . gemäß: »Erhebt die Stimme, so laut ihr könnt, denn er ist noch darüber; wenn ihr die Stimme erhebt, vergrößert eure Anstrengung, ermüdet nicht, denn ihr kommt nicht an ein Ende[106].«

Es wird die Aufgabe der folgenden Kapitel sein, die alles überragende Würde (ἀξία) des Geistes[107] aus seinen Wirkungen zu er-

[99] DSS XXVI, 63 (474,20 Pruche).

[100] DSS XXVII, 68 (488,7 ff. Pruche).
Einige Jahre später (381) war es Gregor von Nazianz möglich, sich auf die alte im kirchlichen Gebrauch fest verwurzelte Form der Doxologie zu berufen, vgl. Homilie zum Fest Epiphanie (Hom. 39,12 — PG 36,348 A). Gregor konnte dies tun, denn die Arianer hatten aufgehört, Gegner erster Ordnung zu sein, vgl. zu dieser Homilie H. Dörrie, Die Epiphanias-Predigt des Gregor von Nazianz, 418. Dennoch dürfte es eine der Rückwirkungen der arianischen Kämpfe auf das liturgische Gebet gewesen sein, daß die mehr heilsgeschichtlich orientierte Doxologie verlorenging, vgl. J. A. Jungmann, Die Stellung Christi im liturgischen Gebet, 151 f. Vgl. auch W. Kasper, Kirche — Ort des Geistes, Freiburg 1976, 18 f., der auf die Folgen dieser gewandelten Perspektive hinweist.

[101] DSS XVIII, 46 (410, 22 Pruche).

[102] DSS XVIII, 46 (410,23 Pruche).

[103] DSS XVIII, 46 (410,27 f. Pruche); Hom. Contra Sab. et Ar. 7 (PG 31,616 CD).

[104] DSS XIX, 48 (416,1 f. Pruche).

[105] DSS XXVIII, 69 (494,43 Pruche).

[106] DSS XXVIII, 70 (498,7 Pruche).

[107] DSS XIX, 48 (416,4 Pruche).

heben, denn Basilius weiß den Heiligen Geist nicht besser zu preisen als im »Erzählen seiner Wunder«. Ihrer zu gedenken ist der größte Lobpreis[108].

III. DAS WIRKEN DES HEILIGEN GEISTES IN DER HEILSÖKONOMIE

1. Das schöpferische Wirken des Heiligen Geistes

a) Der Heilige Geist ist nicht Geschöpf und nicht ein λειτουργικόν πνεῦμα

Die Kontroverse mit den Pneumatomachen hatte zur Folge, daß Basilius vom Beginn seiner schriftstellerischen Tätigkeit an zunächst die ontologische Stellung des Heiligen Geistes verteidigen mußte. Für die Pneumatomachen war die Gottheit — wie oben bereits aufgezeigt — nur in den Seinsprinzipien »ἀγέννητον« und »γεννητόν« faßbar, so daß als drittes Seinsprinzip nur »κτιστόν« genannt werden konnte[109]. Die notwendige Folgerung war: Da der Geist weder als »ungezeugt« noch »gezeugt« bezeichnet werden konnte, konnte er nur dem dritten Seinsprinzip zugeordnet und zur geschöpflichen Ebene gezählt werden[110]. Aus dieser ontologischen Qualifikation des Geistes ergab sich als notwendige Konsequenz: Der Geist ist nicht nur ontologisch auf der geschöpflichen Ebene zu situieren, sondern ihm eignet auch eine dienende Funktion; er ist nur um eine Stufe von den dienenden Geistern verschieden.
Für Basilius ergab sich nun die Aufgabe, zunächst die pneumatomachischen Anschauungen zu widerlegen und in positiver Weise den Heiligen Geist in das schöpferische Wirken Gottes einzubeziehen. Mit der Teilnahme des Geistes an der Schöpfung stand und fiel auch die Göttlichkeit des Geistes[111]. Hinzu kommt die eminente Bedeutung der Schöpfung als des Handelns Gottes schlechthin im Denken der Zeit[112]. »Es ist wohl nicht übertrieben zu behaupten, daß die überzeugende Einbeziehung des Heiligen Geistes in das

[108] DSS XXIII, 54 (446,23 Pruche).
[109] Vgl. Hom. Contra Sab. et Ar. 6 (PG 31,612 D).
[110] Die Argumentation der Pneumatomachen ist in den Briefen noch deutlich faßbar. Vgl. Ep. 125,3 (II, 34 Courtonne); Ep. 140,2 (II, 62 Courtonne); Ep. 159,2 (II, 87 Courtonne); DSS X, 25 (334,20 Pruche); DSS XIX, 50 (424,20 Pruche); Hom. De fide 3 (PG 31,469 A) Adv. Eun. III, 6 (PG 29,668 C); Athanasius, Ad. Serap. I, 1 (PG 26,529 A); Gregor von Nazianz, Or. theol. 5,5 (226 Barbel).
[111] Vgl. H. Dehnhard, Das Problem der Abhängigkeit des Basilius von Plotin, 38.
[112] Vgl. A. Heising, Der Heilige Geist und die Heiligung der Engel, 294.

Schöpfungswirken einer der größten Erfolge im Ringen mit den Pneumatomachen gewesen ist. Das auch diesen (wie früher dem Eunomius) vertraute Heiligungswirken des Heiligen Geistes im Leben der Gläubigen hätte nämlich ohne die Beziehung zum Schöpfungswirken keinerlei Überzeugungskraft gehabt, dem Heiligen Geist die Göttlichkeit und das ὁμότιμος . . . zuzuerkennen, da für die Pneumatomachen Christus als Erlöser und Heilswirkender sich ohne weiteres eines geschöpflichen Instrumentes im Gnadenwirken bedient haben konnte[113].«

Bevor wir uns mit der ausführlichsten Behandlung der Frage nach der schöpferischen Kraft des Geistes in »De Spiritu Sancto« XVI,38 beschäftigen, sind noch einige Stationen, die durch Briefe charakterisiert sind, zu bedenken. In einem der ersten Jahre seines Episkopates erreichten Basilius Briefe aus Tarsus, die von dem bedrohlichen Ernst der kirchlichen Situation berichteten. Diese Lage verlangte dringend danach, das Zerrissene zu einen. In dem heftigen Kampf um den III. Artikel des Glaubensbekenntnisses gibt Basilius den Rat: »Laßt uns nichts weiter verlangen, sondern wir wollen denjenigen Brüdern, die sich mit uns zusammenschließen wollen, das in Nicaea aufgestellte Glaubensbekenntnis vorlegen, und wenn sie zustimmen, wollen wir von ihnen verlangen, den Heiligen Geist nicht als Geschöpf zu bezeichnen und mit denen, die ihn so nennen, keine Gemeinschaft zu halten. Darüber hinaus bitte ich Euch, nichts zu verlangen[114].« Auch der zweite Brief versichert, daß keine schärfere Glaubensdefinition abverlangt werden sollte, wenn sie nur fest zu den Sätzen des Nicaenum stehen und die Gemeinschaft mit denen meiden, die den Heiligen Geist ein Geschöpf nennen[115]. Die Briefe zeigen eine bemerkenswerte Klarheit, die Entschiedenheit mit Weite, Ernst mit Milde zu verbinden wußte. Die Aussage, »der Heilige Geist ist nicht Geschöpf«, war also jenes Bekenntnis, das allein dem Nicaenum hinzugefügt werden durfte und über die Zugehörigkeit zur kirchlichen Gemeinschaft entschied.

Die maßvolle Haltung des Basilius, die in diesen Briefen zum Ausdruck kam, zeigte sich auch Eustathius gegenüber. Es ist bereits oben gezeigt worden, daß der Schrift »De Spiritu Sancto« ein Gespräch zwischen Eustathius von Sebaste und Basilius voraufgegangen ist, in dem Basilius seinen Freund zum Einlenken bewegen wollte. Wie maßvoll seine Forderungen waren, zeigt das Dokument, das aus diesen Gesprächen hervorgegangen ist[116]. Dieses

[113] Ebd.
[114] Ep. 113 (II, 16 Courtonne).
[115] Ep. 114 (II, 19 Courtonne).
[116] Vgl. H. Dörries, De Spiritu Sancto, 35 f.

Dokument (Ep. 125) verlangt das Festhalten am Nicaenum und außerdem die Anerkennung folgender Aussagen über den Heiligen Geist: Der Heilige Geist ist kein Geschöpf, von Natur heilig wie Vater und Sohn und von diesen nicht zu trennen; er ist aus Gott, gehört nicht zu den dienenden Geistern, die nach Hebr. 1,14 zu den Geschöpfen gerechnet werden, und die ἀκολουθία von Vater, Sohn und Geist hat in der Ordnung des Taufbefehls (Mt. 28,19) zu erfolgen[117]. Diese Grundlehre, die das Nicaenum ergänzt und die sich als Same versteht, der in allmählichem Wachstum sich zu entfalten vermag[118], ist in Ep. 159,2 um einige Züge erweitert worden. »Die Schöpfung dient, der Geist aber macht frei (Rö. 8,21; 2 Kor. 3,17); die Schöpfung bedarf des Lebens, der Geist aber ist Lebensspender (Joh. 6,63); die Schöpfung bedarf des Belehrtwerdens, der Geist aber lehrt (Joh. 14,26); die Schöpfung wird geheiligt, der Geist aber heiligt (1 Kor. 6,11). Selbst wenn man Engel nennt oder Erzengel oder alle überirdischen Mächte — durch den Heiligen Geist bekommen sie die Heiligung. Der Geist aber hat die Heiligkeit von Natur aus, nicht gnadenweise empfangen, sondern ihm wesensmäßig inhärierend, weswegen er auch die Bezeichnung ›heilig‹ in bevorzugter Weise trägt. Was nun von Natur heilig ist, wie der Vater und der Sohn beide von Natur heilig sind, das lassen wir nicht von der seligen göttlichen Trinität abtrennen . . . und akzeptieren auch diejenigen nicht, die ihn zur Schöpfung zählen[119].« Dieser Brief, der sich als Summarium der Frömmigkeit versteht[120], zeigt nicht nur chronologisch, sondern auch inhaltlich die Nähe zu »De Spiritu Sancto«[121].

b) Das lebenspendende Pneuma

Von diesem aufgezeigten Hintergrund her wird der Ansatz in der Darstellung der schöpferischen Wirksamkeit des Geistes bei Basilius verständlich. In der ausführlichsten Behandlung dieser Frage, in »De Spiritu Sancto« XVI,38 beschränkt sich Basilius auf die Schöpfung der Engel. Diese uns heute so fremd anmutende Frage der Engelheiligung, die eng mit ihrer Erschaffung verbunden ist, wird von der Argumentation der Pneumatomachen her verständlich. Die pneumatomachischen Thesen »der Heilige Geist ist ein

[117] Ep. 125,3 (II, 33 f. Courtonne). Dieses Dokument wurde von Eustathius unterzeichnet (nach Hauschild im August 373 — vgl. Briefe, A 79).

[118] Ep. 159,2 (II, 87 Courtonne).

[119] Ep. 159,2 (II, 87 Courtonne).

[120] Ep. 159,2 (II, 87 Courtonne).

[121] Ep. 159 dürfte 374 oder 375 geschrieben worden sein, vgl. Hauschild, Briefe A 168.

Geschöpf« und »der Heilige Geist ist ein λειτουργικόν πνεῦμα« waren durch die Einbeziehung des Heiligen Geistes in das Schöpfungswirken, das sich auch auf die Schöpfung der unsichtbaren Welt erstreckt, zu widerlegen. Da Basilius sich in »De Spiritu Sancto« vor allem auch mit den Anschauungen des Eustathius auseinandersetzt, liegt es nahe, bei Eustathius ein Vorverständnis in der ἰσάγγελος — Idee anzunehmen. Bei Eustathius, einem Vertreter des Mönchtums, dürfte das Streben nach dem βίος ἀγγελικός und das Verlangen, auch an der Heiligkeit der Engel zu partizipieren, nicht ohne Bedeutung gewesen sein[122]. Das Motiv der »vita angelica« hat im frühen Mönchtum eine bedeutsame Rolle gespielt. Auch Basilius ist dieses Motiv stets teuer gewesen. Die vita angelica der Mönche bildet ja die Gemeinschaft der Engel in allem ab[123].

Die grundlegende Schriftstelle, durch die Basilius die Einheit des schöpferischen Wirkens von Vater, Sohn und Geist begründet, ist

[122] Vgl. B. Pruche, Sur le Saint-Esprit, 378 A 1.

[123] Vgl. H. Dörries, Basilius und das Dogma vom Heiligen Geist, 134. Zum Motiv der vita angelica vgl. S. Frank, ΑΓΓΕΛΙΚΟΣ ΒΙΟΣ, Begriffsanalytische und begriffsgeschichtliche Untersuchungen zum »engelgleichen Leben« im frühen Mönchtum, Münster 1964; U. Ranke-Heinemann, Das frühe Mönchtum, seine Motive nach den Selbstzeugnissen, Essen 1964, 65 ff.; P. Nagel, Die Motivierung der Askese in der alten Kirche und der Ursprung des Mönchtums, Berlin 1966, 34 ff.; Zum βίος ἀγγέλων als Kennzeichen des Asketen vgl. W. Völker, Das Vollkommenheitsideal des Origenes, Tübingen 1931, 51 und 190 f. Die vita angelica als Typus der Absage an die Welt erscheint in einer Schrift, die an der Schwelle von der innergemeindlichen zur mönchischen Askese steht, in den pseudoclementinischen Briefen »De virginitate« (Text bei Funk, Patres Apostolici II, 2). Der dort gebrauchte Begriff »renuntiare mundo« (De virg. IV, 1) entspricht genau dem griechischen ἀποτάσσεσθαι τῷ κόσμῳ. In der Vita Ant. wirkt die origenistische Spiritualisierung der Vorstellung vom engelgleichen Leben des Asketen nach. Die Vita Pachomii greift ebenfalls den Gedanken auf und vertieft ihn weiter. Die Asketen sind Nachfolger der Propheten (Vit. Pach. 168,9—19; 169,10 f., ed. Halkin). Ihre Lebensweise stellt sie schon auf Erden den Engeln gleich (ebd. 168,23—25) und befähigt sie, zum Gipfel der Tugend zu gelangen.
Basilius steht auch in dieser Tradition. Die Engel sind Vorbild für den Vollzug des Gotteslobes (Ep. 2,2; I, 7 Courtonne); sie sind auch Vorbild für die unablässige Freude (Hom. De grat. act. 2, PG 31,236 C); durch die Taufe ist der Mensch den Engeln ebenbürtig (Hom. in s. Bapt. 3, PG 31,429 B); die durch den Heiligen Geist geschenkte Freude bezieht sich auf die, die ihren Wandel im Himmel haben (Hom. in Ps. 45,4, PG 29,421 CD); Moses wurde, den Engeln gleich, der unmittelbaren Anschauung Gottes gewürdigt (Hom. in Hexaem. I, 1,91 Giet); Adam ist im Paradies in der Herrschaft den Engeln gleich und Tischgenosse der Erzengel (Hom. Quod. Deus . . . 7, PG 31,344 CD); durch Fortschreiten in der Tugend wird der Mensch zur ἀξία (Stellung) der Engel erhöht (ebd. PG 31,348 D); der vollkommene Mensch ist zur Stellung der Engel erhoben (Hom. in Hexaem. IX, 6,519 Giet).

Psalm 32,6 »Durch das Wort des Herrn sind die Himmel geschaffen und durch den Hauch seines Mundes all ihre Macht«. Diese Stelle bietet die Möglichkeit, das Wirken des Geistes eng an das des Sohnes zu binden. So hatte es schon Athanasius verstanden: »Es gibt nichts, das nicht durch den Logos im Geist geschieht und gewirkt wird. Das wird auch in den Psalmen erklärt: ›Durch das Wort des Herrn . . .‹[124].« Ähnlich verbindet Gregor von Nazianz von dieser Stelle her das Wirken des Sohnes und des Geistes: »Dieser Geist vollbringt mit dem Sohn die Schöpfung und Auferstehung. Davon überzeuge dich die Stelle: ›Durch das Wort des Herrn . . .‹ und: ›Der Geist Gottes hat mich gemacht, der Odem des Allmächtigen mich gelehrt‹ (Hiob 33,4) und: ›Wenn du aussendest deinen Geist, dann werden sie geschaffen, und du erneuerst das Angesicht der Erde‹ (Ps. 103,30)[125].« Gregor von Nazianz hat hier gleich drei charakteristische Schriftstellen miteinander verknüpft, die von den Vätern immer wieder zur Begründung für das schöpferische Wirken des Geistes herangezogen werden.
Für Basilius scheint sich mit der Stelle aus Psalm 32 in besonderer Weise eine Assoziation zur Erschaffung der Engel zu verbinden, da er sie schon in der frühen Schrift »Adv. Eun.« in diesem Sinn benutzt. Hier hatte Basilius die Psalmstelle angeführt, um die Wirkungen des Heiligen Geistes einzuleiten. »›Durch das Wort des Herrn sind die Himmel geschaffen, und durch den Hauch seines Mundes all ihre Macht.‹ Wie also Gott das Wort, der Schöpfer des Himmels ist, so verleiht der Heilige Geist den himmlischen Mächten die Festigkeit und Beständigkeit (in der Tugend)[126].« Basilius verbindet nun diese Psalmstelle (32,6) mit einem Vers aus Hiob (33,4)[127] — wie wir es eben schon bei Gregor von Nazianz sahen — und deutet das »Schaffen« im Sinn von »Vollenden in der Tugend«[128]. Es findet sich auch hier bereits der Hinweis, daß das Wirken des Heiligen Geistes dem Wirken des Vaters und des Sohnes gleichgestellt ist[129]. Am Schluß dieses Abschnittes wird auf das lebenspendende Wirken des Geistes durch das Wirkschema ἀπό — διά — ἐν verwiesen: »Von Gott wird uns durch Christus im Geist das Leben verliehen[130].« Röm. 8,11 deutet an,

[124] Athanasius, Ad Serap. I, 31 (PG 26,601 A).
[125] Gregor von Nazianz, Or. 41,14 (PG 36,448 B).
[126] Adv. Eun. III, 4 (PG 29,661 C); »τῆς ἀρετῆς« ist später hinzugefügt; es fehlt in wichtigen Handschriften, vgl. A. Heising, Der Heilige Geist und die Heiligung der Engel, 288, A 140.
[127] Hiob 33,4 »Der Geist Gottes hat mich gemacht«, Adv. Eun. III, 4 (PG 29,661 C).
[128] Adv. Eun. III, 4 (PG 29,661 C).
[129] Ebd. III, 4 (PG 29,664 B).
[130] Ebd. III, 4 (PG 29,664 C).

in welchem Sinn das »Lebenspenden« des Geistes zu verstehen ist. »Der, der Christus von den Toten erweckt hat, wird auch eure sterblichen Leiber lebendig machen durch seinen Geist, der in euch wohnt[131].« Der Abschnitt über das Wirken des Geistes ist wohl durchdacht: eigenständig — wie der Vater und der Sohn — wirkt auch der Heilige Geist[132]. Die Anwendung von Psalm 32,6 ist hier nur kurz angedeutet.

In einer längeren Auslegung und in direkter Beziehung zum Schöpfungswirken wird der Psalmvers in der Homilie zu Psalm 32 interpretiert[133]. Diese zeitlich nicht sicher einzuordnende Homilie deutet durch die polemische Einleitung dieses Psalmverses auf die pneumatomachischen Auseinandersetzungen hin. »Wo sind die, die den Geist verwerfen? Wo sind die, die ihn von der schaffenden Kraft trennen? Wo sind die, die ihn von der Verbindung des Vaters und des Sohnes ausschließen? Sie sollen den Psalm hören, der sagt: ›Durch das Wort des Herrn sind die Himmel geschaffen und durch den Hauch seines Mundes all ihre Macht‹[134].« Es folgt der Hinweis, daß unter »Wort« nicht die gewöhnliche Rede und unter »Pneuma« nicht der Atem zu verstehen ist, sondern wie »das schaffende Wort den Himmel festgemacht hat, ebenso hat der Heilige Geist, der vom Vater ausgeht . . . zugleich alle in ihm enthaltenen Kräfte (δυνάμεις) verliehen«[135]. Beide haben bei der Schöpfung der Himmel und ihrer Kräfte mitgewirkt. Den Eintritt in das Sein hat ihnen das schaffende Wort, der Schöpfer aller Dinge, gewährt, die Heiligung (ἁγιασμός) aber hat ihnen der Heilige Geist zugleich mit hinzugegeben[136]. Denn die Engel sind ja nicht als Unmündige geschaffen worden, die durch allmähliche Übung vervollkommnet wurden, sondern bei ihrer ersten Gestaltung ist ihnen die Heiligkeit hinzugegeben worden[137].

Der Aufbau des Abschnittes zeigt in der Interpretation der Psalmstelle 32,6 eine Entwicklung zu Adv. Eun. III. Nach dem Zurückweisen der profanen Deutung von λόγος und πνεῦμα macht Basilius positive Aussagen über den Logos und das Pneuma in ihrem gött-

[131] Ebd. III, 4 (PG 29,664 C — 665 A).

[132] Adv. Eun. III, 4 (PG 29,664 C).

[133] Zur Frage, ob Basilius in dieser Homilie längere Teile aus dem Psalmenkommentar von Eusebius übernommen habe, vgl. H. Dehnhard, Das Problem der Abhängigkeit des Basilius von Plotin, 39 f.; J. Wittig, Leben, Lebensweisheit und Lebenskunde des hl. Metropoliten Basilius d. Gr. von Caesarea, 623 f.; A. Heising, Der Heilige Geist und die Heiligung der Engel, 290, A 147.

[134] Hom. in Psalm. 32,4 (PG 29,333 A).

[135] Ebd. Nr. 4 (PG 29,333 B).

[136] Ebd. Nr. 4 (PG 29,333 C).

[137] Ebd. Nr. 4 (PG 29,333 CD).

lichen Sein und Wirken. Dabei wird der Heilige Geist in seinem Heiligungswirken in direkte Verbindung zum Schöpfungswirken des Sohnes gebracht.
Nach diesem kurzen Überblick über die Interpretationsweisen in »Adv. Eun.« und der Homilie zu Psalm 32 wäre nun zu untersuchen, in welchem Kontext Basilius in Kapitel XVI der Schrift »De Spiritu Sancto« das schöpferische Wirken des Geistes von Psalm 32,6 her begründet. Zunächst sei der für diesen Zusammenhang notwendige Textabschnitt vorgelegt.

»Du kannst die Gemeinschaft des Geistes mit dem Vater und dem Sohn auch aus den Werken des Anbeginns ersehen, denn die reinen und verständigen und überkosmischen Mächte sind heilig und werden auch so genannt: sie haben ihre Heiligkeit aus der ihnen vom Heiligen Geist eingegebenen Gnade. So ist zwar die Art und Weise der Erschaffung der himmlischen Mächte verborgen, denn der die Weltentstehung darstellte, hat uns nur den Schöpfer des sinnlich Erfahrbaren offenbart, du aber, der du vom Sichtbaren auf das Unsichtbare zu schließen vermagst, rühme den Schöpfer, in dem alles erschaffen wurde (Kol. 1,16), das Sichtbare und das Unsichtbare, die Fürsten, die Mächte, die Gewalten, die Thronen und Herrschaften und die weiteren geistigen Naturen, deren Name nicht bekannt ist. Sieh bei der Erschaffung dieser Wesen den Vater als die vorausliegende Ursache, den Sohn als die schaffende, als die vollendende den Geist, so daß die dienenden Geister im Willen des Vaters ihren Anfang haben, durch die Wirksamkeit des Sohnes in das Sein geführt werden und durch die Gegenwart des Geistes vollendet werden. Die Vollendung der Engel aber ist die Heiligkeit und das Verbleiben in ihr. Niemand möge glauben, daß ich sage, es gebe drei uranfängliche Wesenheiten (Hypostasen), oder daß ich die Unvollkommenheit des Wirkens des Sohnes behaupte. Denn der einzige Urgrund des Seienden verwirklicht durch den Sohn und vollendet im Heiligen Geist. Weder ist die Wirkkraft des Vaters, der alles in allem wirkt (1 Kor. 12,6), unvollendet, noch die Schöpferkraft des Sohnes unvollkommen, wenn sie vom Heiligen Geist nicht vollendet wird. Denn weder bedarf der Vater des Sohnes, da er mit seinem Wollen allein schafft, aber er will eben durch den Sohn; noch bedarf der Sohn eines Beistandes, wenn er in Gemeinschaft mit dem Vater wirkt; aber auch der Sohn will durch den Geist vollenden. ›Denn durch das Wort des Herrn sind die Himmel geschaffen, und durch den Hauch seines Mundes all ihre Macht‹ (Ps. 32,6). Weder ist hier Wort ein sinnträchtiges Formen der Luft, durch Stimmwerkzeuge hervorgebracht, noch ist der Hauch Atem des Mundes, aus dem Atmungsorgan ausgestoßen, sondern es ist das Wort, das bei Gott im Anfang und Gott war (Joh. 1,1); der Hauch aus dem Mund Gottes ist der Geist der Wahrheit, der vom Vater ausgeht (Joh. 15,26). Du erkennst an der Psalmstelle ein Dreifaches: den Herrn, der befiehlt, das Wort, das schafft, und den Geist, der festmacht. Was ist aber das Festmachen anderes als die Vollendung in der Heiligkeit, wobei das Festmachen das Unnachgiebige, das Unerschütterliche, das Festgegründete im Guten bedeutet[138]. ... So steht also der Heilige Geist bei der Schöpfung den Wesen bei, die sich nicht in einer Entwicklung vollenden, sondern mit der Erschaffung selbst vollendet sind: er gibt ihnen zur Vollendung und Erfülltheit ihres Wesens seine Gnade[139].«

Die erst am Schluß dieses Abschnittes angeführte Psalmstelle und die nachfolgende Interpretation dient hier in Kapitel XVI als biblische Begründung der langen Ausführung über die Wirkeinheit der drei göttlichen Personen. Basilius beginnt mit dem Hinweis, daß die κοινωνία des Geistes mit dem Vater und dem Sohn schon aus den Werken des Anbeginns, den Schöpfungswerken zu ersehen ist. Die Art und Weise der Erschaffung der himmlischen Mächte ist zwar verborgen, aber Basilius fordert auf, vom Sichtbaren auf das Unsichtbare zu schließen[140]. Bei der Erschaffung dieser Wesen ist der Vater als die vorausliegende Ursache (αἰτία προκαταρκτική), der Sohn als die erschaffende (δημιουργική) und der Heilige Geist als die vollendende Ursache (τελειωτική) zu sehen[141]. Basilius glaubt diese Wirkeinheit von Vater, Sohn und Geist vor einem Mißverständnis schützen zu müssen und hebt hervor, daß er nicht von drei Prinzipien spricht[142], sondern von drei Weisen der Wirksamkeit. Versucht man die Art der Wirksamkeit begrifflich aufzuschlüsseln, dann ergibt sich daraus: Das Wirken des Vaters bringt alles hervor. Aber dieses Wirken ist in sich bestimmt durch das Wirken des Sohnes und des Geistes. Dieses innere Moment des Wirkens wird durch das Wollen charakterisiert, wobei Wollen nicht als Zufälliges, sondern als Wesentliches zu denken wäre. Zu beachten ist, daß die ganze Bewegung schöpferischer Hervorbringung in der Gegenwärtigkeit, der Parusie, endet.

138 DSS XVI, 38 (376—378 Pruche).
139 DSS XVI, 38 (384,100 Pruche).
140 Vgl. die Erläuterungen der unsichtbaren Welt in Hom. in Hexaem. I, 5 (105 f. Giet).
141 DSS XVI, 38 (378,14 f. Pruche).
142 DSS XVI, 38 (378,20 f. Pruche).

Es ist offensichtlich, daß Basilius hier neben den oben angeführten Interpretationen von Ps. 32 noch von einem anderen Zusammenhang her argumentiert. Diesen Kontext finden wir bei Origenes. Diesem eben entwickelten Abschnitt des XVI. Kapitels aus »De Spiritu Sancto« liegt ein kurzer Text aus Origenes »De principiis« zugrunde[143]. Origenes begründet ebenfalls die Aussagen über die Tätigkeiten der drei göttlichen Personen von Psalm 32,6 her und läßt sich dabei in einem subordinatianischen Sinn von der Frage nach dem Rang des Heiligen Geistes leiten. Basilius greift dies auf und korrigiert die auf drei verschiedene Wirkbereiche bezogene Stellung der drei Hypostasen bei Origenes, wobei er sich eindeutig g e g e n einen niederen Rang des Heiligen Geistes wendet. Die bei Basilius so betonte Eigenwirksamkeit und die dadurch erfolgte Koordination der drei göttlichen Personen dient offensichtlich diesem Anliegen. Dabei wird aber gleichzeitig die Einheit des göttlichen Wirkens betont, wie Basilius sie durch die ἐκ-διά-ἐν-Formel von Athanasius her kannte[144]. Es gibt nur eine ἀρχή, die durch den Sohn schafft und im Heiligen Geist vollendet.
Diese Einheit des Wirkens hat Basilius im gleichen Kapitel von 1 Kor. 12,4—6 her erläutert. »Es gibt verschiedene Gnadengaben, aber es ist derselbe Geist; es gibt verschiedene Ämter, aber es ist derselbe Herr; es gibt verschiedene Wirkkräfte, aber es ist derselbe Gott, der alles in allem wirkt. Wenn Paulus hier zuerst den Geist, dann den Sohn und an dritter Stelle Gott, den Vater anführt, dann ist dadurch die Ordnung nicht notwendigerweise verkehrt. Denn Paulus geht von unserer Situation aus: Wenn wir Gaben empfangen, begegnen wir zuerst dem, der sie verteilt, dann erkennen wir den, der sie gesandt hat, schließlich richten wir unsere Überlegung auf den Quellgrund der Güter[145].« Diese Stelle, die Basilius in der langen Ausführung über die Eigenwirksamkeit der drei göttlichen Personen noch einmal anführt, dürfte als Interpretation des ἐκ-διά-ἐν-Schemas zu verstehen sein und das schöpferische Wirken des Geistes dahingehend deuten, daß »im« Geist Gott sich als »Schöpfer des Lebens« in der Welt manifestiert. Das schöpferische Werk des Heiligen Geistes kann verstanden

[143] Origenes, De principiis I, 3,7 (59,4 Görgemanns-Karpp), vgl. auch A. Heising, Der Heilige Geist und die Heiligung der Engel, 295, A 164.

[144] Zur Bedeutung der ἐκ-διά-ἐν-Formel bei Athanasius vgl. A. Laminski, Der Heilige Geist als Geist Christi, 146. Der Tritheismusvorwurf, der in DSS XVI, 38 noch anzuklingen scheint, soll durch die ἐκ-διά-ἐν-Formel, die ihr Pendant in der Doxologie hat — wie oben gezeigt worden ist — widerlegt werden.

[145] DSS XVI, 37 (376 Pruche).

werden als die »königliche Freiheit Gottes«[146] gegenwärtig zu sein in der Kreatur, um die schöpferischen Absichten Gottes zu verwirklichen. Der Heilige Geist, der »in« und »über« der Schöpfung ist, er hat Anteil an der Königsherrschaft Gottes[147]. Die Güte, Heiligkeit und Königswürde wird vom Vater, durch den Sohn »im« Geist offenbar und präsent in der Welt[148]. Der Geist wirkt nicht als Diener, sondern als Herr[149]. Wie vom Feuer die Wärme und vom Licht das Leuchten nicht getrennt werden kann[150], so kann auch vom Geist die Heiligkeit, das Lebendigmachen, die Güte und Gerechtigkeit nicht getrennt werden[151]. Das Wirken des Geistes in der Schöpfung, das in der Homilie »De fide« ähnlich wie in Kapitel IX »De Spiritu Sancto« in hymnenartiger Weise beschrieben wird, wird verdeutlicht durch seine Allgegenwart, durch sein un-

146 Vgl. Th. F. Torrance, Spiritus Creator, 76 — die Abhandlung von Torrance ist leider belastet durch Einbeziehung unechter Schriften wie Ep. 8 und Ep. 38. Zu Ep. 8 vgl. R. Melcher, Der achte Brief des hl. Basilius, ein Werk des Evagrius Ponticus, Münster 1923; zu Ep. 38 vgl. R. Hübner, Gregor von Nyssa als Verfasser der sog. Ep. 38 des Basilius, in: Epektasis (Paris 1972) 463—490.

147 DSS XX, 51 (430,50 Pruche).

148 DSS XVIII, 47 (412,20 Pruche).

149 Hom. De fide 3 (PG 31,472 A).

150 Hom. De fide 3 (PG 31,469 A). Ein ähnlicher Gedanke findet sich in der kleinen Schrift »De Spiritu«: »Das Leben . . . das der Geist mitteilt, wird von ihm nicht getrennt; sondern wie die Wärme, die mit dem Feuer verbunden ist . . . Wärme des Feuers ist, ebenso hat er nicht nur das Leben in sich, sondern auch diejenigen, die seiner teilhaftig werden, leben«, (PG 29,772 BC). »Er ist die Quelle des Lebens« (PG 29,769 A). Das Bild der Sonne veranschaulicht dieses »Lebengeben«: »Er leuchtet in allen Würdigen. Denn wie die Strahlen der Sonne bewirken, daß die Wolke erhellt wird und leuchtet, indem sie ihr eine goldartige Gestalt geben, ebenso hat auch der Heilige Geist, nachdem er in das Herz des Menschen gekommen ist, Leben gegeben, Unsterblichkeit gegeben und den Liegenden aufgerichtet. Das lebendige Wesen aber, das von der ewigen Bewegung des Heiligen Geistes ergriffen wurde, ist ein heiliges geworden. Denn der Mensch hat, obwohl er vorher Staub und Erde war, weil der Geist in ihm Wohnung nahm, die Würde eines Propheten, eines Apostels, eines Engels Gottes erhalten.« (PG 29,769 B). Diese rückläufige Bewegung des geheiligten Menschen zum reinen Geistwesen — Prophet — Apostel — Engel zeigt Verwandtschaft zu Origenes, De princ. I, 6,6 (84,10 Görgemanns-Karpp). Die kleine Schrift »De Spiritu«, die starke Parallelen zu Plotins Enneaden (V, 1) aufweist, konnte sich trotz der kritischen Arbeit von H. Dehnhard, Das Problem der Abhängigkeit des Basilius von Plotin, noch nicht überzeugend als echte basilianische Schrift erweisen. Für die Echtheit sprechen sich neben Dehnhard Henry, Amand und Heising aus, vgl. A. Heising, Der Heilige Geist und die Heiligung der Engel, 275 a. Zurückhaltend ist das Urteil von Gribomont und Orphanos (letzteres Urteil durch mündliche Mitteilung).

151 Hom. De fide 3 (PG 31,469 A).

versehrtes »Darüberstehen«[152]. Nach Basilius ist der Heilige Geist die Gegenwärtigkeit Gottes in der Welt, die veranschaulicht wird durch das Bild der Sonne. Wie die Sonne die Körper beleuchtet und sich ihnen mitteilt[153], ohne durch die partizipierenden Körper verringert zu werden, so teilt auch der Geist sich allen unversehrt und ungeteilt mit[154]. Er ist im Himmel und erfüllt die Erde, er ist überall zugegen, nicht als Diener wirkt er, sondern als Herr[155].

Wenn Basilius den Heiligen Geist von Psalm 32,6 her als »Hauch«, »Atem«, als »ζωοποιοῦν«[156] als »Urheber des Lebens« (ἀρχηγὸς τῆς ζωῆς)[157], als »Herrn des Lebens« (ζωῆς κύριον)[158] bezeichnet, dann kommt darin zum Ausdruck, daß »πνεῦμα« auch jene dynamische Vorstellung beinhaltet, die dem alttestamentlichen רוּחַ (ruaḥ) zugrunde liegt. Die Grundbedeutung von ruaḥ ist zugleich »Wind« und »Atem«, beides aber nicht als Vorhandenes, sondern als die im Atem und Windstoß begegnende Kraft, deren Woher und Wohin rätselhaft bleibt; ruaḥ als Bezeichnung des Windes ist notwendigerweise etwas, was sich in Bewegung befindet und was die Kraft hat, anderes in Bewegung zu setzen[159]. Dem Menschen gegenüber hat der Wind den Charakter des Nichtgreifbaren und Flüchtigen. Die rätselhafte im Wind wirksame Kraft, sein unbekanntes Woher, legten es besonders nahe, in ihm und seinen Wirkungen ein Handeln Gottes zu sehen[160]. Jene in der ruaḥ wirkende schöpferische Kraft Gottes kam für das biblische Verständnis besonders in Gen. 1,2 zum Ausdruck. Basilius hat diesen Text in der II. Homilie in Hexaemeron interpretiert. Er benutzt hier die Auslegung eines Syrers[161], weil — wie Basilius sagt — die sprachliche Ver-

[152] Ebd. Nr. 3 (PG 31,469 A).
[153] Vgl. auch DSS IX, 22 (326,35 Pruche).
[154] Hom. De fide 3 (PG 31,469 B).
[155] Ebd. Nr. 3 (PG 31,472 A).
[156] Ep. 159,2 (II, 87 Courtonne).
[157] DSS XXVIII, 70 (496,17 Pruche).
[158] DSS XIII, 29 (350,19 Pruche).
[159] Vgl. E. Jenni / C. Westermann, Theol. Handwörterbuch zum AT II, 728.
[160] Ebd. 728.
[161] Wir wissen nicht, wer dieser angeführte Syrer war, vgl. M. A. Orphanos, Creation und Salvation according to St. Basil of Caesarea, Athen 1975, 50, A 5; L. Tillemont, Mémoires pour servir à l'histoire ecclésiastique des six premiers siècles, Tome IX (Paris 1703), 210 denkt an Eusebius von Samosata, während Garnier Ephraem den Syrer annimmt, Basilius Opera omnia I, 25. Giet andererseits zitiert eine ähnliche Stelle aus Theophilus von Antiochien und fragt, ob Basilius vielleicht Theophilus mit geringfügigen Änderungen gebraucht, Basile de Cèsarèe, Hom. Sur l'Hexaem., 169, A 3. Ambrosius hat die Interpretation des Basilius benutzt und in seine Hexaemoronhomilie (I, 8,29, CSEL 32,28—29 Schenkl), aufgenommen. Vgl. auch Augustinus, De Genesi ad litteram I, 18 (CSEL 38,26—27 Zycha). Zur Frage

wandtschaft zwischen dem Syrischen und dem Hebräischen eine größtmögliche Nähe zum Urtext gewährleistet[162]. Der über den Wassern schwebende Gottesgeist ist nach Basilius der Heilige Geist, der die göttliche und selige Dreifaltigkeit vollendet[163]. Der Interpretation des Syrers zufolge, versteht Basilius das »Schweben« (ἐφέρετο) im Sinn von »Wärmen«; ähnlich wie ein brütender Vogel die Eier erwärmt und diesen seine belebende Kraft einsenkt, so macht der Geist die Natur des Wassers lebenspendend. Dies sei der in den Schriften liegende Sinn, so betont Basilius; »der Geist schwebte«, d. h. er wirkte auf die Natur des Wassers ein, daß es Lebewesen hervorbringe. Damit sieht Basilius den Fragepunkt einiger Gegner, die dem Geist die schöpferische Tätigkeit absprechen, als hinlänglich erledigt an[164].

c) Das schöpferische Wirken des Heiligen Geistes als τελείωσις

Basilius überträgt nun diesen Bedeutungsgehalt der alttestamentlichen ruaḥ auf die »Neuschöpfung«. In Psalm 103 hat das Alte Testament in ergreifender Weise die schöpferische Wirksamkeit des göttlichen Geistes beschrieben. »Wenn du deinen Geist (Atem) wegnimmst, so sterben sie und werden wieder zu Staub. Wenn du deinen Geist aussendest, so werden sie geschaffen, und du erneuerst das Antlitz der Erde[165].« Basilius hat diesen Psalmvers in den

der Abhängigkeit Basilius — Ambrosius — Augustinus vgl. B. Altaner, Eustathius, der lateinische Übersetzer der Hexaemeron-Homilien Basilius d. Großen, in: Kleine patristische Schriften, Berlin 1967, 437—447.

162 Wir ersehen hier aus dem Umgang mit dieser Schriftstelle, daß Basilius besorgt war um den Literalsinn. Die allegorische Interpretationsweise wurde im 4. Jh. bereits entschieden bekämpft. Der Ruhm des Allegorisierens war in der Zeit der Kappadozier schon von verschiedenen Seiten her ins Wanken geraten. Basilius spricht sich mehrmals über die Wichtigkeit des Literalsinns mit einer Schärfe und Bestimmtheit aus (vgl. Hom. in Hexaem. II, 2 und 4), daß wir mit Recht schließen dürfen, er habe öfter Gelegenheit gehabt, den mit dem »geheimen Sinn« getriebenen Mißbrauch aus nächster Nähe kennenzulernen (vgl. H. Weiss, Die großen Kappadocier Basilius, Gregor v. Nazianz u. Gregor v. Nyssa als Exegeten, Braunsberg 1872, 66).

163 Hom. in Hexaem. II, 6 (168 Giet).

164 Hom. in Hexaem. II, 6 (170 Giet). Auf wen sich die hier angeschnittene Frage bezieht, ist nicht zu ersehen. Würde die Terminologie z. B. »δημιουργικῆς ἐνεργείας« sich auf eunomianische oder pneumatomachische Formulierungen beziehen (vgl. A. Heising a.a.O. 291, A 147), dann dürfte eine stärkere Polemik zu spüren sein. Wäre die Homilie andererseits früh (etwa vor 370, vgl. Bardenhewer III, 148) anzusetzen, dann bleibt die Frage, warum Basilius sie nicht in der Auseinandersetzung um die Geschöpflichkeit des Geistes benutzt hat, wie Origenes es getan hat, vgl. De princ. I, 3,3 (52,3 Görgemanns-Karpp).

165 Diese Stelle wird von den Vätern häufig zur Begründung des schöpferischen Wirkens des Geistes gebraucht. Origenes leitet damit die Wirkungen des

Kontext der Neuschöpfung gestellt und deutet damit an, in welchem Sinn er vornehmlich die schöpferische Wirksamkeit des Geistes am Werk sieht. »Die Auferstehung von den Toten vollzieht sich durch die ἐνέργεια des Geistes. ›Du sendest deinen Geist aus, so werden sie geschaffen, und du erneuerst das Antlitz der Erde.‹ Wenn man unter Schöpfung das Wiederaufleben der Toten versteht, ist die ἐνέργεια des Geistes, der unser Leben aus der Auferstehung leitet und unsere Seelen für jenes geistige Leben verwandelt, nicht groß? Oder man versteht unter Schöpfung die Umgestaltung der aus Sünde Gefallenen zum Guten hin hier auf Erden . . . wie Paulus sagt: ›Ist jemand in Christus, so ist er eine neue Schöpfung (2 Kor. 5,17).‹ Die Erneuerung auf Erden und die Verwandlung vom erdhaften und in Leidenschaften verstrickten zum himmlischen Leben: sie wird uns durch den Geist erwirkt und führt unsere Seelen zu jeglichem Übermaß des Staunens[166].«
Schöpferisches Wirken des Geistes, das ist vor allem dieses »Lebenschaffen«. Wenn Basilius es charakterisiert als »ἁγιασμός« und »διαμονή«[167] dann wird »im« Heiligen Geist offenbar, daß Gott den Geschöpfen nicht nur die Existenz verleiht, sondern daß er sie »belebt«[168], sie mit sich fortreißen will in die immer größere Verähnlichung mit ihm, sie »vollenden« will. Basilius spricht von einem Geist, der die Geschöpfe in ihrer Beziehung zu Gott »befestigt«[169]. »Leben schenken« — das heißt für Basilius, den Menschen herausreißen aus dem nur Erdhaften, Begrenzten, Beengten, ihn befreien zu einem »neuen Leben«, in dem er das Ziel seines Lebens erkennt — Gott —, dem Bild seines Sohnes gleichgestaltet wird und angenommen wird an Sohnes Statt. Athanasius drückt es so aus: Im Geist verherrlicht der Logos die Schöpfung, indem er sie durch Vergöttlichung und Annahme an Kindes Statt dem Vater zuführt[170]. Hier liegt der Hauptakzent, aber das bedeutet keineswegs eine totale Beschränkung auf eine »reine Innerlichkeit« wie in der subjektivistischen Auffassung des Geistes späterer

Heiligen Geistes ein, De princ. I, 3,7 (58,12 f. Görgemanns-Karpp). Auch für Athanasius ist dieser Psalmvers Schriftbeleg für die Schöpfertätigkeit des Geistes, Ad Serap. I, 9 (PG 26,553 A); I, 22 (PG 26,584 A); I, 24 (PG 26,588 A).

166 DSS XIX, 49 (420 Pruche). Die »lebenschaffende Kraft«, die die Seelen aus dem Tod der Sünde erneuert, ist als Gegenwart des Heiligen Geistes im Taufwasser gemeint. Das Sterben vollzieht sich im Wasser (der Taufe), das Leben wird gewirkt durch den Geist, DSS XV, 35 (368,55 Pruche).

167 DSS XVI, 38 (380,39 f. Pruche).

168 DSS IX, 22 (324,22 Pruche).

169 DSS XVI, 38 (380,38 Pruche).

170 Athanasius, Ad Serap. I, 25 (PG 26,589 B).

Jahrhunderte[171]. Das gesamte Schöpfungswirken ist trinitarisch bestimmt, aber der Heilige Geist ist das Medium, »in« dem der Creator gegenwärtig wird in der Kreatur.
So ergibt sich für Basilius aus den Wirkungen des Geistes die Folgerung: Frei zu sein von der Knechtschaft, Gottes Sohn genannt zu werden und vom Tod zum Leben erweckt worden zu sein, das kann von keinem anderen als dem gesagt werden, der durch seine Natur die innigste Vertrautheit mit Gott besitzt. Wie kann sich ein Fremder mit Gott vertraut machen? Oder wie kann jemand befreien, der selbst unter dem Joch der Knechtschaft steht[172]? Basilius arbeitet hier mit der Argumentation: Wenn der Geist vergöttlicht, dann muß er selbst »Gott« sein[173], obwohl Basilius »θεός« nicht ausdrücklich gebraucht. Die gleiche Argumentation findet sich bei Athanasius: »Was aber die Schöpfung dem Logos verbindet, kann selbst nicht zu den Geschöpfen gehören ... der Geist gehört also nicht zu den Geschöpfen, sondern er ist der Gottheit des Vaters eigen, und durch ihn vergöttlicht auch der Logos die Geschöpfe. Der aber, durch den die Schöpfung vergöttlicht wird, kann selbst nicht außer der Gottheit des Vaters sein[174].«
Der Schritt von Nicaea, das den Heiligen Geist nur kurz erwähnt hatte, bis zu Konstantinopel, das den Heiligen Geist als »Herrn und Lebensspender« bezeichnet, ist von Basilius in entscheidender Weise mit vorbereitet worden.

2. *Der Heilige Geist in der prophetischen Verkündigung*

a) Der Geist in der Prophetie

Im XVI. Kapitel der Schrift »De Spiritu Sancto«, in dem Basilius die κοινωνία des Geistes mit dem Vater und dem Sohn von den Wirkungen her entwickelt, stellt er dieses Wirken gleichsam in seinem »chronologischen Verlauf« dar. Er beginnt — wie wir sahen — mit der Teilhabe des Geistes am Schöpfungswerk und führt dann die Bewegung der Heilsökonomie weiter auf der Ebene der prophetischen Verkündigung. »Er hat gesprochen durch die Propheten«[175] — diese Glaubensaussage, die im Symbol von Konstantinopel formuliert worden ist, soll hier von der Pneumatologie des Basilius entfaltet werden. Das Konzil von Konstantinopel, das

171 Vgl. W. Pannenberg, Der Geist des Lebens, in: Glaube und Wirklichkeit, München 1975, 37.
172 DSS XIII, 29 (348,13 ff. Pruche).
173 Vgl. B. Pruche, Sur le Saint-Esprit, 350 A 1.
174 Athanasius, Ad Serap. I, 25 (PG 26,589 B).

im Jahre 381 das Bekenntnis von Nicaea ergänzte, hatte neben dem »Lebenschaffen« auch das »Offenbaren durch die Propheten« besonders hervorgehoben. Wenn man Basilius auch nicht zum heimlichen Beherrscher des allgemeinen Konzils erklären kann, so ist doch die Fassung, die der III. Artikel im Bekenntnis von Konstantinopel erhielt, wenn auch nicht Ausdruck seiner Theologie, so doch ohne sie nicht zu denken[176].

Die Prophetie ist nicht nur eine der vielen Gnadengaben, die der Heilige Geist austeilt[177], sondern das »Offenbaren der Geheimnisse« kommt ihm in besonderer Weise zu.

Die Begründung findet Basilius in 1 Kor. 2,10, wo es heißt: »Uns hat es Gott geoffenbart durch den Geist; denn der Geist erforscht alles, sogar die Tiefen Gottes. Welcher Mensch nämlich weiß, was im Menschen ist, als nur der Geist des Menschen, der in ihm ist? So erkennt auch niemand, was in Gott ist, als nur der Geist Gottes[178].« Weil der Geist in diesem Verhältnis zu Gott steht, wird es möglich, daß der Mensch, den der Geist in seine Bewegung einbezieht, zur Erkenntnis der Geheimnisse Gottes kommen kann. Und diese Geheimnisse haben ihre Bedeutung gerade deshalb, weil sie aus dem göttlichen Bereich selber stammen und nicht beliebige Geheimnisse sind[179].

Basilius, der diese Stelle aus 1 Kor. 2,10 f. sowohl in Adv. Eun. III, 4[180] wie auch in DSS XVI, 38[181] aufgreift, geht es um eben dieses »Offenbaren der Tiefen und Geheimnisse Gottes«. Das Problem des Selbstbewußtseins oder der Selbsterkenntnis Gottes, das einige Forscher in dieser Stelle des Korintherbriefes zu sehen glauben[182], spielt für Basilius keine Rolle. Ihm geht es vielmehr um die Bekräftigung des Gegensatzes: »Der Geist kennt die Tiefen Gottes, die Schöpfung dagegen empfängt die Offenbarung der

[175] Vgl. Symbolum Constantinopolitanum, Denzinger/Schönmetzer, 150; vgl. auch A. M. Ritter, Das Konzil von Konstantinopel und sein Symbol, bes. den Exkurs zur Pneumatologie von C, 293 ff.

[176] Vgl. H. Dörries, Basilius und das Dogma vom Heiligen Geist, 141.

[177] DSS XVI, 38 (382,75 Pruche).

[178] DSS XVI, 38 (382,77 Pruche); DSS XVI, 40 (390,45 ff. Pruche); DSS XXIV, 56 (452,3 Pruche).

[179] Vgl. G. Dautzenberg, Urchristliche Prophetie. Ihre Erforschung, ihre Voraussetzung im Judentum und ihre Struktur im ersten Korintherbrief, Berlin 1975, 197.

[180] Adv. Eun. III, 4 (PG 29,664 B).

[181] DSS XVI, 38 (382,77 Pruche).

[182] Vgl. F. Büchsel, Der Geist Gottes im Neuen Testament, Gütersloh 1926, 398 f.; zu diesem Problem vgl. H. Bertrams, Das Wesen des Geistes, Münster 1913, 162 f. und K. Stalder, Das Werk des Hl. Geistes in der Heiligung bei Paulus, Bern 1962, 62.

Geheimnisse durch den Geist[183].« Auch hier argumentiert Basilius ähnlich wie bei der Frage nach der schöpferischen Wirksamkeit des Geistes und führt den Leser von den Wirkungen des Geistes hin zur κοινωνία mit dem Vater und dem Sohn und schließt daraus: »Wie kein anderer oder Fremder die inneren Gedanken der Seele erkennen kann, so vermag der Geist, wenn er mit Gott an den Geheimnissen teil hat, da er kein anderer als Gott und Gott nicht fremd ist, die Tiefen der Gerichte Gottes zu erforschen[184].«
Auch in »De Spiritu Sancto« liegt die Intention der Aussage auf dieser Ebene. Den stärksten Beweis für die Verbindung des Geistes mit dem Vater und dem Sohn sieht Basilius darin, daß der Heilige Geist sich zu Gott verhält wie der Geist des Menschen in uns sich zu jedem einzelnen verhält[185]. »Wenn nun aus der Prophetie, die entsprechend der Verteilung der Gnadengaben des Heiligen Geistes gewirkt wird, zu erkennen ist, daß Gott in den Propheten ist, dann sollen unsere Gegner überlegen, welchen Rang sie dem Heiligen Geist geben sollen; ob es gerechter ist, ihn neben Gott zu stellen oder ihn zur Schöpfung zu verstoßen[186].« Auch hier führt die Folgerung, die Basilius daraus zieht, zum gleichen Ziel, nämlich zu der Einsicht, daß der Heilige Geist in seinem ganzen Wirken mit dem Vater und dem Sohn verbunden ist[187].
Wir sehen, daß Basilius unzweideutig von der Voraussetzung ausgeht, daß das »Offenbaren der Geheimnisse« dem Heiligen Geist in besonderer Weise zukommt und daß er in den Propheten wirkt, aber der inspiratorische Vorgang wird in »De Spiritu Sancto« — was von der Gesamtkonzeption der Schrift her verständlich ist — nicht entfaltet. Es wäre nun zu fragen, wie Basilius diesen Offenbarungsvorgang und damit das inspiratorische Wirken des Heiligen Geistes in den übrigen Schriften beschreibt.
In der Einleitung zu den Hexaemeron-Homilien erwägt Basilius, wer es sei, der in der Schrift zu uns spricht. Nach seiner Auffassung ist Moses zwar der Verfasser des Schöpfungsberichtes, aber durch Moses erreichen uns die »Worte der Wahrheit«, die nicht in menschlicher Überredungskunst und menschlicher Weisheit, sondern in der Lehrweise des Geistes gesprochen sind[188]. Um zu verdeutlichen, wie Gott durch den Verfasser der Schrift zu uns spricht, wählt Basilius die für diesen Zusammenhang klassische Schriftstelle Num. 12,6—8. »Ist unter euch ein Prophet des Herrn,

183 DSS XXIV, 56 (452,4 Pruche).
184 Adv. Eun. III, 4 (PG 29,664 C).
185 DSS XVI, 40 (390,44 Pruche).
186 DSS XVI, 37 (374,11 f. Pruche).
187 DSS XVI, 37 (374,19 Pruche).
188 Hom. in Hexaem. I, 1 (90 Giet).

so werde ich mich ihm in Gesichten offenbaren und im Traum zu ihm reden. Nicht so ist es aber mit meinem Knecht Moses, der mir der Vertrauteste ist im ganzen Haus: Von Mund zu Mund rede ich mit ihm, offenbar und nicht in Rätseln[189].« Basilius übernimmt offensichtlich die in Num. 12 gemachte Unterscheidung zwischen Propheten und der einmaligen Stellung des Moses, wenn er schreibt: »Dieser (Moses) also, der gleich den Engeln der unmittelbaren Anschauung Gottes gewürdigt worden, erzählt uns, was er von Gott vernommen hat. So wollen wir denn aufhorchen den Worten der Wahrheit, die nicht in der Überredungskunst menschlicher Weisheit, sondern in der Lehrweise des Geistes gesprochen sind, und deren Zweck nicht das Lob seitens der Zuhörer ist, sondern das Heil derer, die belehrt werden[190].« Basilius unterstreicht hier die einmalige Stellung des Moses hinsichtlich der Offenbarung. Die Offenbarung Gottes an Moses ist unmittelbar. Gott spricht mit ihm »von Mund zu Mund«. Die Aussage von Num. 12 liegt auf der gleichen Linie wie Ex. 33,11: »Der Herr aber redete mit Moses von Angesicht zu Angesicht, wie jemand mit seinem Freund redet« und Deut. 34,10: »Und es stand hinfort kein Prophet in Israel auf wie Moses, mit dem der Herr von Angesicht zu Angesicht verkehrte.«

Die Offenbarung den Propheten gegenüber aber geschieht in Traumgesichten. Traum und Vision sind zwar Offenbarungsweisen Jahwes, aber sie haben dennoch etwas Rätselhaftes und Dunkles an sich, das der Deutung bedarf, während das Gespräch mit Moses eindeutig und ohne jede Deutung verständlich ist[191]. Das »Rätselhafte« meint weniger den Rätselspruch als vielmehr das Rätselhafte der gesamten Offenbarung[192].

Auf dieses »Rätselhafte« der prophetischen Offenbarung weist auch Basilius hin. »Das Gesetz trägt einen Schatten des Zukünftigen (Hebr. 10,1) und das Vorbilden durch die Propheten ist ein Rätselbild der Wahrheit, als Übung für die Augen des Herzens gedacht, damit uns durch sie der Übergang zu der im Geheimnis verborgenen Weisheit leicht gemacht wird[193]. Das Erkennen »wie durch einen Spiegel und in Rätseln« wird vor allem in Anlehnung

[189] Ebd. I, 1 (90 Giet).

[190] Ebd. I, 1 (90 Giet); vgl. E. Fascher, Προφήτης. Eine sprach- u. religionsgeschichtliche Untersuchung, Gießen 1927, 110 f.

[191] Vgl. E. L. Ehrlich, Der Traum im Alten Testament, Berlin 1953, ZAW, Beih. 73, 138; zur Intention des Textes Num. 12,6—8 vgl. G. Dautzenberg, Urchristliche Prophetie, 172 f.

[192] Vgl. G. Dautzenberg, ebd. 174.

[193] DSS XIV, 33 (362,43 Pruche).

an 1 Kor. 13,12a betont[194]. Die vollkommene Erkenntnis ist vorbehalten für das künftige Leben, wenn wir diese Zeit, in der wir die Wahrheit wie durch einen Spiegel und in Rätseln sehen, verlebt haben, werden wir der Anschauung von Angesicht zu Angesicht gewürdigt werden[195]. »Jetzt trinkt der Gerechte wie durch einen Spiegel und in Rätseln, weil ihm die Betrachtung der göttlichen Geheimnisse nur stückweise vergönnt ist. Später aber wird er den überströmenden Fluß in sich aufnehmen, der die ganze Stadt Gottes mit Freude überströmen kann. Was aber ist der Strom Gottes anderes als der Heilige Geist«, so formuliert Basilius es in der Homilie zu Psalm 45[196]. Statt »αἴνιγμα« gebraucht Basilius auch den Ausdruck »πρόβλημα«, um das Rätselhafte und der Deutung Bedürftige der Offenbarung zu charakterisieren. »Was mich der Heilige Geist lehrt, das tue ich euch kund und rede nichts, was mein ist, nichts Menschliches, sondern weil ich die Rätsel des Heiligen Geistes gehört habe, der uns die Weisheit Gottes im Geheimnis (ἐν μυστηρίῳ) überliefert, so eröffne ich und gebe euch kund das Rätsel (το πρόβλημα)[197].

In den echten Basilius-Schriften finden wir keinen Traktat, in dem Basilius die Prophetie ausführlich entfaltet. Aber Basilius geht zweifellos — wie bereits gesagt — von der Voraussetzung aus, daß der Heilige Geist der eigentliche Urheber der prophetischen Worte, so wie der gesamten Heiligen Schrift ist. Unter dem Anhauch des Geistes wurde sie geschrieben (2 Tim. 3,16)[198]. Der Heilige Geist wirkt »in« den Propheten[199]; ihm kommt die Enthüllung der Geheimnisse in besonderer Weise zu[200]. Das alles ist fast wie selbstverständlich vorausgesetzt und es wird nur dort entfaltet, wo Basilius sich durch ein Wort der Schrift, etwa in den Homilien zum Hexaemeron oder in den Psalmen-Homilien, zur Exegese aufgefordert sieht. Aus diesen wenigen Andeutungen lassen sich aber doch, einem Mosaik vergleichbar, einige Charakteristika christlicher Prophetie erstellen.

Eine erste grundlegende Voraussetzung für das Wirken des Geistes von seiten des Menschen ist die völlige Reinigung von allen Leidenschaften und Sorgen. Diese Basilius von jeher vertraute For-

194 1 Kor. 13,12a ist zwar kein direktes Zitat aus Num. 12,8, aber als Hintergrund dürfte es von der jüdisch-exegetischen Tradition für die Bildung von 1 Kor. 13,12a von Bedeutung gewesen sein, vgl. G. Dautzenberg, Urchristliche Prophetie 172.

195 Adv. Eun. III, 7 (PG 29,669 CD).

196 Hom. in Psalm. 45,4 (PG 29,421 BC).

197 Hom. in Psalm. 48,2 (PG 29,436 BC).

198 DSS XXI, 52 (438,75 Pruche); Hom. in Hexaem. I, 1 (90 Giet).

199 DSS XVI, 37 (374,11 Pruche).

200 DSS XVI, 38 (382,75 Pruche).

derung[201] stellt er auch an den Anfang seiner ersten Hexaemeron-Homilie[202]. In der Homilie zu Psalm 28 konkretisiert Basilius es dahingehend, daß er sagt: »Wenn die Seele von den Begierden des Fleisches frei geworden ist . . ., dann ertönt in ihr die Stimme des Herrn[203].«

Das Stichwort »Stimme des Herrn« gibt Basilius Anlaß zu fragen, wie diese »Stimme Gottes« die Propheten erreichte. »Was ist nun die Stimme des Herrn?« — so fragt er in der Homilie zu Psalm 28 —. »Darf man sie etwa als Erschütterung der Luft verstehen . . ., die zu den Ohren dessen gelangt, an den sie ergeht? Oder ist diese Stimme von anderer Art, so daß sie die Vernunft derjenigen Menschen, welche Gott seine Stimme hören lassen will, sich diese vorstellen, und diese Vorstellung mit jener, die oft in Träumen vorkommt, in Verwandtschaft steht? Denn wie wir ohne Erschütterung der Luft . . . im Schlaf eine Erinnerung an gewisse Worte und Töne erhalten, obschon wir die Stimme nicht durch das Gehör vernehmen, sondern diese in unseren Herzen sich gestaltet, ebenso müssen wir auch glauben, daß die Stimme Gottes den Propheten zuteil geworden ist[204].« Gott braucht für die Offenbarung seiner Gedanken nicht den Umweg über das akustisch gehörte Wort, vielmehr erfolgt diese Offenbarung sozusagen durch die Gedanken des Herzens[205]. Es wird im Verlauf dieses Kapitels noch deutlich werden, daß dieses Einwirken des Geistes ein Hineinleuchten in das Erkenntnisvermögen ist. Der Mensch mit seinen Fähigkeiten wird nicht vergewaltigt, sein νοῦς wird nicht vertrieben, sondern er wird geschärft. Der Heilige Geist ist das Licht, das aus sich unserem Geist eine Klarheit zum Auffinden der Wahrheit gewährt[206]. Er ist der »Geist der Wahrheit«, der in sich selbst die Wahrheit hell aufscheinen läßt und Christus, die Kraft und Weisheit Gottes offenbart[207].

Basilius gebraucht, um das Wirken des Heiligen Geistes in den Propheten darzustellen, zuweilen das Bild eines Instruments, so z. B. in der Homilie zu Psalm 29. »Jeder heilige Prophet wird in bildlicher Redeweise Flöte genannt, wegen der vom Heiligen Geist ausgehenden Bewegung (κίνησις)[208].« Der Psalmvers »Preiset den Herrn mit der Harfe, singt ihm Lob auf zehnsaitigem Psalter«

[201] Vgl. DSS IX, 23 (326,43 Pruche).
[202] Hom. in Hexaem. I, 1 (86 f. Giet).
[203] Hom. in Psalm. 28,4 (PG 29, 293 A).
[204] Hom. in Psalm. 28,3 (PG 29,289 A).
[205] Hom. in Hexaem. III, 2 (196 Giet).
[206] DSS IX, 22 (324,27 Pruche).
[207] DSS XVIII, 46 (410,14 Pruche).
[208] Hom. in Psalm. 29,7 (PG 29,321 B).

gibt ihm die Möglichkeit, den menschlichen Leib mit dem Psalter zu vergleichen. Der Geist (νοῦς), der das Himmlische sucht, heißt Psalter, weil er die tönende Kraft von oben erhält. Die Werke des Leibes preisen Gott gleichsam von unten; die Geheimnisse aber, die durch den νοῦς verkündet werden, haben ihren Ursprung von oben, indem der Geist die Töne gleichsam durch den Heiligen Geist empfängt[209]. In der Homilie zu Psalm 44 nennt Basilius den Heiligen Geist in seiner Einwirkung auf den Propheten die bewegende Hand des Schreibenden[210]. In die Herzen der Gläubigen werden die Worte des ewigen Lebens geschrieben, nicht in Tinte getaucht, sondern in den Geist des lebendigen Gottes. Der Schreiber ist der Heilige Geist (γραμματεὺς τὸ ἅγιον Πνεῦμα), weil er weise ist und alle lehrt[211]. Die Vorstellung, daß der Prophet dem Wirken des Geistes gegenüber sich wie ein Instrument verhalte, könnte zunächst an das hellenistische Prophetentum erinnern, aber aus dem Kontext geht mit aller Deutlichkeit hervor, daß die Individualität des Propheten gewahrt wird und das Bild der Flöte, des Psalters und des Schreibers den Vorgang der Inspiration veranschaulicht. Es ist nicht zu übersehen — das sei an dieser Stelle bereits bemerkt — daß die Einwirkung des Geistes sich auf den νοῦς bezieht. Während im hellenistischen Prophetentum der νοῦς ausgelöscht wird, ist es hier gerade das geistige Vermögen, das aufnahmefähig ist für die göttliche Eingebung.

b) Exkurs: Prophetische Inspiration in dem bei Basilius überlieferten Kommentar zu Isaias 1—16

Hier scheint es nun angebracht zu sein, Parallelen aus dem Isaias-Kommentar aufzuzeigen, einer Schrift, die zwar unter dem Namen des Basilius überliefert ist, deren Authentizität jedoch, trotz der Untersuchungen von Wittig und Humbertclaude nicht hinreichend bezeugt ist[212]. Da wir aber von der Voraussetzung ausgehen dürfen,

[209] Hom. in Psalm. 32,2 (PG 29,328 A).

[210] Hom. in Psalm. 44,3 (PG 29,396 A).

[211] Ebd. 44,3 (PG 29,396 A).

[212] J. Wittig, Des hl. Basilius d. Gr. geistliche Übungen auf der Bischofskonferenz von Dazimon 374/375 im Anschluß an Isaias 1—16, in: Breslauer Studien zur historischen Theologie 1 (1922) 1—89; P. Humbertclaude, A propos du commentaire sur Isaie attribué à saint Basile, in: RSRUS 10 (1930) 47—68; ders., La doctrine ascétique de saint Basile de Césarée, Paris 1932, 4—27. Man vgl. den Überblick über die Geschichte der kritischen Behandlung des Kommentars bei J. Wittig a.a.O. 46—54. Für unseren Zusammenhang interessiert die Tatsache, daß sich im Kommentar zu Isaias bedeutende Entlehnungen aus den Psalmenerklärungen und dem Isaias-Kommentar des Eusebius finden, wie schon Garnier entdeckte, vgl. die Praefatio in PG 29,216—230. Aber die Hypothese, die Wittig in seiner Unter-

daß Basilius die Eusebius-Kommentare benutzt hat, wie aus den Psalmen-Homilien zu erkennen ist[213], und der Isaias-Kommentar gleichfalls sehr umfangreich aus Eusebius schöpft, ist m. E. in diesem Werk eine Basilius nahestehende Ansicht im Hinblick auf Kriterien einer christlichen Prophetie zu sehen. Da dieser Kommentar als patristische Quelle sonst kaum beachtet wird, seien einige Aspekte im Hinblick auf das inspiratorische Wirken des Geistes hervorgehoben, wobei hier nicht die Absicht verfolgt wird, durch diese Parallelen die Authentizität zu erweisen.

Im Prooemium des Kommentars werden charakteristische Eigenschaften eines echten Propheten geschildert. Das große und erste Charisma, das eine gereinigte Seele voraussetzt, ist dies, daß man den göttlichen Anhauch zur Verkündigung (der Geheimnisse) Gottes in sich aufnehme[214]. Schon hier im ersten Teil des Prooemiums taucht dieser für die ganze Mönchstradition zentrale Aspekt auf, der in den folgenden Abschnitten immer wieder aufgegriffen wird. Die zweite Gnadengabe, die keiner geringeren Beachtung bedarf, liegt darin, daß man höre, was die Worte des Geistes sagen wollen und daß man vom Sinn der Worte nicht abweiche, sondern sich geraden Weges führen lasse von dem Geist, der den Verstand derjenigen leitet, die die Gabe der Erkenntnis erhalten haben[215]. »Wer sich als ein würdiges Werkzeug für die Wirksamkeit des Geistes erweist, der ist ein Prophet[216].«

Bereits hier im ersten Teil des Prooemiums werden zwei zentrale Momente deutlich: einerseits die Tatsache, daß für die Wirksamkeit des Heiligen Geistes eine gewisse Disposition von seiten des Empfängers gegeben sein muß und andererseits, daß das Ver-

suchung aufstellt, daß der Is.-Kommentar aus Konferenzen bestehe, die Basilius bei der Bischofskonferenz 374/375 in Dazimon gehalten habe, dürfte verfehlt sein, da der Kommentar so umfangreich ist, daß er für diesen Anlaß als nicht geeignet erscheint, vgl. J. Quasten, Patrology III, 218 f.

[213] Für Garnier stand es noch fast wie ein Dogma fest, daß die großen Kirchenväter bis auf wenige Ausnahmen jegliche Entlehnung aus den Werken älterer Schriftsteller verabscheut hätten. Er hält alles für Fälschung und Interpolation, was wörtliche Übereinstimmung mit früheren Schriftstellern aufweist, vgl. J. Wittig a.a.O. 51. Diese Ansicht läßt sich nicht aufrechterhalten. Wir dürfen heute von der Voraussetzung ausgehen, daß Basilius in seiner Bibliothek die Werke des Eusebius stehen hatte und sie auch eifrig benutzte, vgl. J. Wittig, Leben, Lebensweisheit und Lebenskunde des Metropoliten Basilius d. Gr. von Cäsarea, in: Ehrengabe deutscher Wissenschaft, Hrsg. F. Fessler, Freiburg 1920, 617—638; J. Quasten, Patrology III, 218; B. Altaner - A. Stuiber, Patrologie, Freiburg [6]1966, 293; H. Dehnhard, Das Problem der Abhängigkeit des Basilius v. Plotin, 39 f.

[214] Coment. in Is., Prooem. 1 (PG 30,120 B).

[215] Ebd. Prooem. 1 (PG 30,120 B).

[216] Ebd. Prooem. 1 (PG 30,120 C).

standesvermögen des Empfängers nicht ausgeschaltet, sondern aktiviert, »erhellt«, »erleuchtet« wird. Zum ersten Aspekt erläutert der Verfasser, daß in der Seele eine gewisse Fähigkeit gegeben sein muß, damit das »Wort«, das in allen ist, entsprechend der ἐνέργεια des göttlichen Geistes aufgenommen werden kann[217]. In allen ist zwar der Heilige Geist zugegen (hier heißt es statt »λόγος« »ἅγιον Πνεῦμα«), aber er verleiht nur den von allen πάθη Gereinigten seine δύναμις; denjenigen aber, deren Vernunft[218] durch die Sünde getrübt ist, verleiht er keine[219]. Die καθαραὶ ψυχαί (die reinen Seelen) stellen, wie wenn sie ein Spiegel der göttlichen ἐνέργεια wären, das Bild vollkommen und ungetrübt von den Leidenschaften des Fleisches dar. Durch ἄσκησις in der ἀρετή und durch die μνήμη θεοῦ, die die Seele eingeprägt bewahren soll[220], wird sie vorbereitet, die göttliche Kraft zu empfangen, die die Augen der Seele öffnet zum Verständnis der Schauungen[221]. Der Verfasser empfiehlt daher neben der Reinheit des Wandels eine anhaltende Betrachtung der Schrift, damit der Seele das Geheimnis der göttlichen Worte eingeprägt werde[222]. Das Leben des Moses gibt zu erkennen, daß die meditatio (μελέτη) der göttlichen Worte ein ganzes Leben erfordert[223]. Es ist daher unsere Sache, für den Verstand Sorge zu tragen, damit er durch passende Übungen scharfsichtig werde[224]. Aber dennoch ist es nicht eine Technik, die die Weissagung zur Folge hat, sondern es ist ein Geschenk Gottes, daß der Heilige Geist uns erleuchtet zur Erkenntnis der Geheimnisse[225]. Dadurch, daß die Propheten sich der Bezeichnung »λῆμμα« (Geschenk) bedienen, wird angedeutet, daß sie die Gabe der Prophetie nicht von sich aus besaßen, sondern empfangen haben[226]. Zur Vorbereitung auf den Empfang des Geistes ist jedoch nicht nur die Reinigung von den πάθη erforderlich, sondern vor allem auch die Gesinnung des Glaubens, da der Geist seine Gabe verleiht »nach dem Maß des Glaubens« (Rö. 12,6)[227].

Nicht minder wichtig ist der im ersten Abschnitt des Prooemiums angedeutete Aspekt, daß im Augenblick des Offenbarungsempfanges die Verstandestätigkeit des Propheten nicht ausgeschaltet,

217 Ebd. Prooem. 2 (PG 30,121 B).
218 Man beachte den Aspekt, daß die Sünde die Vernunft beeinträchtigt.
219 Comment. in Is., Prooem. 3 (PG 30,121 C).
220 Vgl. Reg. fus. tract. 5,2 (PG 31,921 B).
221 Comment. in Is., Prooem. 3 (PG 30,124 B).
222 Ebd. Prooem. 6 (PG 30,128 D).
223 Ebd. Prooem. 6 (PG 30,128 D).
224 Comment. in Is., I, 9 (PG 30,132 B).
225 Ebd. I, 9 (PG 30,132 B).
226 Ebd. I, 9 (PG 30,133 A).
227 Prooem. 2 (PG 30,121 B).

sondern »erleuchtet« wird. Der polemisch eingeleitete fünfte Abschnitt des Prooemiums läßt erkennen, daß der Verfasser sich gegen eine bestimmte, den Verstand ausschaltende Form der Prophetie wendet. »Manche sagen, daß jene, während sie außer sich waren, weissagten, weil der menschliche Verstand vom Heiligen Geist verdunkelt werde. Allein dies widerspricht der Ankündigung der Gegenwart Gottes, daß sie nämlich den von Gott Begeisterten sinnlos mache, und daß er, wenn er voll der göttlichen Lehre ist, seinen Verstand verliere ... Wie aber stimmt dies mit der Vernunft überein, daß man durch den Geist der Weisheit einem Wahnsinnigen ähnlich werde; oder durch den Geist der Erkenntnis, die Kraft zu erkennen, verliert? Nein, das Licht verursacht keine Blindheit, sondern erweckt die von Natur in uns wohnende Sehkraft, und der Heilige Geist bringt keine Finsternis in die Seele, sondern erregt den von den Makeln der Sünde gereinigten Geist des Menschen zur Anschauung des Geistigen. Es ist zwar nicht unwahrscheinlich, daß eine böse Macht der menschlichen Natur nachstelle und den Verstand verwirre; aber zu behaupten, daß dies die Gegenwart des göttlichen Geistes bewirke, ist gottlos[228].« Im Anschluß an Is. 13,1 stellt der Verfasser den Unterschied zwischen Besessenen und echten Propheten dar. »Es ist bekannt, daß die Propheten nicht in Geistesverwirrung geredet haben. Diejenigen aber, die von bösen Geistern bessesen und im Geist verrückt sind, ... meinen nur zu sehen, ... allein was sie sehen ist nichts als Irrtum und Verwirrung des verirrten und der eigenen Kraft beraubten Geistes. Dies ist aber bei den Heiligen nicht der Fall ... Denn wenn der Herr ein Gesicht verleiht, so verblendet er den Geist nicht, den er geschaffen hat, sondern er erleuchtet ihn und macht ihn durch die Gegenwart des Geistes scharfsichtiger. Darum wurden die Propheten Seher genannt (1 Kö. 9,19), weil durch die Gegenwart des Geistes, der sie erleuchtete, der Blick des Geistes gleichsam geschärft wurde[229].«

Die Offenbarung des Geistes vollzieht sich sowohl im Wort (λόγος) als auch in der Vision (ὅρασις), das wird im II. Kapitel noch einmal betont[230]. Die Form der Offenbarung in λόγος oder ὅρασις ist situationsbezogen, sie kann sich beziehen auf das Gegenwärtige wie auch auf das Zukünftige. »Die Kraft, die von Gott durch die Gnade des Geistes den Heiligen verliehen wird, ist nur eine; sie ist die Kenntnis dessen, was man nicht wußte, die durch die Offen-

[228] Prooem. 5 (PG 30,125 BC); wir haben hier eindeutig Kriterien für die Unterscheidung der Geister.

[229] Prooem. 3 (PG 30,124 B).

[230] Comment. in Is. II, 65 (PG 30,229 CD).

barung und Erleuchtung in den Herzen der Heiligen entsteht[231].« Auch hier wird betont, daß die Vision weder durch die Augen geschaut, noch das Wort durch die Ohren gehört wird, sondern »es ist eine Erleuchtung im Herzen durch den Geist, der entweder das Gegenwärtige darstellt oder das Zukünftige vorhersagt«[232]. In ähnlicher Weise präzisiert der Verfasser, daß die geistige Seele (νοητὴ ψυχή) Ohren habe, um diese Dinge zu vernehmen. »Ich glaube also, daß die Propheten das Wort Gottes nicht mittels des sinnlichen Gehörs durch die Erschütterung der Luft vernahmen, sondern weil die geistige Seele Ohren hat, die bezeichneten Dinge ohne Stimme zu ihr gelangten. Und dies widerfuhr ihnen, indem der Glanz des wahren Lichtes zu ihrem Geist (ἡγεμονικόν) drang und zur Erleuchtung der Propheten diente[233].« Darin liegt der Unterschied zum menschlichen Ausdrucksvermögen: »Wir haben eine Stimme nötig, um unsere Gedanken kundzutun; Gott hingegen berührt den Geist (ἡγεμονικόν) der Würdigen und prägt ihnen hierdurch die Kenntnis seines Willens ein[234].«
Überschaut man diese kurz skizzierte Darstellung christlicher Prophetie, dann könnte man glauben, einen Kommentar zu dem von Basilius über das inspiratorische Wirken des Geistes Ausgeführten vor sich zu haben. Es sind in der Tat die gleichen Charakteristika echter Prophetie, die im Isaias-Kommentar nur bedeutend breiter entfaltet sind. Das detailliert geschilderte Traumgeschehen geht von der gleichen Argumentationsfigur aus wie Basilius sie für die Exegese in Hexaemeron III, 2 und Psalm 28 benutzt[235]. Zu beachten ist besonders die Akzentuierung, daß der Heilige Geist das geistige Vermögen schärft und nicht auslöscht. Wir haben hier ausgeprägte Charakteristika christlicher Prophetie vor uns.

c) Der Unterschied zwischen christlicher und hellenistischer Prophetie

In der christlichen Prophetie gibt es keine Erweckungsmittel mehr oder weniger materieller Art, wie berauschende Getränke, Tanz, Musik, heftiges Gestikulieren, lautes Schreien und dergleichen wie in der heidnischen Mantik[236]. Wohl gibt es eine Disposition des Menschen, die in der völligen Reinheit von allen πάθη und im

[231] Ebd. II, 65 (PG 30,229 D — 232 A).
[232] Comment. in Is. II, 65 (PG 30,232 A); vgl. Prooem. 4 den Hinweis, daß die Propheten nicht nur das Zukünftige schauten, sondern auch das, was von den gegenwärtigen Dingen verborgen ist — 1 Kor. 14,24 f. — (PG 30,124 D).
[233] Ebd. VII, 193 (PG 30,452 A).
[234] Ebd. I, 9 (PG 30,132 C).
[235] Hom. in Hexaem. III, 2 (194 f. Giet); Hom. in Psalm. 28,3 (PG 29,289 A).
[236] Vgl. dazu H. Vollmer, Art. Inspiration, in: RGG III, 289—291.

Glauben zu sehen ist. Aber diese »κάθαρσις« führt das prophetische Charisma und damit das Wirken des Geistes nicht einfach herbei. Das Charisma selbst ist freies Geschenk. Wichtig ist vor allem die klar hervorgehobene Charakterisierung des christlichen Propheten im Vorgang der Inspiration. Für den hellenistischen Prophetentyp war kennzeichnend, daß die Inspiration das Tagesbewußtsein in der Seele auslöscht; der Mensch verliert das Bewußtsein für das, was ihn umgibt, für Raum und Zeit, für das, was er sagt und was er tut. Er ist ἔκφρων, der νοῦς ist nicht mehr in ihm[237]. Eines der frühesten Zeugnisse für diese Form der Inspirationsmantik ist ein Fragment des Heraklit. Das Fragment ist deshalb bedeutsam, weil wir hier zum ersten Mal von der geheimnisvollen Gestalt der Sibylle hören[238]. Heraklit sagt: »Die Sibylle redet mit rasendem Mund bitterernste und ungeschminkte Wahrheit ... Denn der Gott treibt sie[239].« Folgende Punkte sind aus diesem Zeugnis zu erheben: Das Sprechen der Sibylle geschieht »mit rasendem Mund«, d. h. sie befindet sich im Zustand des mantischen Wahnsinns, der μανία, die kennzeichnend ist für die hellenistische Inspirationsvorstellung. Entscheidend am prophetischen Akt sind nicht Gesichte, die die Prophetin schaut, oder Erkenntnisse, die sie gewinnt, sondern ist ihr Sprechen. Für den Inhalt ist sie jedoch nicht verantwortlich, das kommt von dem Gott, der in ihr wirkt[240]. Die Prophetie geschieht nach hellenistischer Auffassung nicht aufgrund innerer Erleuchtung der Seele, sondern dadurch, daß das Medium unter innerem Zwang Dinge spricht, die es selbst nicht begreift[241]. Für Platon ist die Auslöschung der Vernunft geradezu Voraussetzung für die Prophetie, wie er im Timaios beschreibt. »Denn keinem wird in ›nüchternem‹ Zustand die wahre göttliche Weissagekraft zuteil; vielmehr muß zuerst, sei es durch den Schlaf oder durch eine akute Erkrankung oder durch eine Verzückung (ἐνθουσιασμός) die Macht des nüchternen Verstandes ausgetrieben werden[242].« Nach Platon ist für die Inspiration die Ausschaltung der Vernunfttätigkeit wesentlich. Zusammenfassend läßt sich sagen, daß die hellenistische Inspiration als ein Zustand göttlicher Besessenheit im strengen Sinn aufgefaßt wird. Der Mensch verliert

[237] Vgl. H. Bacht, Die prophetische Inspiration in der kirchlichen Reflexion der vormontanistischen Zeit, in: Scholastik 19 (1944) 10.

[238] Literatur zu »Sibylle und Sibyllen«, vgl. LThK IX, Sp. 525—528.

[239] H. Diels, Die Fragmente der Vorsokratiker (1922) I, 96.

[240] Vgl. H. Bacht, Wahres und falsches Prophetentum, in: Biblica 31 (1955) 242.

[241] Ebd. 243.

[242] Platon, Tim. 71 E — 72 B; vgl. die übrigen Textbeispiele bei H. Bacht Wahres und falsches Prophetentum, 242 ff.

sein Eigenbewußtsein, er spricht Worte, ohne sich ihres Sinnes bewußt zu sein, denn der Sprechende ist eigentlich Gott selbst, während der Ekstatiker nur seine Sprechwerkzeuge und sein Sprechvermögen zur Verfügung stellt[243]. Die Besitzergreifung seiner Persönlichkeit und das Auslöschen seines Eigenbewußtseins wird oft als Vergewaltigung und Überwältigung erfahren[244].

Hier setzt nun die Kritik der Väter an. Bei Clemens von Alexandrien ist die Distanzierung von der hellenistischen Prophetie, wie sie ihm in der Theologie Philos begegnete, deutlich zu erkennen. Nach Philo besitzt der Mensch eine natürliche Fähigkeit, Gott zu erkennen, weil sein Nus vom göttlichen Pneuma geprägt ist[245]. Die höhere Erkenntnis ist gnadenhaft vermittelt, wobei das göttliche Pneuma seine eigentliche Bedeutung gewinnt, weil man nicht auf menschliche, vielmehr auf göttliche Weise zur wahren Erkenntnis gelangt, indem der Mensch ganz beiseite tritt[246]. Doch eigentlich ist es nicht mehr der Nus, der zur Erkenntnis gelangt, sondern die im Menschen an seine Stelle getretene Gotteskraft. Unser Nus — so heißt es in der grundlegenden Beschreibung[247] — wandert aus, wenn das göttliche Pneuma ankommt; nach dessen Weggang kehrt er wieder in uns zurück. »Denn wenn das göttliche Licht aufleuchtet, verlischt das menschliche[248].« Das heißt: Der Eintritt des Geistes in den Menschen entspricht dem Einstrom des Lichtes. Die höhere Erkenntnis ist »Prophetie« und »Erleuchtung«, Ekstase, gottbegeisterte Besessenheit, Mania. »Erleuchtung« durch den Geist ist sie, weil dieser in den Menschen dringendes göttliches Licht ist[249]. Wir sehen, wie hier bei Philo griechische und alttestamentlich-jüdische Elemente zusammenfließen. Der Zusammenhang von Geistbegabung, Ekstase und Prophetie gehört in der israelitischen Religion zu den aus dem Kananäischen übernommenen Vorstellungen, wie aus einigen Stellen noch zu ersehen ist: Num. 11,25 ff.; 1 Sam. 10,6; 19,20; Hos. 9,7 b. Unter Ausschmelzung des Ekstatischen bleibt die Verbindung von Prophetie und Geistbegabung konstitutiv[250]. Im palästinensischen Judentum zur Zeit Philos wird Gottes Geist wesentlich als prophetischer Geist verstanden.

In dieser Tradition steht Clemens von Alexandrien, für den Einwirkung des Geistes »Erleuchtung« bewirkt; wahre Erkenntnis gibt

243 Vgl. H. Bacht, Wahres und falsches Prophetentum, 249.
244 Ebd.
245 Vgl. W. D. Hauschild, Gottes Geist und der Mensch, 57.
246 Ebd.
247 Philo, Quis rer. div. her. 265 (III, 60,17 f. Cohn-Wendland).
248 Philo, Quis rer. div. her. 264 (III, 60,15 f. Cohn-Wendland).
249 M. Pulver, Das Erlebnis des Pneuma bei Philon, ErJb 13 (1945) 11—132.
250 Vgl. W. D. Hauschild, Gottes Geist und der Mensch, 59.

es nur durch den Geist. Aber der wesentliche Unterschied besteht darin, daß bei Clemens der Heilige Geist keine Ekstase bewirkt, sondern den Verstand schärft[251]. Das Reden in der Ekstase sieht Clemens gleichsam als Kennzeichen des Pseudopropheten[252]. Damit entzieht sich Clemens dem für Philo grundlegenden Einfluß der Mantik. Der Grund dürfte in der allgemeinen Zurückhaltung der Kirche gegenüber der Ekstase als Wirkung des Geistes liegen, die als Reaktion gegen den Montanismus aufgekommen war[253]. Diese Haltung führte schon im 2. Jahrhundert zu dem proklamierten Grundsatz, daß kein wahrer Prophet in der Ekstase sprechen dürfe, wie ihn der Apologet Miltiades formulierte[254]. Es scheint gegen Ende des 2. Jahrhunderts die allgemeine Meinung zu sein, daß das Reden in Ekstase als nicht der kirchlichen Tradition gemäß empfunden wurde. Für die frühchristliche Tradition läßt sich dies von Origenes, der ebenfalls diesen Grundsatz aufgreift, bestätigen. »Es ist nicht Sache des Gottesgeistes, daß er einen Menschen, der weissagen soll . . ., in den Zustand der Geistesabwesenheit und des Wahnsinns versetzt, so daß dieser nicht mehr weiß, was er tut . . . Wir können aus der Hl. Schrift nachweisen, daß die israelitischen Propheten unter der Erleuchtung des göttlichen Geistes eher als (die Empfänger der prophetischen Botschaft) das segenspendende Wirken des höheren Wesens, das zu ihnen kam, an sich erfuhren und daß durch die Berührung . . . ihrer Seele mit dem göttlichen Geist der Blick ihres Verstandes klarer und die Sehkraft ihrer Seele schärfer wurde . . . Wenn aber die Pythia beim Prophezeien von Sinnen ist und nicht bei sich selbst, von welcher Art muß dann der Geist sein, der Finsternis auf den Verstand und die Denkkraft ausgießt! Es kann das doch nur einer von jenen Dämonen sein, die von Christen so oft ausgetrieben werden[255].«

Wir sehen, daß Basilius und auch der Verfasser des Isaias-Kommentars in dieser frühchristlichen Tradition stehen, für die entscheidend ist, daß das Wirken des Geistes das menschliche Erkenntnisvermögen »aktiviert«, »erhellt«, »erleuchtet« und damit die Persönlichkeit des Propheten nicht auslöscht, sondern die in ihm liegenden Fähigkeiten zur Entfaltung bringt. Es wird darin der große Unterschied zwischen hellenistischer und christlicher Auffassung von der inspiratorischen Wirksamkeit des Geistes sichtbar. Für Basilius ist aber die inspiratorische Wirksamkeit des Heiligen

[251] Ebd. 59.
[252] Clemens Alex., Strom. I, 85,3 (GCS 52,55 Stählin).
[253] Vgl. W. D. Hauschild, Gottes Geist und der Mensch, 60.
[254] Eusebius, Hist. Eccl. V, 17,1: περὶ τοῦ μὴ δεῖν προφήτην ἐν ἐκστάσει λαλεῖν.
[255] Origenes, C. Cels. VII, 4 (GCS 3, 156 Koetschau); vgl. E. Fascher, Προφήτης, 217.

Geistes in den Propheten und Hagiographen nicht abgeschlossen, sondern er sieht diesen Geist wirksam auch in Gestalten der Gegenwart. Gregorios Thaumaturgos, seinen geliebten Lehrer, stellt er in die Reihe der Apostel und Propheten[256]. Er war ein Mann, der in demselben Geist wandelte wie jene, der sein ganzes Leben hindurch auf den Spuren der Heiligen ging, der das Leben nach dem Evangelium in seinem ganzen Leben eingehalten hat. Er ist wie ein großer, strahlender Leuchter, der die Kirche Gottes mit seinem Licht durchflutet[257]. Seine Weissagungen des Zukünftigen sind derart, daß sie in nichts denen der großen Propheten nachstehen. Es wäre zu weitläufig, alle Wunder dieses Mannes aufzuzählen, der durch das Übermaß der in ihm vom Geist gewirkten Gnadengaben in jedem Wunder, in Zeichen, in Vorzeichen selbst von den Gegnern der Kirche als zweiter Moses bezeichnet wurde[258]. In ihm strahlte gleichsam das Licht, das die Macht anzeigte, die ihn unsichtbar begleitete[259].

Überschaut man die Aussagen über die inspiratorische Wirksamkeit des Heiligen Geistes, so ist auch hier wieder die doxologische Struktur der Aussage zu erkennen. Es wird nicht spekulativ über das Pneuma als das »Innerste« Gottes reflektiert — das Pneuma erforscht ja die Tiefen Gottes — sondern es wird auch hier von den Wirkungen her etwas über das »Wesen« des Heiligen Geistes ausgesagt. Der Heilige Geist ist erkennbares Licht (φῶς νοητόν), das unserem Geist eine Klarheit zum Auffinden der Wahrheit gewährt[260]. Er ist vergleichbar der Sonne, die die Propheten »erleuchtet«. Er ist der »Geist der Weisheit«, der Christus, die Kraft und Weisheit Gottes offenbart[261]. Das Πνεῦμα ἅγιον ist der »Geist der Wahrheit«, der in sich selbst die Wahrheit hell aufscheinen läßt[262]. Der Heilige Geist, der die Tiefen Gottes kennt und um alle »Geheimnisse« weiß, ist zugleich derjenige, der dieses »innerste

[256] DSS XXIX, 74 (510,2 Pruche).

[257] DSS XXIX, 74 (510,3 f. Pruche).

[258] DSS XXIX, 74 (512,23 Pruche).

[259] Wie der Geist des Lichtes und der Wahrheit sich in den Heiligen als machtvoll erwies, so sieht Basilius aber auch den »Lügengeist« am Werk. In Ep. 210 polemisiert er gegen die Pseudopropheten, die im Bett träumen und gerne schlafen und nichts davon wissen, daß oft ein kräftiger Irrtum auf die Söhne des Ungehorsams herabgeschickt wird. Es ist der »Lügengeist«, der in den Pseudopropheten wirkt. »Wenn ihre Traumphantasien mit den Geboten des Herrn übereinstimmen, dann sollen sie sich mit den Evangelien begnügen. Denn dieses ›neue Gebot‹ schenkt den Frieden, den der Herr hinterlassen hat, ihre Träume dagegen führen zu Zwietracht und Beseitigung der Liebe«, Ep. 210,6 (II, 197,18 f. Courtonne).

[260] DSS IX, 22 (324,27 Pruche).

[261] DSS XVIII, 46 (410,15 Pruche).

[262] DSS XVIII, 46 (410,14 Pruche).

Wesen Gottes« enthüllt. Dieses die Tiefen Gottes enthüllende Wirken offenbart zutiefst die untrennbare Verbindung des Geistes mit dem Vater und dem Sohn[263].

3. *Der Heilige Geist im Christusereignis*

a) Die Salbung Jesu mit Heiligem Geist

Der Heilige Geist, der nach Basilius als die schöpferische Dynamis Gottes in der Welt gegenwärtig ist, um diese Schöpfung immer neu zu beleben und sie hineinzuziehen in die Bewegung zum Vater[264]; der Geist, der die Propheten begeistert, er ist auch gegenwärtig und wirksam im gesamten Christusereignis. Jesu ganzes Menschsein auf Erden ist Sendung im Heiligen Geist. Diese Geistbestimmtheit der Sendung des Sohnes herauszustellen, ein Bestreben, das schon im Neuen Testament faßbar wird, ist auch das Anliegen Basilius des Großen[265]. Zwar sind die Aussagen über das Wirken des Geistes im Christusereignis bei Basilius mehr abrißhaft und zusammenfassend, aber sie verweisen gerade in ihrer Kürze auf zentrale biblische Aussagen. Die Wirksamkeit des Geistes im Christusereignis wird bei Basilius weitgehend mit dem biblischen Motiv der »Salbung« verknüpft[266]. Dieser Aspekt der Wirksamkeit des Heiligen Geistes in Christus, der bei den Vätern eine sehr zentrale, weil heilsgeschichtlich hoch bedeutsame Rolle spielte, wurde in der späteren, vor allem in der scholastischen Theologie kaum beachtet[267].

Um so erstaunlicher ist es, daß die Lehre von der Salbung Jesu in päpstlichen Rundschreiben aus neuerer Zeit wieder zur Geltung kommt. Dabei wird zugleich der heilsgeschichtliche Aspekt der Salbung Jesu hervorgehoben. So heißt es etwa in der Enzyklika »Mystici Corporis«: »Primo incarnationis momento, Aeterni Patris Filius humanam naturam sibi substantialiter unitam sancti Spiritus plenitudine ornavit[268].« Sehr deutlich wird der bleibende Eintritt

[263] DSS XVI, 40 (390,43 Pruche).

[264] Vgl. oben 57 f.

[265] DSS XVI, 39 (384,1 — 386,9 Pruche).

[266] DSS XVI, 39 (386,10 Pruche).

[267] Bei Thomas findet sich, wie H. Mühlen bemerkt, kein einziger Artikel, der ausdrücklich von der unctio Jesu handelt und erst recht keine entsprechende Quaestio, vgl. H. Mühlen, Una mystica Persona, Paderborn 1968, 243.

[268] S. Tromp, Annotationes ad. Enc. »Mystici Corporis«, Periodica 32 (1943) 377—401; S. Tromp, Documenta varia, 101 f. bemerkt dazu, daß mit dem »ornare« die unctio Jesu im Sinn von Lk. 4,18; Apg. 10,38 gemeint sei.

des Heiligen Geistes in die Heilsgeschichte von Papst Leo XIII. in seiner Enzyklika »Divinum illud munus« hervorgehoben: »Divini autem Spiritus opera non solum conceptio Christi effecta est, sed eius quoque sanctificatio animae, quae unctio in sacris libris nominatur (Apg. 10,38): atque adeo omnis eius actio praesente Spiritu peragebatur« (Basilius, De Spiritu Sancto, XVI, 39)[269].
Papst Leo hat sich hier ausdrücklich auf Basilius berufen. Der Text sei deshalb im Wortlaut zitiert:
»Zunächst war er (der Heilige Geist) dem Fleisch des Herrn gegenwärtig, zur Salbung geworden und ungetrennt gegenwärtig bleibend gemäß der Schrift ... Ferner ist alles Tun Jesu in der Gegenwart des Geistes gewirkt[270].«
Der Text läßt zunächst offen, ob die Gegenwart des Geistes sich auf die Inkarnation oder auf die Taufe bezieht, aber die nachfolgenden Schriftstellen (Joh. 1,33; Lk. 3,22 und Apg. 10,38) verweisen eindeutig auf die Taufe Jesu. Sie ist das Ereignis, in dem der Heilige Geist zum erstenmal öffentlich in Erscheinung tritt, gleichzeitig aber ist es ein Ereignis, in dem der dreifaltige Gott sich offenbart. So versteht es Basilius, wenn er sagt, daß das Nennen Christi das Bekenntnis zum Ganzen sei: »Denn es offenbart sowohl den salbenden Gott als auch den gesalbten Sohn und den Heiligen Geist als die Salbe (τὸ χρῖσμα τὸ Πνεῦμα)[271].« Der Titel »Christus« offenbart das Wirken von Vater, Sohn und Geist, wie es der Gesalbte in sich selber darstellt. Basilius greift hier fast wörtlich einen Gesichtspunkt auf, den schon Irenäus betonte. Der Bischof von Lyon formulierte: »Im Namen Christus nämlich hört man zugleich den, der gesalbt hat, den, der gesalbt worden ist, und die Salbung selber, in der er gesalbt wurde; ... So heißt es bei Isaias: ›Der Geist des Herrn ist über mir, deswegen hat er mich gesalbt‹; womit er den Vater, der salbt, den gesalbten Sohn und die Salbung, die der Geist ist, bezeichnet[272].« Irenäus hat hier, wie Basilius auch, das trinitarische Bekenntnis mit Isaias 61,1 verbunden. Da Basilius Irenäus mehrfach zitiert und im Traditionskapitel den Bischof von Lyon als ersten der Väter, auf die er sich in seiner Schrift beruft,

[269] AAS 29 (1896/97) 648; vgl. H. Mühlen, Una mystica Persona, 243.
[270] »Πρῶτον μὲν γὰρ αὐτῇ τῇ σαρκὶ τοῦ Κυρίου συνῆν, χρῖσμα γενόμενον, καὶ ἀχωρίστως παρὸν κατὰ τὸ γεγραμμένον ...
(Joh. 1,33; Lk. 3,22; Apg. 10,38) ...«
»Ἔπειτα πᾶσα ἐνέργεια συμπαρόντος τοῦ Πνεύματος ἐνεργεῖτο.« — DSS XVI, 39 (386,10—16 Pruche).
[271] DSS XII, 28 (344,8 f. Pruche).
[272] Irenäus, Adv. Haer. III, 18,3 (SC 211,350 ff.).

erwähnt[273], liegt es nahe, den eben angeführten Aspekt bei Irenäus noch etwas zu verfolgen.
Nach Irenäus hat sich, als der Heilige Geist auf Jesus herabkam, die zweifache Verheißung des Propheten Isaias erfüllt: »Ausgehen wird ein Sproß aus der Wurzel Jesse und eine Blume aufgehen aus seiner Wurzel, und ruhen wird über ihm der Geist Gottes, der Geist der Weisheit und des Verstandes..., und erfüllen wird ihn der Geist der Furcht Gottes (Is. 11,1 ff.)[274].« Die zweite Verheißung sieht Irenäus bei Isaias 61,1 ff. angedeutet: »Der Geist des Herrn ist über mir; deswegen hat er mich gesalbt; frohe Botschaft zu bringen den Demütigen sandte er mich, zu heilen die Kleinmütigen, zu verkünden den Gefangenen Erlösung und den Blinden das Sehen...[275].« Die von Isaias verheißene und am Jordan sich vollziehende Geistsalbung bezieht sich nach Irenäus aber nur auf die Menschheit Jesu. Indem er die zweite Isaiasstelle noch einmal deutend aufgreift, sagt er: »Denn insofern das Wort aus der Wurzel Jesse Mensch wurde und ein Sohn Abrahams war, ruht auf ihm der Geist des Herrn und er wurde gesalbt, den Demütigen frohe Botschaft zu bringen... Der Geist Gottes stieg also auf ihn herab, wie er schon durch die Propheten verheißen hatte, daß er ihn salben werde, damit wir, von der Fülle seiner Salbung empfangend, gerettet würden[276].« Es zeigt sich hier, daß für Irenäus, anders als in der gnostischen Interpretation, die Salbung sich nicht auf die Gottheit, sondern auf die Menschheit Christi bezieht[277].
Für Basilius bezieht sich die Salbung ebenfalls auf die Menschheit Jesu. Das Pneuma, zum χρῖσμα geworden, verbindet sich untrennbar (ἀχώριστος) mit der σάρξ τοῦ Κυρίου[278], mit dem Fleisch des Herrn, so formuliert es Basilius. »Seine Gegenwart im Fleisch? — Der Geist ist davon nicht zu trennen« — so heißt es im XIX. Kapitel[279]. Und in der Homilie zu Psalm 44 (45) führt Basilius aus: »Das Fleisch des Herrn wurde mit dem wahren Salböl gesalbt, indem der Heilige Geist in dasselbe herabkam, er, der das Öl der Freude heißt[280].«
Fragt man nach der eigentlichen theologischen Aussage der biblischen Redeweise von der Salbung Jesu, die von den Vätern auf-

[273] DSS XXIX, 72 (502,1 Pruche).
[274] Irenäus, Adv. Haer. III, 9,3 (SC 211,108).
[275] Ebd. Adv. Haer. III, 9,3 (SC 211,108 f.).
[276] Ebd. Adv. Haer. III, 9,3 (SC 211,110 f.).
[277] Vgl. H. J. Jaschke, Der Heilige Geist im Bekenntnis der Kirche, Münster 1976, 214.
[278] DSS XVI, 39 (386,10 Pruche).
[279] DSS XIX, 49 (418,15 Pruche).
[280] Hom. in Psalm. 44,8 (PG 29,405 A).

gegriffen wird, so ist festzustellen, daß die Salbung Jesu letztlich nur von der alttestamentlichen Salbung her zu verstehen ist. Die Schriftstellen wie Is. 61,1 ff., Lk. 4,18 mit der Anwendung der Prophetenstelle auf Jesus, Psalm 44,8 und Apg. 10,38[281], die Basilius zur Begründung der Salbung Jesu anführt, verweisen eindeutig auf den Hintergrund der alttestamentlichen Salbung.
Dort, wo im Orient die Salbung mit Öl nicht nur der Hautpflege oder der Heilung dient, ist die reinigende und kräftigende Wirkung des Öls Ausgangspunkt der mit der Salbung verbundenen Vorstellungen. Im alten Orient gehörte seit den ältesten Zeiten neben Nahrung, Kleidung und Wohnung Salböl zu den lebensnotwendigen Dingen[282]. Wie seine Umwelt kannte auch Israel die Salbung mit Öl zur Körper- und Schönheitspflege (Ex. 30,32; Dt. 28,40; Ez. 16,9; Mi. 6,15; Ruth 3,3; zur Heilung Is. 1,6). Die Salbung ist Ausdruck der Freude (Ps. 44,8; Is. 61,3; Pred. 9,8) und bereitet Wohlbefinden (Am. 6,6; Spr. 27,9; Ps. 132,3). Im übertragenen Sinn signifiziert die Salbung der Könige Zuwendung von kabôd: »Gewicht«, auctoritas, Macht, Kraft, Ehre[283]. Wo dagegen die Salbung von Jahwe ausgeht (1 Sam. 10,1; 15,17; 2 Sam. 12,7), wird der König durch die Salbung in ein besonders enges Verhältnis zu Jahwe gesetzt. Mit dieser Vorstellung der Salbung durch Jahwe kann sich auch die Vorstellung von der Geistverleihung verbinden (1 Sam. 16,13; 2 Sam. 23,1; Is. 11,2). Nach dem Exil wurde die Salbung auf den Hohenpriester übertragen (Lev. 21,10; Ex. 29,7 u. a.), später zeitweise auch auf alle Priester ausgedehnt (Ex. 28,41; 30,30 u. a.). Hier ist die Salbung Heiligung zum Dienst für Jahwe[284]. — Im Neuen Testament entspricht die Vielfalt der möglichen Beziehungen der bildhaften Redeweise den Deutungen der Salbung im Alten Testament[285]. Von der Salbung Jesu sprechen — wie bereits gesagt — Apg. 10,38 und Lk. 4,18 (Is. 61,1).
Auf diesem Hintergrund wird nun auch die bildhafte Redeweise verständlich, wenn Basilius den Heiligen Geist χρῖσμα = Salböl nennt[286]. Bei dieser Analogie Heiliger Geist — χρῖσμα ist gewiß nicht an ein materielles Salböl gedacht, sondern hier geht es vielmehr darum, die in der alttestamentlichen Vorstellung liegende reinigende, kräftigende und einende Wirkung des Öls auf den Heiligen Geist zu übertragen. Wie in der alttestamentlichen Salbung das Öl Zeichen der Gegenwart des Geistes Gottes war und

[281] Vgl. DSS XII, 28 (344 Pruche).
[282] Vgl. E. Kutsch, Art. Salbung, RGG V, 1330.
[283] Vgl. ebd. RGG V, 1331.
[284] Vgl. ebd. RGG V, 1331 f.
[285] Vgl. G. Delling, Art. Salbung, RGG V, 1332.
[286] DSS XII, 28 (344,9 f. Pruche); DSS XVI, 39 (386,10 Pruche).

das Öl in seiner durchdringenden Wirkung die Wirksamkeit des Geistes Gottes versinnbildete, so sieht Basilius den Heiligen Geist auf das »Fleisch des Herrn« herabkommen und sich mit ihm vereinigen[287]. Die Salbung bei den Hohenpriestern und Königen (Basilius greift hier also beide Aspekte der alttestamentlichen Salbung auf: bei Königen die Zuwendung von kabôd und beim Hohenpriester die Heiligung) ist nach Basilius nur eine vorbildliche Salbung (τὸ τυπικὸν χρῖσμα)[288], das »Fleisch des Herrn« aber ist mit dem »wahren Salböl« gesalbt[289]. Basilius deutet den Psalmvers dahingehend, daß er sagt: »Er wurde noch mehr gesalbt als seine Genossen, das ist mehr als alle Menschen, die an Christus teilhaben. Denn ihnen wurde eine teilweise Gemeinschaft des Geistes verliehen, auf den Sohn Gottes aber stieg, wie Johannes sagt, der Heilige Geist herab und auf ihm blieb er[290].« Abschließend fügt Basilius hinzu: »Öl der Freude wird der Heilige Geist mit Recht genannt, weil eine der Früchte, die der Heilige Geist hervorbringt, die Freude ist[291].«

In Anwendung dieser Analogie kann nun gesagt werden, daß die Salbung Jesu mit Heiligem Geist zum Ausdruck bringt, daß der Vater sich im Heiligen Geist dem Sohn in seiner Menschheit zuwendet und ihm wie Jahwe den Propheten und Königen seine Nähe, seine Kraft, seine Liebe, seine ruaḥ in Fülle schenkt. In Erfüllung der alttestamentlichen Verheißung wird Jesus der »Gesalbte«, dessen Menschheit der Fülle der Gnadengaben des Geistes teilhaftig wird. Ja, seine Menschheit wird, wie die Analogie χρῖσμα — Heiliger Geist zum Ausdruck bringt, ganz durchdrungen und erfüllt vom Heiligen Geist. Und dieses Geschehen ist nicht ein punktuelles Ereignis, das sich auf den Augenblick der Taufe beschränken ließe, nein, der zum χρῖσμα gewordene Heilige Geist ist untrennbar mit der Menschheit Jesu verbunden. Jesus ist der Christus, der Messias, der im Alten Testament als der Geistträger schlechthin erwartet wurde (Is. 11,2; 61,1 — Lk. 4,18)[292]. Als »Christus« ist Jesus der Gesalbte, in dem sich die ganze Fülle des dreifaltigen Gottes offenbart: der Vater als der Salbende, der Sohn als der Gesalbte und der Heilige Geist als die Salbung[293]. Das Bekenntnis zu Christus ist das Bekenntnis zum Ganzen[294]. Dieses

287 Hom. in Psalm. 44,8 (PG 29,405 A).
288 Hom. in Psalm. 44,8 (PG 29,405 A).
289 Ebd. (PG 29,405 A).
290 Ebd. (PG 29,405 AB).
291 Ebd. (PG 29,405 A).
292 Vgl. R. Koch, Geist und Messias, Wien 1950.
293 DSS XII, 28 (344,9 Pruche).
294 DSS XII, 28 (344,8 Pruche).

Bekenntnis sagt, daß Jesus selbst das Heil ist, daß er der mit Heiligem Geist Erfüllte ist, an dessen Fülle wir im Geist teilhaben sollen. Teilhabe an dem in Jesus Christus geoffenbarten Leben Gottes ist Teilhabe durch den Heiligen Geist.

b) Die bleibende Gegenwart des Heiligen Geistes in Jesus dem Christus

Wenn Jesus der ganz und gar vom Heiligen Geist Erfüllte ist, dann ist es nur konsequent, wenn Basilius das gesamte Christusgeschehen als im Heiligen Geist sich vollziehend darstellt. Die Geburt Jesu vollzieht sich »im« Heiligen Geist. Im Heiligen Geist und durch die überschattende Kraft des Allerhöchsten wird Jesus von der Jungfrau Maria empfangen. Die »Werkstatt des Heilsplans« — so sagt Basilius — ist der Leib der Jungfrau Maria, die wirkende Ursache aber ist der Heilige Geist[295]. Basilius reflektiert noch nicht über das »zeitliche« oder bloß »logische« Nacheinander von Inkarnation und Salbung[296]. Die Salbung ist das Offenbarwerden der innigen Vereinigung des Geistes mit dem Gottmenschen Jesus; sein ganzes Dasein ist durchdrungen von der lebenschaffenden Kraft des göttlichen Geistes. Zum χρῖσμα geworden bleibt der Heilige Geist — wie Basilius sagt — untrennbar dem »Fleisch des Sohnes« verbunden[297], so daß das gesamte Wirken Jesu in Gegenwart des Geistes geschieht[298]. Der Teufel wurde in Gegenwart des Geistes bezwungen[299]. Wundertaten und Gaben der Heilung wurden durch den Heiligen Geist gewirkt[300]. Dämonen wurden im Geist Gottes vertrieben[301]. Und der Geist Gottes verließ auch den vom Tod Erstandenen nicht[302].

Ähnlich prägnant faßt Gregor von Nazianz das Wirken des Geistes im Christusereignis zusammen: »Christus wurde geboren, der Geist geht ihm voran. Er wird getauft, der Geist gibt Zeugnis. Er wird versucht, der Geist führt ihn nach Galiläa. Er vollbringt Wunder, der Geist begleitet ihn. Er fährt auf, der Geist folgt ihm nach. Gibt es überhaupt eine nur Gott zustehende Großtat, die der Geist nicht vollbringen kann[303]?«

295 Hom. in s. Christi generationem 3 (PG 31,1464 A).
296 Vgl. H. Mühlen, Una mystica Persona, 246 ff.
297 DSS XVI, 39 (386,10 f. Pruche).
298 DSS XVI, 39 (386,15 Pruche).
299 DSS XVI, 39 (386,17 Pruche); DSS XIX, 49 (420,18 Pruche).
300 DSS XIX, 49 (420,16 Pruche); DSS XVI, 39 (386,19 Pruche).
301 DSS XIX, 49 (420,17 Pruche); DSS XVI, 39 (386,20 Pruche).
302 DSS XVI, 39 (386,20 Pruche).
303 Gregor von Nazianz, Or. theologica V, 29 (268 Barbel).

Es zeigt sich hier bei Gregor von Nazianz und Basilius, daß der Heilige Geist jene Dynamis ist, in der Gott in dieser Welt durch Jesus Christus das Heil wirkt. In Jesus Christus findet die heilsgeschichtliche Wirksamkeit des Geistes ihr Ziel und Maß. Er ist von anderen Geistträgern nicht nur graduell, sondern qualitativ unterschieden[304]. Denen, die an Christus teilhaben, wird nur eine teilweise Gemeinschaft des Geistes verliehen, auf ihn aber kam der Geist herab und auf ihm blieb er, wie Basilius sagt[305]. Jesus ist nicht nur vom Geist ergriffen wie die alttestamentlichen Propheten, sondern er ist aus dem Geist gezeugt und geschaffen. Mit dem Heiligen Geist gesalbt, steht sein ganzes Wirken im Zeichen des Geistes. Auf ihm ruht nicht nur der Geist (Is. 61,1 — Lk. 4,18)[306], sondern er treibt ihn und führt ihn[307]. So wie das im Feuer liegende Eisen ganz vom Feuer durchglüht wird[308], so wird die Menschheit Jesu ganz von dem zum χρῖσμα gewordenen Heiligen Geist durchdrungen. Die Fülle des Geistes kommt über den Gottmenschen Jesus Christus, damit durch ihn die gesamte Menschheit davon ergriffen werden kann. Wie Christus ihre Wirksamkeit ermöglicht, so stellt er sie in sich dar. Er ist der neue Mensch, dem gleichzuwerden der Heilige Geist den Geschöpfen helfen wird[309]. Dieser Gedanke führt bereits zum nächsten Abschnitt, in dem die ekklesiologische Bedeutung der Salbung Jesu bedacht werden soll.

c) Die ekklesiologische Bedeutung der »Geistbegabung« Jesu

War schon das gesamte Tun Jesu vom Wirken des Geistes bestimmt, so ist der Auferstandene geradezu zum »Spender« des Heiligen Geistes geworden. Der Auferstandene hinterließ den Jüngern nicht eine »Sache«, sondern »im« Geist schenkt er sich ihnen selbst. Athanasius verbindet bezeichnenderweise drei neutestamentliche Schriftstellen miteinander, um diesen Sachverhalt zu charakterisieren: »Der Geist wird von dem Meinigen nehmen« (Joh. 16,14) — »Ich sende ihn« (Joh. 16,7) und »Empfanget Heiligen Geist« (Joh. 20,22)[310]. Mit dieser zuletzt genannten Stelle aus Johannes 20,22 hat auch Basilius den Auferstandenen als den bezeichnet, der, um den Menschen zu erneuern, ihm die χάρις, die Huld Gottes, die er sich verwirkt hatte, wiederschenkt und deshalb den Jüngern sagt:

[304] W. Kasper, Jesus der Christus, 305.
[305] Hom. in Psalm. 44,8 (PG 29,405 A).
[306] DSS XXI, 28 (344,12 Pruche).
[307] DSS XVI, 39 (386,16 Pruche).
[308] Vgl. Hom. in s. Christi generationem 2 (PG 31,1461 A).
[309] Zu diesem Aspekt vgl. H. J. Jaschke, Der Heilige Geist im Bekenntnis der Kirche, 209 ff.
[310] Athanasius, Or. c. Ar. I, 47 (PG 26,109 A).

»Empfanget Heiligen Geist.« In Kap. XIX, in dem Basilius in ähnlicher Weise wie in »De Spiritu Sancto« XVI das Wirken des Heiligen Geistes im Christusereignis darstellt, fügt er hinzu: »Denn abgewaschen und geheiligt wurdet ihr im Namen unseres Herrn Jesus Christus und im Heiligen Geist« (1 Kor. 6,11)[311]. Dieses Zitat verweist auf einen Aspekt, der den frühen Vätern sehr wichtig war, bei Basilius aber von der Gesamtkonzeption der beiden genannten Kapitel nicht näher entfaltet wird, nämlich die neutestamentliche Anakephalaiosis-Lehre. Da der heilsgeschichtliche Aspekt der Salbung Jesu bei Basilius aber zweifellos eine bedeutsame Rolle spielt, wie oben gezeigt worden ist, sei dieser Gesichtspunkt von Athanasius und Irenäus hier kurz entwickelt.

Athanasius bezeugt mit Nachdruck, daß alles, was dem menschlichen Leib Christi geschieht, auf uns hin geschehen ist. In der ersten Rede gegen die Arianer erläutert er: »Wenn er aber um unseretwillen sich heiligt und dies tut, nachdem er Mensch geworden ist, so galt offenbar auch die Herabkunft des Geistes auf ihn im Jordan uns, weil er unseren Leib trug. Sie hat nicht stattgefunden zur Besserung des Logos, sondern zu unserer Heiligung, damit wir an seiner Salbung teilnehmen ... Denn da der Herr als Mensch im Jordan abgewaschen wurde, waren wir es, die in ihm und von ihm abgewaschen wurden. Und als er den Geist empfing, waren wir es, die von ihm für dessen Aufnahme empfänglich gemacht wurden ... Mit ihm begannen also auch wir die Salbung und das Siegel zu empfangen[312].« Diese Ausdrucksweise meint bei Athanasius keine Identifizierung der Erlösten mit Christus. Es ist vielmehr die Verwandtschaft seines Leibes mit unserem Leib, was uns mit dem Menschgewordenen in Übereinstimmung bringt. »Auf diese Weise ist der Logos, der sich mit dem Menschen Jesus vereinigt, auch mit uns vereinigt. Sein Fleisch repräsentiert alles zu erlösende Fleisch[313].«

Schon Irenäus hatte diese neutestamentliche Heilswirklichkeit aufgegriffen. »Der Geist Gottes stieg also auf ihn herab, wie er schon durch die Propheten verheißen hatte, daß er ihn salben werde, damit wir, von der Fülle seiner Salbung empfangend, gerettet würden[314].« »Denn diesen in den jüngsten Tagen über seine Knechte und Mägde auszugießen, damit sie prophezeien sollten, das hatte er durch die Propheten (Joel 2,28) versprochen. Daher stieg dieser auch auf den Sohn Gottes, der zum Menschensohn geworden war, herab und gewöhnte sich bei ihm, im Menschengeschlecht zu woh-

[311] DSS XIX, 49 (420,20 Pruche).
[312] Athanasius, Or. c. Ar. I, 47 (PG 26,109 B).
[313] A. Laminski, Der Heilige Geist als Geist Christi und Geist der Gläubigen, 45.
[314] Irenäus, Adv. Haer. III, 9,3 (SC 211,110 f.).

nen und in dem Menschen zu ruhen und Wohnung zu nehmen im Geschöpf Gottes, indem er in ihnen den Willen des Vaters vollzog und sie aus dem Alten zur Neuheit Christi erneuerte ... Daß dieser (Geist) nach der Himmelfahrt des Herrn auf die Jünger am Pfingstfest herabgestiegen sei und allen Völkern den Eintritt zum Leben eröffnete und das Neue Testament erschloß, berichtet Lukas[315]. Dieses Geschenk, das der Herr von seinem Vater empfing, gab er auch denen, die an ihm Anteil haben, indem er auf die gesamte Erde den Heiligen Geist sandte[316].« Im Rückgriff auf die neutestamentliche Anakephalaiosis-Lehre kann Irenäus sagen: »Wie das gesamte Menschengeschlecht in Adam zur Einheit zusammengefaßt war, daher aber auch durch die Sünde des ersten Stammvaters das ewige Leben verloren hatte, so sind wir in Christus, dem neuen Stammvater, zur Einheit zusammengeschlossen und in ihm des Heiles teilhaftig geworden[317].« Christus empfing also bei der Taufe am Jordan als unser Stammvater den Heiligen Geist in seiner ganzen Fülle. Und ihn, den er damals für uns empfangen hatte, teilte er der Kirche mit[318].

Das Bild der Salbung, das die innige Verbindung der Menschheit Jesu mit der Fülle des Geistes aussagt, konnte so auch zu einem Bild werden, das den Vorgang der Einigung der Menschen mit dem Logos durch den Geist versinnbildet. »Der Heilige Geist ist Salbung und Siegel« — sagt Athanasius — »und auch ihr habt diese Salbung empfangen« (1 Joh. 2,20)[319]. »Die Salbe besitzt ja den Wohlgeruch und Duft des Salbenden, und die Gesalbten, die daran Anteil haben, sprechen: ›Christi Wohlgeruch sind wir‹ (2 Kor. 2,15). Das Siegel aber trägt das Bild Christi ... und jene, die versiegelt werden und daran teilnehmen, werden nach ihm gestaltet[320].«

Zusammenfassend kann nun gesagt werden: In der Salbung Jesu mit Heiligem Geist wird offenbar, daß das gesamte Heilswerk ein trinitarisches Geschehen ist. Jesus ist der Christus, in dem das Ganze der Heilswirklichkeit sich offenbart, der Vater als der Salbende, der Sohn als der Gesalbte und der Heilige Geist als das χρῖσμα »in« dem dieses Offenbarwerden der Liebe sich vollzieht. Der Heilige Geist als die Vermittlung zwischen Vater und Sohn ist zugleich auch die Vermittlung Gottes in die Geschichte[321].

[315] Irenäus, Adv. Haer. III, 17,1.2 (SC 211,328 f.).
[316] Ebd. Adv. Haer. III, 17,2 (SC 211,334).
[317] Ebd. Adv. Haer. III, 18,1 (SC 211,342 f.).
[318] Vgl. L. Koch, Die Geistsalbung Christi bei der Taufe im Jordan, BM 1—2 (1938) 18.
[319] Athanasius, Ad Serap. I, 23 (PG 26,584 C).
[320] Athanasius, Ad Serap. I, 23 (PG 26,585 A).
[321] Vgl. W. Kasper, Jesus der Christus, 297 f.

Zum χρῖσμα geworden und der Menschheit Jesu untrennbar verbunden, ihn in allen Stadien seines Werkes begleitend, blieb der Geist ihm gegenwärtig bis in die Auferstehung hinein. So wurde Jesus in einmaliger und unüberbietbarer Weise zum Spender des Geistes für alle, die an ihn glauben. Das, was eine spätere dogmatische Tradition formulierte, daß der Geist als die gratia unionis nicht nur eine private Begnadung sei, sondern zugleich gratia capitis, die von Christus, dem Haupt, auf seinen Leib, die Kirche, überströmt und durch die Kirche der Welt vermittelt wird, ist hier bei den Vätern grundgelegt, für die Christus der neue Adam ist, »in« dem wir mit Heiligem Geist gesalbt worden sind.

4. Die Kirche als »Ort« des Geistes

a) Der Heilige Geist als Lebensprinzip der Kirche

Basilius hat an keiner Stelle seiner Schriften in systematischer Weise eine Lehre über Gestalt und Wesen der Kirche entwickelt. Es tritt uns nirgends ein abgerundeter Kirchenbegriff entgegen, sondern seine Auffassung hinsichtlich der Ekklesiologie ist noch in vielem fließend[322]. Aber sowohl in den Briefen wie auch in anderen Schriften tritt uns dennoch ein klar umrissenes »Kirchenbewußtsein« entgegen, in dem die paulinische Vorstellung von der Kirche als »σῶμα Χριστοῦ« eine zentrale Rolle spielt. Dieses von Basilius so bevorzugte Bild der Kirche stand jedoch in starkem Kontrast zur kirchenpolitischen Situation[323]. Angesichts der bedrängten Situation der Kirche, die Basilius mit einer erbitterten Seeschlacht vergleicht[324], schaut er auf das paulinische Idealbild der Kirche. Die paulinische Vorstellung vom »σῶμα Χριστοῦ« und der korrespondierende Gedanke des Pneuma, das alle Glieder des Leibes belebt und leitet, führt uns in das Zentrum der basilianischen Pneumatologie. Im XXVI. Kapitel der Schrift »De Spiritu Sancto«, in dem Basilius die Präposition »in« zu erläutern versucht, beschreibt er in paulinischer Terminologie die Wirksamkeit des Heiligen Geistes in der Kirche.

»Nun aber wird der Geist ›in‹ seinen Teilen als ein Ganzes erfaßt (1 Kor. 12,4—11), der Verteilung der Gnadengaben entsprechend. Denn wir alle sind Glieder untereinander, obwohl wir gemäß der Gnade Gottes, die uns gegeben wurde (Röm. 12,5), verschiedene

322 Vgl. L. Vischer, Basilius, 52.

323 Vgl. oben die Darstellung der theologischen Auseinandersetzungen; ferner: L. Vischer, a.a.O., bes. das Kapitel »Die Kirche«, 52—72; L. Mellis, Die ekklesiologischen Vorstellungen des hl. Basilius d. Großen, Diss. Rom, 1973.

324 DSS XXX, 76—77 (520—526 Pruche).

Gnadengaben haben. Deshalb ›kann das Auge nicht zur Hand sagen: ich bedarf deiner nicht, oder das Haupt zu den Füßen: ich bedarf euer nicht‹ (1 Kor. 12,21). Vielmehr bilden alle miteinander ›in‹ der Einheit des Geistes (Eph. 4,3) den Leib Christi und leisten sich wechselseitig entsprechend ihren Gnadengaben den notwendigen Beistand. Zwar hat Gott die Glieder im Körper jedes einzelnen nach seinem Willen eingesetzt, doch sorgen auch die Glieder füreinander in geistiger Gemeinschaft, da ja in ihnen eine Zuneigung füreinander besteht. Deshalb heißt es: wenn ein Glied leidet, leiden alle Glieder mit; wenn ein Glied verherrlicht wird, freuen sich alle Glieder mit (1 Kor. 12,26). Wir sind, jeder für sich, ›im‹ Geist wie Teile im Ganzen, denn wir alle sind in einem Leib in den einen Geist hinein getauft[325].«

Basilius greift hier auf die zentralen Kapitel der paulinischen Pneumatologie, auf den Römerbrief und den 1. Korintherbrief zurück. Aber indem er Paulus zitiert, akzentuiert er gleichzeitig und unterstreicht das für ihn Wichtige. »Nun aber wird der Geist ›in‹ seinen Teilen als ein Ganzes erfaßt«[326] — dieser Satz, der den angeführten Passus einleitet, ist nicht paulinisches Zitat, sondern Interpretation des Basilius. Inhaltlich ist dies bei Paulus ebenfalls ausgesagt, aber Basilius akzentuiert diesen Aspekt, indem er darauf hinweist: »Geistbegabung« ist nicht Ausstattung einzelner für sich stehender Individuen mit charismatischen Kräften, sondern die Charismen haben transitiven Charakter, d. h. sie verweisen aufeinander und sind angelegt, sich gegenseitig zu ergänzen. Der Heilige Geist selbst ist jenes »Band«, das die Glieder des Leibes miteinander verbindet. Er wird in den einzelnen Gliedern als Ganzes erfahren[327]. Dieser Gedanke, durch die verschiedenen Bilder der Glieder des Leibes erläutert, schließt den Abschnitt ab und wird dahingehend konkretisiert: »Wir sind, jeder für sich, ›im‹ Geist wie Teile im Ganzen, denn wir alle sind in einem Leib in den einen Geist hinein getauft[328].«

Diese Wirklichkeit der Kirche ist für Basilius keine bloße Theorie. Er bemüht sich mit allen Kräften, aus dieser Ekklesiologie konkrete Folgerungen in der Praxis zu ziehen. Die Bischöfe Italiens und Galliens fordert er auf, sich wie die Glieder eines Leibes zu verhalten: »Da unser Herr Jesus Christus sich herabgelassen hat, die ganze Kirche seinen Leib zu nennen und einzeln zu Gliedern voneinander zu machen, so hat er auch uns vergönnt, entsprechend der

[325] DSS XXVI, 61 (468,38 — 470,53 Pruche).
[326] DSS XXVI, 61 (468,38 Pruche).
[327] Die Bedeutung der Charismen kann hier übergangen werden, da dies im folgenden Kapitel im einzelnen erarbeitet wird.
[328] DSS XXVI, 61 (470,53 Pruche).

Zusammengehörigkeit der Glieder mit allen in trautem Verhältnis zu stehen. Daher sind wir trotz weitester lokaler Entfernung voneinander doch mit Rücksicht auf diese Verbindung einander nahe[329].« Dieses räumlich voneinander Getrennte weiß Basilius durch die Gabe des Geistes miteinander verbunden. In einem Brief an den Erzbischof von Alexandrien[330], in dem er die Kirche »ἀδελφότης«, eine in der Liebe geeinte Bruderschaft nennt, illustriert er durch das Bild der Freundschaft das einende Wirken des Geistes. »Die leibliche Freundschaft vermitteln die Augen, und die durch die Länge der Zeit bewirkte Vertrautheit bekräftigt sie. Die wahre Liebe aber begründet die Gabe des Geistes dadurch, daß sie das räumlich weit voneinander Getrennte verbindet und als gegenseitig liebenswert kundtut, und zwar nicht durch leibliche Kennzeichen, sondern durch die jedem eigentümlichen Qualitäten. Das hat denn auch bei uns die Gnade des Herrn getan, da sie uns dich mit den Augen der Seele sehen und dich mit der wahren Liebe umarmen, mit dir gleichsam zusammenwachsen und aufgrund der Gemeinschaft im Glauben zu einer einzigen Einheit kommen ließ[331].«

Der Brief eines Metropoliten der zum Westreich gehörenden Provinz Macedonia läßt ihn zurückschauen in die Zeit der frühen Kirche. »Deswegen glaubten wir, als wir den Brief in den Händen hielten, ihn mehrmals lasen und die in ihm reich strömende Gnade des Geistes wahrnahmen, in die alten Zeiten versetzt, wo die Gemeinden Gottes noch fest begründet im Glauben blühten, geeint in der Liebe und bei verschiedenen Gliedern gleichsam in einem Leib zusammen atmeten (συμπνοία) . . . Damals hielten wir Christen untereinander Frieden, jenen Frieden, den uns der Herr hinterlassen hat . . .[332].« Ein bezeichnendes Wort ist »συμπνοία« (Zusammenatmen). Es enthält das Element »πνεῦμα«, so daß es auch »gleichen Geistes sein« bedeuten kann[333].

Basilius ist in der Tat davon überzeugt, daß die Glieder des Leibes von einer »in ihnen wohnenden Seele bewegt werden[334].« Der Heilige Geist ist die »Seele der Kirche«, der lebenspendende Anfang und die Kraft der Kirche, durch die sie lebt, in Bewegung

[329] Ep. 243,1 (III, 68,5 ff. Courtonne); Ep. 70 (I, 165,8 Courtonne); Ep. 92,3 (I, 203,36 f. Courtonne).
[330] Der Adressat ist Schüler des Athanasius, seit 373 dessen Nachfolger.
[331] Ep. 133 (II, 47,1 ff. Courtonne).
[332] Ep. 164,1 (II, 97,10 ff. 21 Courtonne).
[333] Vgl. L. Vischer, Basilius, 54.
[334] Basilius, De judicio Dei 3 (PG 31,660 A).

bleibt und ihren göttlichen Auftrag in der Welt erfüllt[335]. Denn »der Tröster ist es, der alle in Bewegung bringt und zusammenruft, jener Geist der Wahrheit, der durch die Propheten und Apostel diejenigen sammelt, die das Heil erlangen sollen[336].« Die Kirche ist nach Basilius die »Stadt Gottes«, die vom »überströmenden Fluß« des Geistes getränkt wird[337].

In der Schrift »De judicio Dei«, dem Prooemium zu den Regulae morales, hält Basilius unter dem niederschmetternden Eindruck der Zustände seiner Zeit der Kirche einen Spiegel vor, um sie aufzufordern, an der Einheit mitzuwirken: »... da der Heilige Geist große und bewunderungswürdige Gaben austeilt, und alles in allen wirkt, und nichts von sich selbst redet, sondern das sagt, was er vom Herrn hört, wie ist es nicht noch weit mehr notwendig, daß die ganze Kirche Gottes durch das Band des Friedens die Einheit des Geistes sorgfältig zu bewahren strebt und somit erfülle, was in der Apostelgeschichte gesagt ist: ›Die Menge der Gläubigen war ein Herz und eine Seele.‹ Denn keiner wollte seinen Willen tun, sondern alle suchten gemeinsam in dem einen Heiligen Geist den Willen des einzigen Herrn Jesus Christus ...[338].«

Der Maßstab, den Basilius an die Kirche im ganzen anlegt, ist der gleiche, den er in den Regeln auf die Mönche anwendet[339]. Auch hier ist zentraler Gesichtspunkt die Forderung der Praxis des evangelischen Lebens. Deswegen stellt er in den Moralia die evangelischen Gebote zusammen, um aufgrund der neutestamentlichen Botschaft ein integriertes Christenleben in der Welt zu ordnen. — Die Moralia sind eine Sammlung von Schriftzitaten, der erste Wurf des großen Regelwerkes. Aber diese Regel ist keine Ordensregel, sondern eine »Kirchenregel«[340]. Über 1500 Verse des Neuen Testamentes sind in 80 Regeln (ὅροι) gegliedert, mit Untertiteln eingeteilt und mit Überschriften und Leitsätzen versehen. Die Regulae Morales wenden sich an alle Christen guten Willens, enthalten gegen Ende aber auch Anweisungen für Klerus und Laien, Verheiratete, Witwen, Jungfrauen, Eltern, Meister und Soldaten[341].

335 Vgl. L. Mellis, Die ekkl. Vorstellungen des hl. Basilius, 5; vgl. das Kap. »Unité de l'Eglise dans le Saint Esprit« bei B. Bobrinskoy, Liturgie et Ecclesiologie trinitaire de saint Basile, in: Verbum caro 23 (1969) 22—26.

336 Hom. in Psalm. 48,1 (PG 29,433 A).

337 Hom. in Psalm. 45,4 (PG 29,421 BC).

338 De judicio Dei 4 (PG 31,660 C).

339 Vgl. K. Holl, Enthusiasmus und Bußgewalt, 167.

340 Vgl. H. U. von Balthasar, Die großen Ordensregeln, Einsiedeln 1974, 47.

341 Obwohl die Moralia sich an alle Christen wenden, werden die wirklichen Adressaten die Asketengruppe um Eustathius gewesen sein. Mit diesen Regeln versucht Basilius die theologische Grundlage zu gewinnen, um ihre — der Sektiererei und des Konventikels verdächtige — Bewegung in den Rahmen

Basilius schaut auf die Urgemeinde, in der der Heilige Geist auf so machtvolle Weise am Werk war, und er ist davon überzeugt, daß diese Wirksamkeit nicht verschwunden, sondern nur verdeckt und behindert ist. Die Kirche, die Basilius wie die Mönchsgemeinschaft als »ἀδελφότης« bezeichnet[342], fordert er auf, ein »evangelisches Leben« zu führen. Neben dem Bild des Leibes wendet Basilius in den Moralia auch das johanneische Bild des Weinstocks und der Reben an. Als Reben Christi sollen sie in ihm verwurzelt und in ihm Frucht bringend, alles tun, was dieser Wirklichkeit gemäß ist[343]. Die Bergpredigt interpretierend fordert Basilius die Christen auf, sich als »Licht der Welt« zu erweisen, um selbst für die Bosheit nicht empfänglich zu sein, sondern diejenigen, die sich ihnen nahen, erleuchten zur Erkenntnis der Wahrheit, damit sie werden, was sie werden sollen, oder beweisen, was sie sind[344]. In der gleichen Schrift ermutigt er die Christen, »Salz der Erde« zu sein, damit diejenigen, die mit ihnen Gemeinschaft haben, erneuert werden durch den Geist[345]. Basilius ist überzeugt, daß die Kraft des Geistes in jedem Christen wirksam werden kann. Zu beachten ist die Reife und Mündigkeit, die er bei den Christen voraussetzt, wenn er sie auffordert, ihre Lehrer zu prüfen, ob das, was sie lehren, auch mit den Schriften übereinstimme; das aber, was von diesen abweicht, sollten sie verwerfen und diese Lehrer sorgfältig meiden[346]. Auch denen, die in den Schriften keine großen Kenntnisse besitzen, traut Basilius diese Unterscheidungsgabe zu, denn sie sollen aus den Früchten des Geistes die Merkmale der Heiligen erkennen[347].

Wenn Basilius auch oft das Mönchtum als den einzig sicheren Weg zum Heil empfiehlt, so ist er doch ebenso überzeugt, daß auch in der Welt ein Leben unter Führung des Geistes möglich ist. Die

der Gesamtkirche zu stellen, vgl. H. U. von Balthasar, Die großen Ordensregeln, 48. J. Gribomont, Les Règles Morales de saint Basile et le Nouveau Testament, in: TU 64 (1957) 416—426 weist mit Recht darauf hin, daß man hier in dieser Sammlung von Schriftzitaten im Keim schon die Substanz der Botschaft des Basilius erkennen kann. Die Wahl der Zitate, ihre Ordnung, ihre Interpretation, die Beziehung zu konkreten Situationen und die Eigentümlichkeit, Probleme zu sehen, das alles sind Momente, die schon in diesem Werk, das etwa um 360 geschrieben wurde, Basilius als einen Mann charakterisiert, der bereit ist, Spannungen auszugleichen, dies aber in einer großen Treue zum Evangelium, der die Übertreibungen der radikalen Asketen von den Grundsätzen des Evangeliums her korrigiert. Basilius ist bereits hier der Mann der großen Prinzipien, vgl. J. Gribomont, a.a.O. 417.

[342] Vgl. Ep. 133 (II, 47,18 Courtonne); Ep. 255 (III, 96,10 Courtonne).

[343] Reg. mor. 80,3 (PG 31,861 A).

[344] Reg. mor. 80,9 (PG 31,864 A).

[345] Reg. mor. 80,10 (PG 31,864 B).

[346] Reg. mor. 72,1 (PG 31,845 D — 848 A).

[347] Reg. mor. 72,2 (PG 31,848 B).

Erfahrung kraftvoller, vom Geist geleiteter Persönlichkeiten wird spürbar, wenn Basilius davor warnt, in heiligen Männern den Geist zu lästern[348].

Dieser kurze Abriß der Ekklesiologie dürfte deutlich gemacht haben, daß Basilius von der belebenden Wirksamkeit des Geistes in der Kirche überzeugt war. Das beliebte paulinische Motiv vom »σῶμα Χριστοῦ« und der diesem Motiv korrespondierende Gedanke vom πνεῦμα, das den Körper belebt und die einzelnen Glieder leitet, wendet Basilius nicht nur auf die Mönchsgemeinschaft, sondern auf die gesamte Kirche an, obwohl nicht übersehen werden kann, daß die Erfahrungsebene dieser theologischen Aussagen für Basilius mit der Mönchsgemeinschaft verknüpft bleibt.

Nachdem der Heilige Geist als das einheitsstiftende und belebende Prinzip in der Kirche dargestellt worden ist, soll nun die Vielfalt dieses Wirkens in den Charismen entwickelt werden.

b) Das Charisma als Grundstruktur der Kirche

(1) Χάρις und χάρισμα im Verständnis des Basilius

Basilius ist in seinem Verständnis der Charismen weitgehend vom biblischen, speziell vom paulinischen Sprachgebrauch geprägt. Für Paulus ist die Verwendung des Wortes χάρις konstitutiv für die Freilegung der Struktur des Heilsgeschehens, wobei sprachlicher Ausgangspunkt die etymologische Bedeutung[349] »Erfreuen durch Schenken«, der »geschenkte«, nicht der verdiente »Gunsterweis« ist[350]. Χάρισμα wird von Paulus einerseits mit χάρις und andererseits mit πνεῦμα verbunden, sofern er die pneumatischen Erscheinungen als χαρίσματα bezeichnet[351] und die χάρις sich in der Vielfalt der einzelnen Gaben konkretisiert. Diese für Paulus charakteristische Verbindung von πνεῦμα — χάρις und χάρισμα ist auch für Basilius von grundlegender Bedeutung.

Es kann hier nicht darum gehen, auch nur annähernd eine »Gnadenlehre des Basilius« zu skizzieren. Diesen Versuch hatte seinerzeit E. Scholl[352] unternommen. Aber leider geht Scholl in seiner Arbeit so sehr von scholastischen Kategorien aus, daß er der Auffassung des Basilius, bei dem sich die scholastischen Differenzierungen der Gnadenlehre noch nicht finden, nicht gerecht wird.

[348] Reg. mor. 35,1 (PG 31,756 A).

[349] Vgl. Kühner-Blass, Ausführliche Grammatik der griech. Sprache, Hannover 1892, 271; G. Hasenhüttl, Charisma. Ordnungsprinzip der Kirche, Freiburg 1969, 104 f.

[350] H. Conzelmann, Art. χάρις, ThWB II, 384.

[351] H. Conzelmann, Art. χάρισμα, ThWB II, 394.

[352] E. Scholl, Die Lehre des hl. Basilius von der Gnade, Freiburg 1881.

Bei Basilius ist vielmehr weitgehend der biblische Sprachgebrauch Hintergrund seiner Argumentation, wobei nicht zu übersehen ist, daß in »De Spiritu Sancto« Kap. IX, 22 philosophische Vorstellungen in die Darstellung der Selbstmitteilung des Geistes in der χάρις eingeflossen sind.

Bevor wir uns der Auffassung von den Charismen zuwenden, sei zunächst auf Stellen verwiesen, in denen Basilius die alles durchdringende Wirksamkeit des Geistes in der χάρις beschreibt. In »De Spiritu Sancto» IX setzt Basilius πνεῦμα und χάρις, bzw. πνεῦμα und δύναμις in einer sehr bezeichnenden Weise zueinander in Beziehung: »Alles erfüllend mit seiner Kraft (πάντα μὲν πληροῦν τῇ δυνάμει), mitgeteilt aber nur den Würdigen[353]; ohne Anteil an einem einzigen Maß, doch seine Wirksamkeit (ἐνέργεια) nach dem Maß des Glaubens austeilend. Einfach im Wesen, vielfältig in seinen Wirkkräften; jedem einzelnen gewährt er sich ganz, ganz ist er überall. Ohne zu leiden, teilt er sich mit, unversehrt gibt er Anteil an sich, vergleichbar dem Sonnenstrahl, dessen Gabe (χάρις) dem, der ihn genießt, wie einem einzigen zuteil wird, aber auch Erde und Meer erleuchtet und sich mit der Luft vermischt. So schenkt auch der Geist, der jedem einzelnen Empfänger, wie wenn er der einzige wäre, hilft, allen seine ganze Gnade (χάρις); die an ihm Anteil haben, genießen ihn, wie es ihrer eigenen Natur entspricht, und nicht, wie es ihm möglich ist[354].«

Basilius hat in der eben zitierten Stelle χάρις und πνεῦμα in der Weise in Beziehung zueinander gesetzt, daß χάρις das Ganze der im Heiligen Geist geschenkten Heilszuwendung bedeutet. Der Heilige Geist ist selbst die Gabe, in der Gott sich uns schenkt. Im Pneuma kommt Gott als der sich Verschenkende und Verströmende der Schöpfung nahe. Das Bild des Sonnenstrahls ermöglicht es Basilius, den unverfügbaren Charakter der Gegenwart des Geistes in der Schöpfung zu veranschaulichen. Das Maß des Mitteilens und Schenkens wird allein durch das »Maß des Glaubens« und die Empfänglichkeit der menschlichen Natur begrenzt[355].

[353] Diese Formulierung ist ein Anklang an Origenes, De princ. I, 3,5—8, ohne hier näher ausgeführt zu werden. Origenes vertritt in De princ. die Auffassung, daß die Geschöpfe ihr Sein von Gott Vater, das Vernünftig-Sein vom Logos und das Heilig-Sein vom Heiligen Geist erhalten, De princ. I, 3,8 (61,5 ff. Görgemann-Karpp), d. h. das Wirken des Geistes erstreckt sich nur auf die Heiligen. Diese origenistische Annahme besonderer Wirkungssphären der drei göttlichen Personen und die damit verbundene niedere Rangstufe des Geistes wehrt Basilius ab, vgl. besonders die Interpretation von 1 Kor. 12,4—6 in DSS XVI, 37 (376,27 ff. Pruche).

[354] DSS IX, 22 (324,30 — 326,40 Pruche).

[355] Die Formel »κατ' ἀναλογίαν τῆς πίστεως« stammt aus Röm. 12,6.

Nach Auffassung des Basilius steht das außerweltliche Dasein Gottes nicht in einem schroffen Gegensatz zur Welt und zum Menschen, sondern unter Wahrung der göttlichen Transzendenz manifestiert sich im Pneuma das Gegenwärtigsein Gottes in der Welt[356]. Dieses Gegenwärtigsein ist nicht nur ein bloßes Von-außen-Umfassen, sondern zugleich eine sich auf jedes einzelne Wesen erstreckende Macht[357]. Dieses alles erfüllende Pneuma[358] ist im Himmel und erfüllt die Erde, es ist überall zugegen und hat nirgends Schranken[359]. Ganz wohnt es in jedem und ganz ist es bei Gott[360]. Der Heilige Geist »verteilt sich in die ganze Schöpfung, teilt sich dem einen so, dem anderen anders mit, wird aber durch Anteilnahme nicht verringert. Er verleiht allen seine ganze Gnade (χάρις), erschöpft sich aber nicht in den Teilnehmenden, erfüllt vielmehr die, die ihn empfangen, ohne daß ihm selbst etwas abgeht. Wie die Sonne die Körper beleuchtet und sich ihnen verschiedentlich mitteilt, ohne durch die partizipierenden Körper verringert zu werden, so schenkt auch der Geist allen seine Gnade und bleibt doch unversehrt und ungeteilt[361].« Die Ähnlichkeit der Argumentation wie auch die Verwendung des Sonnenstrahlen-Gleichnisses legen es nahe, diese Predigt in zeitliche Nähe zu Kap. IX zu bringen[362].

Wenn Basilius hier von der alles erfüllenden Kraft des Geistes spricht und dieses Geschehen durch das Bild des Sonnenstrahls verdeutlicht, dann werden wir an Vorstellungen der griechischen Philosophie erinnert, etwa an Plotin, der in seiner kleinen Schrift über die zwei Hypostasen das Wirken der Weltseele beschreibt, die den Kosmos erfüllt und der Welt und den Lebewesen das Leben verliehen hat. Wie ein Licht hat die Weltseele in den Weltleib hineingestrahlt und ihm Leben und Unsterblichkeit verliehen[363]. Sie hat den Kosmos ganz erfüllt, ist selber aber nicht zerteilt, sondern Einheit und Ganzheit geblieben[364]. Es ist häufig auf das Problem der Abhängigkeit des Basilius von Plotin verwiesen worden[365].

[356] Vgl. W. Jaeger, Gregor von Nyssas Lehre vom Heiligen Geist, Leiden 1966, 102.
[357] DSS IX, 22 (326,38 Pruche); vgl. W. Jaeger, ebd. 103.
[358] DSS IX, 22 (324,30 Pruche).
[359] Hom. De fide 3 (PG 91,472 A).
[360] Hom. De fide 3 (PG 31,472 A).
[361] Hom. De fide 3 (PG 31,469 B).
[362] Vgl. die Gegenüberstellung der verwandten Begriffe bei H. Dörries, De Spiritu Sancto, 99.
[363] Plotin, Enn. V, 1,2 (Ia, 212,7 Harder).
[364] Enn. V, 1,2 (Ia, 212,10 Harder).
[365] Die Frage nach dem Verhältnis des Basilius zu Plotin hatte bereits A. Jahn, Basilius Magnus plotinizans, Bern 1838, erörtert. Jahn hatte aufgezeigt, daß

Aber es ist nicht viel gewonnen, hier einfachhin nur die Parallelen zu Plotins Enneaden aufzuzeigen[366]. Für Basilius gilt ebenso, was H. Dörrie zur Theologie Gregors bemerkte: »Quellen-Forschung darf also nicht so mißverstanden werden, als wenn der untersuchte Autor durch sie als Plagiator erwiesen werden müßte; das Ziel der Methode ist nicht ein Registrieren von Abhängigkeiten. Sondern die Frage ist stets doppelt: Es ist nicht nur festzustellen, daß ein Motiv entlehnt ist, es muß zugleich gefragt werden, was es am neuen Platz leistet . . .[367].«

Wenn Basilius also die in der χάρις wirksame Gegenwart des Geistes beschreibt und dabei plotinische Vorstellungen in die Form der Darstellung mit einfließen, dann ist aber grundsätzlich davon auszugehen, daß das πνεῦμα bei Basilius nicht wie die ψυχή bei Plotin die unpersönliche Größe eines emanatistischen Weltsystems darstellt, sondern daß Basilius stets von der strengen Geschiedenheit von Gott und Schöpfung ausging[368]. Der Heilige Geist steht nicht auf der Seite der Kreaturen, sondern er hat vollen Anteil an Schöpfung, Erlösung und Heiligung. Aber er ist jene δύναμις, in der Gott gegenwärtig wird in dieser Welt. Das Bild vom Sonnenstrahl, der das All mit seiner Kraft durchdringt, illustriert die in der χάρις sich mitteilende Kraft des Geistes. Die Gegenwart des Geistes ist nach Basilius nicht in der Kontinuität der Natur gegeben, sondern die Kommunikation zwischen Gott und Mensch beruht auf

die kleine Schrift »De Spiritu« (PG 29,768 C — 774 A) am Schluß des V. Buches »Adv. Eun.« zur Darstellung der Pneumatologie die ersten fünf Kap. von Plotins Schrift »περὶ τῶν τριῶν ἀρχικῶν ὑποστάσεων« (Enn. V, 1) benutzt. Eine Stütze für die Echtheit dieser Schrift fand der Autor vor allem im IX. Kap. der Schrift »De Spiritu Sancto« des Basilius. Zur Diskussion um die Schrift »De Spiritu«, die Garnier dem Autor des IV. und V. Buches »Adv. Eun.« zuschreibt (nach F. X. Funk, Die zwei letzten Bücher der Schrift Basilius' d. Gr. gegen Eunomius: Kirchengeschichtliche Abhandlungen und Untersuchungen 2, Paderborn 1899, 291—329, und Kirchengeschichtliche Abhandlungen und Untersuchungen 3, 311—323; B. Altaner - A. Stuiber, Patrologie, 291 und J. Quasten, Patrology, 210 u. 88, ist Dydimus der Blinde Verfasser dieser beiden Bücher), vgl. B. Pruche, Sur le Saint-Esprit, 324 A 2. Von den neueren Arbeiten zu diesem Thema sei vor allem H. Dehnhard, Das Problem der Abhängigkeit des Basilius von Plotin, Berlin 1964, genannt. Dehnhard gibt hier einen Überblick über die Forscher, die sich um weitere Plotinspuren bei Basilius bemühten, vgl. P. Henry, Etudes Plotiniennes I: Les Etats du texte de Plotin. Museum Lessianum, Section philos., Nr. 20, Paris 1938.

[366] Vgl. H. Dehnhard, a.a.O. 46 ff.

[367] H. Dörrie, Gregors Theologie auf dem Hintergrund der neuplatonischen Metaphysik, in: Gregor von Nyssa und die Philosophie. Zweites Internationales Kolloquium über Gregor von Nyssa, Leiden 1976, 22.

[368] Vgl. H. Dörries, De Spiritu Sancto, 54 A°.

einer Gabe, die ausgeht von Gott[369], die unverfügbar ist und den Menschen fortreißt in die immer größere Verähnlichung mit Gott hinein, wie Basilius es gerade in der Durchführung des Lichtmotivs in der Anwendung auf den Heiligen Geist im zweiten Teil des IX. Kap. beschreibt[370].

Hat Basilius in »De Spiritu Sancto« (IX, 22) durch die Verben des Teilhabens (μετέχω, μερίζω)[371] und die Identifikation von πνεῦμα und χάρις den Heiligen Geist als »Gabe«, als »Geschenk« charakterisiert, so führt er gleichzeitig auch aus, daß diese Gabe im Menschen die »Vergöttlichung«[372], die »Sohnwerdung« bewirkt. »Der Heilige Geist, aus Gott stammend, ist Quelle der Heiligkeit, lebenspendende Kraft (δύναμις ζωῆς), vollkommenmachende Gnade (χάριν τελειοποιόν), durch welche der Mensch zum Kind Gottes angenommen wird[373].«

Diese lebenspendende Kraft aber sprachen die Gegner dem Geist ab. Die Identifikation von πνεῦμα und »Gabe« war offensichtlich ein Streitpunkt der Pneumatomachen, wie aus einem bei Basilius referierten Zitat deutlich wird:

»In uns«, sagen sie, ist der Geist wie ein Geschenk (δῶρον) von Gott. Offenbar wird aber das Geschenk nicht mit den gleichen Ehren ausgezeichnet wie der Schenkende[374]. Die Vorstellung, daß der Geist Gabe an den Christen ist, scheint die eigentliche Grundlage im Geistverständnis des Eustathius gewesen zu sein. Aber die Schwierigkeit war, daß diese »Gabe« als aktiv wirkend erfahren wurde. Die Lösung dieser Frage konnte für Eustathius nur in einer mittlerisch-dienenden Funktion des Geistes liegen[375]. Für Basilius hingegen ist der Geist zwar ein Geschenk (δῶρον), aber er ist ein Geschenk des Lebens (δῶρον ζωῆς) und er ist ein Geschenk der Kraft (δῶρον δυνάμεως)[376]. Jene aber (die Gegner) machen das Übermaß der Güte Gottes zum Anlaß der Lästerung. Sie wenden sich gegen den Geist, der uns die Freiheit schenkt, uns an Gott als den Vater zu wenden: »Denn es sandte Gott den Geist seines Sohnes in un-

[369] Vgl. P. Petit, Émerveillement, prière et Esprit, in: Collectanea Cisterciensia 35 (1973) 226.
[370] DSS IX, 23 (328,12 ff. Pruche); vgl. auch unten 135 ff.
[371] DSS IX, 22 (326,34 Pruche).
[372] DSS IX, 23 (328,24 f. Pruche); vgl. unten die Funktion des Heiligen Geistes im soteriologischen Prozeß, 115 ff., besonders im Vorgang der ὁμοίωσις, 145 ff.
[373] Ep. 105, (II, 7,25 Courtonne).
[374] DSS XXIV, 57 (452,1 Pruche).
[375] Vgl. W. D. Hauschild, Die Pneumatomachen, 48.
[376] DSS XXIV, 57 (452,1 Pruche).

sere Herzen, der da ruft: ›Abba, Vater!‹ (Gal. 4,6), damit seine Stimme zur Stimme derer werde, die ihn aufgenommen haben[377].«
Zusammenfassend läßt sich sagen: Basilius hat, dem biblischen Sprachgebrauch folgend, πνεῦμα und χάρις in der Weise in Beziehung zueinander gesetzt, daß Charis das Ganze der Heilszuwendung Gottes an den Menschen aussagt. In der Charakterisierung des Mitteilens und Teilhabens klingen philosophische Kategorien an, die aber in einen neuen Zusammenhang gestellt und umgeformt worden sind. Die im Heiligen Geist geschenkte χάρις ist Gabe, Wirkung und Ergebnis der Wirkung zugleich[378].

Exkurs

Basilius hat das beliebte Bild vom Sonnenstrahl, das in der altchristlichen Logosspekulation eine große Rolle spielte, auf den Heiligen Geist übertragen, um damit seine Wirksamkeit zu veranschaulichen. Für die Übertragung des Sonnengleichnisses auf den Logos und den Heiligen Geist gab es in der Antike zahlreiche Anknüpfungspunkte[379]. So hat bereits Seneca für den die ganze Welt durchwaltenden Gottesgeist den Vergleich: »Wie die Strahlen der Sonne die Erde zwar berühren, aber dort haften, von wo sie ausgesendet werden, so ist es mit dem großen und heiligen Geist, der hier herabgesandt wurde, damit wir das Göttliche näher kennenlernen. Er verkehrt zwar mit uns, aber er haftet an seinem himmlischen Ursprung[380].«
In ähnlicher Weise gebrauchte Athenagoras dieses Bild vom Heiligen Geist, indem er ihn einen Ausfluß Gottes nennt, ausfließend und wieder zurückkehrend wie der Sonnenstrahl[381].

377 DSS XXIV, 57 (454,17 f. Pruche).
378 Vgl. H. Conzelmann, Art. χάρις, ThWb II, 385, A 183.
379 Vgl. F. J. Dölger, Sonne und Sonnenstrahl als Gleichnis in der Logostheologie des christlichen Altertums, in: Antike und Christentum 1 (1929) 271 ff. Dölger hat hier besonders die Anwendung dieses Gleichnisses in der Logostheologie untersucht.
380 Seneca, Ep. 41,5 (125,19—23 Hense).
381 Athenagoras, Πρεσβεία 10 (127 f. Geffcken). Für die Einbeziehung des Sonnengleichnisses in die theologische Spekulation ist in der altchristlichen Literatur Hebr. 1,3 »Abglanz seiner Herrlichkeit und Abbild seines Wesens« von prägender Bedeutung gewesen (vgl. Origenes, De princ. I, 2,5 (33,7 Görgemanns-Karpp); De princ. I, 2,7 (37,5).
Im Kampf um das ὁμοούσιος trat der Lichtvergleich immer wieder hervor, und im Glaubensbekenntnis von Nicaea wurde durch die Formel »Licht vom Licht« — »φῶς ἐκ φωτός« dieses Bild auf das Verhältnis des Sohnes zum Vater angewandt.
Sabellius hatte ebenfalls versucht, das Sonnengleichnis für seine theologische Beweisführung fruchtbar zu machen. Nach Epiphanius erklärte er, derselbe

Versucht man, die in dem Gleichnis vom Sonnenstrahl veranschaulichte Wirksamkeit des Heiligen Geistes näher zu umschreiben, so erhalten wir von Athanasius einen Hinweis. Athanasius hat in der Anwendung des Bildes von der Sonne und ihrem Glanz auf den Heiligen Geist diesen als das Licht im Glanz bezeichnet[382]. Der Glanz ist dann das, was die Sonne ausstrahlt, das Licht aber das, was die Augen tatsächlich aufnehmen, d. h. worin die Aktivität der Sonne durch ihre Strahlen erst ihre Wirksamkeit zeigt[383].
In einem durch V. Ryssel, Gregorius Thaumaturgus (Leipzig 1880, 107) entdeckten Fragment wird der Heilige Geist in ähnlicher Weise als das den Strahl begleitende Licht bezeichnet. Es heißt dort: »Wie der Sonnenstrahl und das Licht so zu uns kommen, daß sie nicht von der Sonne getrennt werden, und nicht durch gegenseitige Verbindung sich trennen; so steigen auch der Sohn und der Heilige Geist zu uns herab und wirken unser Heil, so daß sie sich nicht vom Vater noch unter sich trennen. Und wie in ihnen das Licht den Strahl begleitet und durch den Strahl mitgeteilt wird, so begleitet auch der Heilige Geist den Sohn und wird durch den Sohn den Würdigen mitgeteilt[384].«
Wie eine Art Zusammenfassung der ganzen Spekulation taucht dieses Bild noch einmal bei dem Patriarchen Anastasius I. von

sei der Vater, derselbe der Sohn, derselbe der Heilige Geist. Es sei wie bei der Sonne: sie sei eine Hypostase, habe aber drei Energien, nämlich die erleuchtende und die erwärmende Kraft sowie die Kreisfigur. Die wärmende Kraft, d. i. Wärme und Hitze, sei der Geist, die erleuchtende Kraft der Sohn, der Vater selbst sei gewissermaßen die Gestalt der ganzen Hypostase. Der Sohn sei zu einer Zeit ausgesandt worden wie der Strahl, und nachdem er in der Welt all das vollbracht, was auf das Evangelium und das Heil der Menschen Bezug hatte, sei er wieder in den Himmel aufgenommen worden, wie der von der Sonne ausgesandte Strahl wieder zur Sonne zurückkehrt«, vgl. Epiphanius, Panarion haer. 62, 1,6—8 (II, 389 f. Holl).
Von dieser Gefahr des Sabellius, den Basilius in seinen Schriften bekämpft, wird es verständlich, wenn B. die Meinung der Väter von Nicaea folgendermaßen interpretiert: »Nachdem sie (die Väter) erklärt hatten, daß der Sohn als Licht vom Licht und aus dem Wesen des Vaters geboren, aber nicht geschaffen sei, fügten sie diesen Worten das ὁμοούσιον bei. Sie zeigten dadurch, daß der Vergleich des Lichtes, den man beim Vater anwendet, auch für den Sohn passend sei. Denn wahres Licht wird gegenüber dem wahren Licht keinen Unterschied aufweisen... Da nun der Vater das anfanglose Licht, der Sohn aber das geborene Licht, und Licht und Licht ein jeder ist, so sprechen sie mit Recht das ὁμοούσιον aus, um damit die gleiche Würde der Natur anzudeuten«, Basilius, Ep. 52,2 (I 135,3.7.14 Courtonne).

382 Athanasius, Ad. Serap. I, 19 (PG 26,573 C); Or. c. Ar. III, 15 (PG 26,352 A).

383 Vgl. A. Laminski, Der Heilige Geist als Geist Christi und Geist der Gläubigen, 147.

384 Vgl. F. J. Dölger, Sonnenscheibe und Sonnenstrahl in der Logos- und Geisttheologie des Gregorios Thaumaturgos, in: Antike und Christentum 6 (1950) 75.

Antiochien auf: »Bild des Vaters ist die Sonne, Strahl der Sonne ist der Sohn, Wärme des Strahles der Paraklet, der Geist, und so ist die Sonne der Vater, Strahl der Sohn, feuerglänzender Glanz der Heilige Geist. Und die Sonne hat niemals den Himmel verlassen, den Sohn hat sie wie die Strahlen als ihren Abglanz auf die Erde entsandt, die Wärme aber, den Heiligen Geist, um wohlzutun und Wärme zu spenden der oberen und der unteren Welt[385].«

(2) Die einzelnen Charismen als Befähigung zu einem Dienst

Die »Gabe« von Gott, die χάρις, die der Heilige Geist selbst ist, konkretisiert und manifestiert sich in den einzelnen im χάρισμα. So schildert es die Homilie »De fide«, in der — wie wir sahen — das Bild von der Sonne in der gleichen Weise Verwendung fand wie in »De Spiritu Sancto« IX, 22. Im Anschluß an dieses Bild von der Sonne heißt es dort: »Er (der Geist) erleuchtet alle zur Erkenntnis Gottes, er begeistert die Propheten, macht weise die Gesetzgeber, weiht die Priester, stärkt die Könige, vollendet die Gerechten, macht Enthaltsame würdig, bewirkt die Gaben (χαρίσματα) der Heilung, macht die Toten lebendig, befreit die Gefangenen, macht zu Kindern die Fremdlinge. Dies alles bewirkt er durch die Geburt von oben. Findet er einen gläubigen Zöllner, so macht er ihn zum Evangelisten (Mt. 9,9); stößt er auf einen Fischer, so macht er ihn zum Theologen (Mt. 4,19); findet er einen reumütigen Verfolger, so macht er ihn zum Heidenapostel, zum Herold des Glaubens, zum ›Gefäß der Auserwählung‹ (Apg. 9,15). Durch ihn werden die Schwachen stark, die Armen reich, die Unmündigen und Ungebildeten weiser als die Gelehrten. Paulus war schwach, aber dank der Gegenwart des Geistes brachten die Schweißtücher seines Leibes Heilung denen, die sie nahmen (Apg. 19,12). Auch Petrus hatte einen schwächlichen Körper; aber dank der ihm einwohnenden Gnade des Geistes (χάρις τοῦ πνεύματος) vertrieb der Schatten seines Körpers die Krankheit der Leidenden (Apg. 5,15). Arm waren Petrus und Johannes; denn sie hatten weder Silber noch Gold (Apg. 3,6); aber sie schenkten die Gesundheit, die mehr wert ist als vieles Geld. Von vielen erhielt jener Lahme Geld, blieb aber trotzdem ein Bettler; als er aber von Petrus die Gabe erhielt, sprang er auf wie ein Hirsch, lobte Gott und stellte sein Betteln ein. Johannes wußte nichts von der Weisheit der Welt, und doch sprach er in der Kraft des Geistes (δύναμις τοῦ πνεύματος) Worte,

[385] Anastasius, Compendarium orthodoxae fidei explicatio (PG 89,1404 C); vgl. auch den Text in der Epiphaniusausgabe von Holl, II 389.

zu denen keine Weisheit aufblicken kann[386].« Basilius beschreibt hier nicht nur das Wirken des Geistes in den Charismen der frühchristlichen Gemeinde, sondern er spannt den Bogen dieser Wirkmächtigkeit von den Gestalten des Alten Testaments, den Propheten, Gesetzgebern, Priestern, Königen und Gerechten über die Apostel und Evangelisten bis hin zu den Christen seiner Gemeinde. In freier Komposition, einem Mosaik vergleichbar, zeichnet Basilius hier ein Bild von der Größe des Geistes, die sich in seinem Wirken manifestiert. Die Aussagen umfassen den ganzen Bereich der alt- und neutestamentlichen Taten und Wunder[387]. Der Schluß der Homilie, der noch einmal den Gedanken der universalen Gegenwart des Geistes aufgreift, weist darauf hin, daß solches Walten auch Gegenwart ist, für alle Christen erwartet und erbeten, also nicht nur bevorzugte »Zurüstung« der Urgemeinde[388]. Da der Schluß der Homilie den bisher behandelten Gedankengang noch einmal zusammenfaßt, sei er hier zitiert: »Dieser Geist ist im Himmel, erfüllt die Erde, ist überall zugegen, hat nirgends Schranken. Er wohnt ganz in jedem und ist ganz mit Gott. Nicht als Diener verteilt er die Gaben[389] (δωρεάς), sondern eigenmächtig spendet er die Charismen (χαρίσματα). ›Denn er teilt‹, wie Paulus sagt, ›jedem von sich aus zu, wie er will‹ (1 Kor. 12,12). Wohl wird er als Vermittler geschickt, aber er wirkt aus eigener Kraft. Laßt uns bitten, daß er in unseren Seelen wohne und uns zu keiner Zeit verlasse[390].«

Dieses letzte Zitat aus der Homilie »De fide« verweist uns durch den Bezug auf den ersten Korintherbrief auf eine Stelle, die Basilius zum Ausgangspunkt wählt, um das Wirken des Geistes in den Charismen in die Wirkeinheit von Vater und Sohn einzubeziehen. Es heißt dort im XVI. Kap. »De Spiritu Sancto«: »Wenn Gott die Wirkkräfte und der Sohn die Ämter austeilt, dann ist der Heilige Geist mitanwesend und bestimmt, der Würde jedes einzelnen entsprechend, in eigener Vollmacht die Verteilung der Charismen. Denn Paulus sagt: ›Es gibt Verschiedenheiten bei den Gnadengaben, aber es ist derselbe Geist; es gibt Verschiedenheiten bei den Ämtern, aber es ist derselbe Herr; es gibt Verschiedenheiten bei den wirkenden Kräften, aber es ist derselbe Gott, der alles in allen

[386] Hom. De fide 3 (PG 31,469 B — 472 A).

[387] Gregor von Nazianz, Or. 41,14 (PG 36,448 C) spannt diesen Bogen der Wirksamkeit in ähnlichen Beispielen von David und Amos über Daniel zu den Aposteln.

[388] Vgl. H. Dörries, De Spiritu Sancto, 100.

[389] Die Bekräftigung der Souveränität des Geistes und die Betonung, daß der, der sich senden läßt, nicht als Diener, sondern als Herr wirkt, weist in die Auseinandersetzung der Pneumatomachenkämpfe.

[390] Hom. De fide 3 (PG 31,472 A).

wirkt‹ (1 Kor. 12,4—6). ›Dies alles bewirkt ein und derselbe Geist, der einem jeden zuteilt, wie er will‹« (1 Kor. 12,11)[391]. Ohne auf die verschiedenen Ausdrücke »χαρίσματα, διακονίαι und ἐνεργήματα« einzugehen, interpretiert Basilius die Korintherstelle wie folgt: Wenn Paulus hier zuerst den Geist, dann den Sohn und an dritter Stelle Gott, den Vater, nennt, dann ist nicht anzunehmen, daß damit die Ordnung ganz umgekehrt worden sei. Denn Paulus geht von unserer Situation, von unserer Erfahrung aus. Wenn wir Gaben empfangen (und nun gebraucht Basilius keinen der drei genannten Begriffe, sondern »δῶρα«), begegnen wir zunächst dem, der sie verteilt, dann erkennen wir den, der sie gesandt hat und schließlich richten wir unsere Überlegung auf den Quellgrund der Güter[392]. Das ist auch an anderer Stelle die Überzeugung des Basilius, daß es überhaupt keine Gabe (δωρεά) gibt, die ohne den Heiligen Geist der Schöpfung zukommt[393]. Der Heilige Geist ist die der Schöpfung zugewandte Seite Gottes. Dennoch steht das Handeln des Geistes nicht als etwas Selbständiges neben dem Handeln des Kyrios und des Vaters. Es werden nicht einfach drei Wirkweisen nebeneinandergestellt und addiert[394], sondern es handelt sich um eine Einheit im Wirken. Die Stelle aus dem Korintherbrief ist für Basilius Ausdruck der Wirkformel »vom Vater — durch den Sohn — im Heiligen Geist«, der die Bewegung der Gotteserkenntnis »vom Geist — durch den Sohn — zum Vater« entspricht[395]. In ähnlicher Weise hatte auch Athanasius die Stelle 1 Kor. 12,4—6 verstanden und interpretiert[396].

In dem gleichen Kapitel XVI der Schrift »De Spiritu Sancto«, in dem Basilius im Anschluß an die Interpretation von 1 Kor. 12,4—6 die Gemeinschaft des Geistes mit dem Vater und dem Sohn im gesamten heilsgeschichtlichen Werk nachzuweisen versucht, sieht Basilius den Aufbau, die Struktur der Kirche als vom Geist gewirkt. Es heißt dort: »Wird die Ordnung der Kirche nicht offensichtlich und unwiderlegbar durch den Geist gewirkt? Denn er hat nach Paulus der Kirche erstens: Apostel, zweitens: Propheten, drittens: Lehrer, dann Wunderkräfte, Gaben der Heilung, des Beistands, der Leitung, der Zungenrede gegeben (1 Kor. 12,28). Dieser Aufbau ist nach der Verteilung der Gaben aus dem Geist geordnet[397].

[391] DSS XVI, 37 (374,20 — 376,27 Pruche).
[392] DSS XVI, 37 (376,29 ff. Pruche).
[393] DSS XXIV, 55 (450,27 Pruche).
[394] Vgl. I. Hermann, Kyrios und Pneuma, München 1961, 76.
[395] DSS XVIII, 47 (412,18 f. Pruche).
[396] Athanasius, Ad Serap. I, 30 (PG 26,600 B). Der Grundgedanke dieser Konzeption findet sich bereits bei Irenäus, vgl. Epid. 7 (SC 62,41 Froideveaux).
[397] DSS XVI, 39 (386,26 ff. Pruche).

Eine nähere Interpretation der einzelnen Gaben, bzw. wie die Charismen sich zueinander verhalten, ist hier nicht gegeben. Wir finden sie aber an anderen Stellen.
Eine sehr zentrale Aussage zur Auffassung der Charismen finden wir bei Basilius im 7. Kap. der Großen Regeln. Dies ist jenes Kapitel, in dem Basilius das koinobitische Leben theologisch begründet und gleichzeitig auf die Gefahr der Anachorese hinweist[398].

[398] Wenn hier auf die theologische Begründung des Koinobitentums verwiesen wird, dann ist zu beachten, daß Basilius nicht sofort im voll ausgebildeten Koinobion stand, sondern sein Weg führt von den Regulae morales (PG 31,692 D — 869 C) zum sog. Kleinen Asketikon (nur in der Übersetzung Rufins erhalten: PL 103,483 B — 554 B) zum Großen Asketikon (Reg. fus. tract. PG 31,905 A — 1052 C; Reg. brev. tract. PG 31,1052 C — 1305 B). Vgl. F. Laun, Die beiden Regeln des Basilius, ihre Echtheit und Entstehung, in: ZKG 44 (1925) 1—61; J. Gribomont, Histoire du texte des ascétiques de S. Basile (Louvain 1953). Ihm sollte die Auseinandersetzung zwischen Anachoretentum und Koinobitentum vorbehalten bleiben. Zwar hatte sich schon zu Beginn des 4. Jh. aus dem Anachorentum das gemeinsame klösterliche Leben im Koinobion — nicht im Sinn einer Revolution, sondern in fast selbstverständlicher Evolution entwickelt, vgl. S. Frank, Gehorsam und Freiheit im frühen Mönchtum, RQ 64, 1969, 237.
Pachomius, der um 320 in Tabennisi das erste christliche Kloster im eigentlichen Sinn gründete, beabsichtigte mit seiner Gründung, für die Anachoreten einen Raum zu schaffen, in dem sie Hilfe für ihr Mönchsleben fanden, vgl. H. Bacht, Antonius und Pachomius. Von der Anachorese zum Cönobitentum, in: Studia Anselmiana 38, 1956, 66—107.
Aber erst durch Basilius sollte das zönobitische Mönchtum den entscheidenden Förderer finden, der auch die Formkraft besaß, das Wesen des Koinobions theologisch zu begründen, vgl. P. Nagel, Die Motivierung der Askese in der alten Kirche und der Ursprung des Mönchtums, Berlin 1966, 106, vgl. auch K. Holl, Enthusiasmus und Bußgewalt beim griechischen Mönchtum, 162—166. Seine Auseinandersetzung führt Basilius vornehmlich in den Großen Regeln. In diesen Großen Regeln, die in den ersten Kapiteln einem streng logischen Aufbau folgen, werden zwei Prinzipien deutlich, die Basilius zum scharfen Kritiker des anachoretischen Ideals machen: das Doppelgebot der Liebe und die Überzeugung, daß der Mensch von Natur aus auf die anderen bezogen ist und nur so seiner eigentlichen Aufgabe gerecht werden kann. Basilius argumentiert schöpfungstheologisch: der Mensch ist nicht als μοναστικόν, als einzelnes Wesen geschaffen, sondern als κοινονικόν, als geselliges (Reg. fus. tract. 3,1 PG 31,917 A). Das Axiom Epiktets: Der Mensch sei kein einzelnes, wildes Wesen, sondern ein sanftes und geselliges, ist damit bei Basilius zur schöpfungstheologischen Aussage geworden, vgl. S. Frank, a.a.O. 241. Dieser Ansatz ermöglicht es ihm, sein Ideal des Koinobions vom Hauptgebot der Liebe her zu begründen. Der einzelne hat weder die Kraft noch die Möglichkeit, die Gebote zu erfüllen (Reg. fus. tract. 7,1, PG 31,929 B). Vor allem aber ist es ihm nicht möglich, das Hauptgebot der Liebe zu erfüllen, er ist in Gefahr, sich zu täuschen, weil er niemanden hat, der ihn auf Fehlhaltungen aufmerksam macht (Reg. fus. tract. 7,1 PG 31,929 B). — Es ist jedoch zu bemerken, daß Basilius bei seinen Ausführungen gegenüber der anachoretischen Lebensweise dieser Intention des Mönchtums nicht immer ganz gerecht geworden ist. Er spielt mögliche Fehl-

Von seinem schöpfungstheologischen Ansatz und dem zentralen Motiv des »σῶμα Χριστοῦ« in seiner Anwendung auf die Mönchsgemeinschaft entwickelt Basilius die Notwendigkeit der Gemeinschaft als Voraussetzung für den Empfang aller Charismen. Der Vielfalt der »Glieder des Leibes« korrespondiert die Vielfalt der Charismen. »Da einer allein nicht imstande ist, alle Charismen zu empfangen, sondern der Geist nach dem Maß des Glaubens, der in jedem ist, verliehen wird (Röm. 12,6), so wird im gemeinsamen Leben das einem jeden verliehene Charisma zum Gemeingut der Gemeinschaft. Denn dem einen wird das Wort der Weisheit verliehen, einem anderen das Wort der Erkenntnis, einem dritten Glaube, diesem Weissagung, jenem die Gabe zu heilen etc. (1 Kor. 12,8—10). Und was ein jeder besitzt, das hat er nicht so sehr seinet- als der übrigen wegen empfangen. Darum muß im gemeinsamen Leben die einem einzelnen verliehene Wirksamkeit des Heiligen Geistes zugleich auf alle übergehen. Wer aber abgesondert lebt, der macht das Charisma, das er vielleicht empfangen hat, durch den Nichtgebrauch unnütz, indem er es in sich vergräbt. Mit welcher Gefahr das aber verknüpft sei, wißt ihr alle, die ihr die Evangelien gelesen habt. In dem gemeinsamen Leben aber genießt (ἀπολαύει) jeder nicht nur seine eigene Gabe, indem er sie durch Mitteilung vervielfältigt, sondern er empfängt Nutzen (καρποῦται) auch aus den Gaben der anderen wie aus seinen eigenen[399].«

Durch die Einordnung dieser Stelle in den Traktat über das koinobitische Leben hat Basilius in entscheidender Weise gleichzeitig auch die Charismen interpretiert und zum Ausdruck gebracht, daß er den neutestamentlichen Begriff aufgreift und weiterführt. Das Charisma ist Manifestation und Konkretisierung der Charis[400]. Die Fülle der Wirksamkeit des Geistes überschreitet das menschliche Fassungsvermögen; der einzelne ist nicht imstande, alle Gaben zu empfangen, sondern nach dem Maß des Glaubens verleiht der Geist jedem seine besondere Gabe. Dabei ist zu beachten, daß das Charisma nicht nur »Individuation«[401] der Charis, der göttlichen Macht ist, sondern das Charisma weist gleichzeitig auch über den einzelnen hinaus, es hat wesentlich transitiven Charakter[402], insofern

entwicklungen und tatsächliche Mißstände in den Vordergrund, um für seine koinobitische Lebensweise durchschlagendere Argumente in die Hand zu bekommen, vgl. S. Frank, Gehorsam und Freiheit im frühen Mönchtum, 241.

399 Reg. fus. tract. 7,2 (PG 31,932 A).

400 Vgl. G. Hasenhüttl, Charisma, 120.

401 Ebd. 120.

402 Vgl. M. Lauterburg, Der Begriff des Charisma und seine Bedeutung für die praktische Theologie, Gütersloh 1898, 6.

es den einzelnen befähigt, die empfangene Gabe anderen zu vermitteln, so daß Basilius sagen kann, das, was jeder besitze, habe er nicht so sehr seinet- als der übrigen wegen empfangen. Das Charisma vermittelt die Befähigung zu einem bestimmten Dienst zum Aufbau der Gemeinde. Durch die Annahme der je eigenen »Geistbegabung« wird die Ordnung in der Kirche wie in der Gemeinschaft gewahrt[403]. Der Akzent der Aussage in dem Zitat aus den Großen Regeln 7,2 liegt nicht auf der Beschreibung des einzelnen Charismas, sondern auf dem transitiven Charakter der Gaben des Geistes. Jeder genießt (ἀπολαύει) nicht nur seine eigene Gabe, sondern er empfängt den Nutzen (oder die Frucht — καρποῦται) aus den Gaben der anderen wie aus seiner eigenen[404].

Eine wahrhaft charismatische Struktur der Gemeinschaft hat Basilius hier entwickelt. Er sieht diese Struktur aber nicht nur im Koinobion realisiert, sondern es ist die gleiche charismatische Struktur, die er auch für die Kirche als vom Geist gewirkt ansieht[405].

Die Frage, wie diese Gaben zu erwerben seien, mußte offensichtlich auch z. Z. des Basilius aufgetreten sein. Basilius beantwortete sie mit dem Hinweis, daß man eine Gabe Gottes nicht durch Geld oder irgendeinen anderen Kunstgriff erwerben könne und fügt das Beispiel des Simon aus der Apg. (8,18—23) hinzu[406]. Die Gemeinschaft der Glaubenden muß sich die Charismen schenken lassen, sie kann sie nicht nach ihren wirklichen oder vermeintlichen Bedürfnissen »hervorbringen«[407]. Andererseits spricht Basilius aber auch von der Notwendigkeit, die geschenkten Charismen mit Dankbarkeit anzunehmen und einzusetzen, da sie sonst ihre Wirksamkeit verlieren. Basilius sieht offenbar die Möglichkeit gegeben, daß die Gaben des Geistes in der Kirche zwar vorhanden, aber nicht »aktiviert« werden. Das Gleichnis von den Talenten (Mt. 25,14—17) illustriert sehr gut diese Gegebenheit[408].

Der charismatischen Struktur der Gemeinschaft entspricht es, daß Charismen zu den notwendigen Diensten befähigen, vor allem zu dem des προεστώς, des Vorstehers. Der Vorsteher muß vor allem die διάκρισις, die Gabe der Unterscheidung haben, die sich darin äußert, für jede Krankheit das passende Heilmittel zu finden. Er muß es verstehen, mit Sanftmut zu ermahnen und zurechtzuweisen,

403 Reg. mor. 60,1 (PG 31,793 AB); Reg. fus. tract. 303 (PG 31,1297 AB).
404 Reg. fus. tract. 7,2 (PG 31,932 B).
405 DSS XVI, 39 (386,26 ff. Pruche); Reg. mor. 60,1 (PG 31,793 AB).
406 Reg. mor. 58,1 (PG 31,788 D — 789 A).
407 Vgl. G. Hasenhüttl, Charisma, 122.
408 Reg. mor. 58,4 (PG 31,792 AB).

wachsam zu sein für das Gegenwärtige, vorsorglich für das Zukünftige, fähig, den Starken beizustehen, die Schwachen zu stützen[409]. Die Gabe der Unterscheidung ist vor allem dort notwendig, wenn über eine Streitfrage diskutiert werden muß. Sie ist erforderlich, wenn Gespräche zu führen sind. Basilius versteht es, mit praktischen Beispielen das Gemeinte zu erläutern. So wie niemand einem Unerfahrenen Werkzeug anvertraut, so argumentiert Basilius, so muß man auch die Gesprächsführung den Erfahrenen überlassen, denen, die fähig sind, Ort, Zeit und Art der Frage zu unterscheiden, damit sie durch einsichtsvolles und kluges Gegenfragen, sowie durch verständiges Zuhören sorgfältig darüber wachen, daß die Lösung der Fragen zur Erbauung der Gemeinschaft (οἰκοδομή τοῦ κοινοῦ) geschehe[410]. Bezeichnend ist auch der Hinweis, daß, wenn zwei Vorsteher sich um ein Amt streiten, der eine sich dem anderen unterordnen solle. Sind sie an geistigen Gaben gleich, so ist der Wetteifer um so schöner. Trifft es sich aber, daß der eine weniger, der andere mehr Gaben besitzt, so ist es angemessen, daß der Stärkere dem Schwächeren unter die Arme greift[411].

Mit dem Vorrecht des Charisma wird es auch begründet, daß nicht jeder Beliebige mit den Fremden, die ins Kloster kommen, ein Gespräch führen kann. Nicht jedem wurde die Gabe der Rede (χάρισμα τοῦ λόγου) verliehen, sondern nur wenigen wurde sie gegeben, da ja Paulus sagt: »Dem einen wird durch den Geist das Wort der Weisheit verliehen, dem anderen das Wort der Wissenschaft[412].« Deshalb solle der Dienst, mit den Gästen zu reden, nur denen anvertraut werden, denen die Gabe der Rede verliehen ist und die imstande sind, mit Einsicht zu reden und zu hören, was zur Erbauung des Glaubens förderlich ist[413]. Die Gabe der Rede vergleicht Basilius mit der Kunst, Krankheiten zu heilen. Bei der Heilung einer Krankheit wendet man sich nur an einen, der durch lange Erfahrung, Übung und Unterricht bei kundigen Männern sich selbst diese Kunst angeeignet hat. Deshalb darf sich zur »Heilung durch die Rede« nicht der erste Beste aufdrängen, da durch das kleinste Versehen der größte Schaden verursacht werden kann. Denn wie nicht einmal die Austeilung des Brotes dem ersten Besten überlassen wird, sondern nur dem, der für diesen Dienst bestellt ist, so soll auch die geistige Nahrung mit Auswahl und Umsicht von

[409] Reg. fus. tract. 43,2 (PG 31,1029 A).
[410] Reg. fus. tract. 49 (PG 31,1040 A).
[411] Reg. fus. tract. 35,3 (PG 31,1008 A).
[412] Reg. fus. tract. 32,2 (PG 31,996 D).
[413] Reg. fus. tract. 32,2 (PG 31,996 C).

einem Befähigten gespendet werden, dem die »Verwaltung des Wortes« (οἰκονομία λόγου) übertragen ist[414].
So ist nach der Auffassung des Basilius das Charisma Struktur der Gemeinschaft wie auch der ganzen Kirche[415]. Jeder hat in der Gemeinde seinen Platz, zugewiesen durch die Wirksamkeit des Geistes, die sich im Charisma des einzelnen konkretisiert. Jedem wurde »nach dem Maß des Glaubens« zugeteilt, wie der Geist es will[416]. Basilius fordert die Christen auf, mit Gelassenheit und Dankbarkeit bei der jedem verliehenen Gabe zu verharren in der Liebe Christi miteinander übereinstimmend wie Glieder am Leib[417]. Nicht allen ist alles erlaubt, so ermahnt Basilius, sondern jeder bleibe bei seinem Beruf und verwalte das vom Herrn Anvertraute[418]. »Wer lehre, bleibe bei der Lehre, und wer ermahnt, bei der Ermahnung[419].« In diesem Kapitel geht Basilius offenbar von der Voraussetzung aus, daß allen Gliedern der Gemeinschaft die Gabe der Unterscheidung gegeben ist, da er sie auffordert: »Prüfet alles, was gut ist, behaltet« (1 Thess. 5,20—22)[420].
Überschaut man die Auffassung des Basilius von den Charismen, so ist festzustellen, daß Basilius einerseits ausgeht vom paulinischen Charisma-Begriff, daß er sich bis in die Formulierungen hinein von den zentralen Texten des Neuen Testamentes leiten läßt. Andererseits ist aber eine Souveränität in der Komposition der in der Schrift bezeugten Großtaten des Geistes festzustellen. Basilius beschreibt oft nicht nur das Wirken des Geistes in den Charismen der frühchristlichen Gemeinde, sondern er spannt den Bogen dieser Wirkmächtigkeit des Geistes von den Gestalten des Alten Testamentes, den Propheten, Gesetzgebern, Priestern, Königen und Gerechten über die Apostel und Evangelisten bis hin zu den Christen seiner Gemeinde. Ja, zuweilen sieht er in einer einzigen Persönlichkeit die ganze Spannweite der alt- und neutestamentlichen Taten und Wunder vergegenwärtigt. So etwa in seinem geliebten Lehrer Gregorios Thaumaturgos. Wohin sollen wir diesen Mann stellen? — so fragt Basilius — etwa nicht zu den Aposteln und Propheten[421]? Er hatte durch den Beistand des Geistes eine

414 Reg. fus. tract. 45,2 (PG 31,1033 BC). Offensichtlich geht B. hier von der Voraussetzung aus, daß das Charisma einerseits Gabe v. Gott ist, andererseits aber die Fähigkeit des Menschen aktiviert und insofern entfaltungs- und bildungsfähig ist.
415 Vgl. DSS XVI, 39 (386,26 ff. Pruche); Reg. fus. tract. 7,2 (PG 31,932 AB).
416 Reg. brev. tract. 303 (PG 31,1897 A).
417 Reg. mor. 60,1 (PG 31,793 AB).
418 Reg. brev. tract. 303 (PG 31,1297 A).
419 Ebd. 303 (PG 31,1297 A).
420 Ebd. 303 (PG 31,1297 CD).
421 DSS XXIX, 74 (510,1 Pruche).

ungeheure Macht gegen die Dämonen, andererseits empfing er eine große Gabe des Wortes (χάρις τοῦ λόγου)[422]. Die Wunder (θαύματα) dieses Mannes offenbaren das Übermaß der in ihm vom Geist gewirkten Gnadengaben, so daß er selbst von den Gegnern der Kirche als zweiter Moses bezeichnet wurde[423].
Charisma ist für Basilius gegenwärtige Wirklichkeit, ist Konkretisierung der Charis in jedem einzelnen. An keiner der angeführten Stellen, in denen Basilius von den Charismen spricht, wird erwähnt, daß die Charismen ausschließlich Privileg der Urkirche sind, die er für die Gegenwart als definitiv erloschen ansehen müßte[424]. Im Gegenteil, Basilius fordert seine Mönche auf, zur dritten Stunde zur Erinnerung an die Verleihung des Geistes zum Gebet zusammenzukommen. Aber es geht nicht nur um die »Memoria« dieser Großtat, sondern es ist gleichzeitig Bitte um die Wirksamkeit des Geistes in der Gegenwart[425]. Zwar ist das enthusiastische Element bei Basilius gedämpft, und von außerordentlichen Wirkungen spricht er nur selten oder nur dort, wo er Schriftstellen zitiert. Basilius ist überzeugt davon, daß der Heilige Geist die Macht zu wunderbaren Zeichen und Kräften verleiht, aber nicht diese sind Kennzeichen der Jünger, sondern: »Daran werden alle erkennen, daß ihr meine Jünger seid, wenn ihr Liebe zueinander habt[426].« Mit dem Begriff Charisma verbindet sich bei Basilius offensichtlich nicht so sehr die Befähigung zu wunderhaftem Auftreten und Wirken. Basilius spricht z. B. oft von der »Gabe der Rede« und er beruft sich dabei auch auf 1 Kor. 12,8 und 1 Kor. 14,23[427], entfaltet dann aber nicht die Bedeutung der Glossolalie, sondern die Fähigkeit, mit Einsicht zu reden, zuzuhören und zur Erbauung des Glaubens im echten Sinn ein Gespräch zu führen[428]. Basilius denkt bei den »Fähigkeiten, die der Geist verleiht, in erster Linie an

[422] DSS XXIX, 74 (510,11 Pruche).
[423] DSS XXIX, 74 (512,18 ff. Pruche).
[424] Man vgl. dagegen das Ergebnis, das A. M. Ritter bei Chrysostomus feststellt: »So gesehen sind die Charismen eine Größe der Vergangenheit, sind sie, wie Chrysostomus noch in einer seiner letzten Predigtreihen, den Homilien zum 2. Thessalonicherbrief bündig erklärt, »längst erloschen« (in ep. II ad Thess., V, 472, Field). Und er weiß auch Gründe dafür geltend zu machen, weshalb es einstmals Charismen gab, jetzt aber nicht mehr. Dies liege darin begründet, daß die wunderhaft wirkenden Charismen die notwendige Ergänzung und Bekräftigung der apostolischen Missionspredigt bildeten, vgl. A. M. Ritter, Charisma im Verständnis des Johannes Chrysostomus und seiner Zeit, Göttingen 1972, 26.
[425] Reg. fus. tract. 37,3 (PG 31,1013 B).
[426] Reg. fus. tract. 3,1 (PG 31,917 B).
[427] Reg. fus. tract. 32,2 (PG 31,996 D); Reg. fus. tract. 45,2 (PG 31,1033 A).
[428] Reg. fus. tract. 32,2 (PG 31,996 D). Zum Charisma der Prophetie vgl. oben 62—77.

sittliche Kräfte und an Gaben, die zur Förderung der Gesamtheit dienen«[429]. Damit ist aber in keiner Weise eine Abschwächung der Wirksamkeit des Geistes gemeint, ganz im Gegenteil. Die enthusiastischen Phänomene treten in den Schriften des Basilius zurück, aber die Überzeugung, daß der Geist in jedem wirksam ist, auch im alltäglichen Leben der Christen, tritt um so stärker hervor. Der Heilige Geist ist jenes belebende Prinzip in der Kirche, das sich im Charisma jedes einzelnen konkretisiert. »Jedem einzelnen gewährt er sich ganz, ganz ist er überall ...[430].« Ohne Maß schenkt er sich, doch seine Wirksamkeit nach dem »Maß des Glaubens« austeilend[431].

Die Charismen sind ungeschuldete Gaben, daher eignet ihnen — auch vom sprachlichen Zusammenhang her — der Geschenk-Charakter und damit die durch das Geschenk verursachte Freude. Ursprung dieser Gaben ist allein der Geist Gottes, der jedem zuteilt wie er will (1 Kor. 12,11 — DSS XVI, 37) und nicht die naturhafte Veranlagung und die Fähigkeiten des Menschen. Diese Gaben sind nicht wie »Kaufbares« zu »erwerben«[432], sondern werden aus der unverfügbaren Freiheit des Geistes zugeteilt. Von seinem schöpfungstheologischen Ansatz her entwickelt Basilius die Notwendigkeit der Gemeinschaft als Voraussetzung für den Empfang aller Gaben des Geistes, denn der einzelne ist nicht fähig, die ganze Fülle des Geistes zu erfassen. Entsprechend den Gliedern eines Leibes, die sich gegenseitig ergänzen, werden die einzelnen durch die Charismen befähigt zu den verschiedensten Diensten in der Kirche. Das Charisma ist Struktur der Gemeinde und der Heilige Geist erweist sich als Grundkraft der Ordnung in der Kirche.

5. *Das Wirken des Heiligen Geistes in der Heiligung*

a) Kurze Skizzierung der Heiligung der Engel — naturhafte Heiligkeit des Geistes und »erworbene« Heiligkeit der Engel

»Wenn zwei Dinge genannt werden, nämlich Gottheit und Schöpfung, Herrschaft und Dienstbarkeit, eine Kraft, die heiligt, und eine Kraft, die geheiligt wird, eine Kraft, welche die Tugend von Natur hat, und eine solche, die sie erst durch Vorsatz erlangt, welchem Teil werden wir den Heiligen Geist zuordnen? Denjenigen, welche geheiligt werden? Allein er ist selbst die Heiligung

[429] K. Holl, Enthusiasmus und Bußgewalt, 166.
[430] DSS IX, 22 (326,33 Pruche).
[431] DSS IX, 22 (326,31 f. Pruche).
[432] Reg. mor. 58,1 (PG 31,788 D).

(αὐτό ἐστιν ἁγιασμός)[433], und er ist die ›Quelle der Heiligung‹ (πηγὴ ἁγιασμοῦ)[434].«
Hatten wir schon in den voraufgehenden Kapiteln festgestellt, daß sowohl das schöpferische wie auch das prophetische Wirken des Heiligen Geistes dem Aufweis seiner Göttlichkeit diente, so wird in dem eben angeführten Zitat aus der Schrift »Adv. Eunomium« zutiefst sichtbar, welchem Anliegen bei Basilius auch der Aufweis der seinshaften Heiligkeit des Geistes dient: der Abwehr der Geschöpflichkeit des Geistes und der Bekräftigung seiner »θεότης«, die in besonderer Weise im Heiligungswirken des Geistes ihren Ausdruck findet[435].
Versuchen wir zunächst zu erfassen, wie Basilius in der Bestimmung der naturhaften Heiligkeit des Geistes, die allein »Quelle der Heiligung« des Menschen sein kann, vorgeht. Ausgangspunkt ist für Basilius die Alternative: Gottheit oder Geschöpf. Zur Gottheit gehören nach Basilius die heiligende Kraft und der Besitz der Tugend von Natur aus. So führt er gegen Eunomius den Nachweis, daß der Heilige Geist nicht dritter[436] und anderer Natur sei als der Vater und der Sohn vor allem damit, daß er die von Natur aus dem Heiligen Geist zukommende Heiligkeit hervorhebt[437]. Basilius entfaltet die naturhafte Heiligkeit des Geistes im Vergleich zur »erworbenen« Heiligkeit der Engel. Die Engel haben den ἁγιασμός durch Aufmerksamkeit und Eifer[438]; sie sind somit nicht von Natur heilig. Indem sie nach dem Guten (καλόν) streben, nach der Analogie ihrer Liebe (ἀγάπη) zu Gott, empfangen sie auch das Maß der Heiligkeit (μέτρον τῆς ἁγιωσύνης)[439]. Wie im Feuer liegendes

[433] Adv. Eun. III, 2 (PG 29,660 A).
[434] Adv. Eun. III, 2 (PG 29,660 C).
[435] Vgl. J. Verhees, Die Bedeutung der Transzendenz des Pneuma bei Basilius, in: Ostkirchliche Studien 25 (1976) 285—302; für diesen hier genannten Aspekt S. 299 f.
[436] Zur Diskussion um die Stelle »Adv. Eun.«, III, 1 (PG 29,656 A), daß der Geist der Würde nach die Stelle »nach« dem Sohn einnehme und daß diese τάξις sich »ἴσως« = vielleicht auf die Überlieferung stützen könne, vgl. die ausführliche Behandlung bei M. A. Orphanos, Ὁ Υἱός καὶ τὸ ἅγιον Πνεῦμα εἰς τὴν τριαδολογίαν τοῦ Μ. Βασιλείου, Athen 1976, 147 f. Diese Stelle war Gegenstand ernster Verhandlungen zwischen Okzidentalen und Orientalen, vgl. M. van Parys, Quelques remarques à propos d' un texte controversé de Saint Basile au concile de Florence, in: Irenikon, 40 (1967) 6—16; O. Bardenhewer, Geschichte der altkirchlichen Literatur, III, 161; A. Kranich, Der hl. Basilius in seiner Stellung zum »Filioque«, Braunsberg, 1882; F. Nager, Die Trinitätslehre des hl. Basilius d. Großen, Paderborn 1912, 85—89; H. Dörries, De Spiritu Sancto, 11 A 1.
[437] Vgl. A. Heising, Der Heilige Geist und die Heiligung der Engel, 284 f.
[438] Adv. Eun. III, 2 (PG 29,660 B).
[439] Adv. Eun. III, 2 (PG 29,660 B).

Eisen zwar Eisen bleibt, aber ganz die Natur des Feuers in sich aufnimmt, so haben die Engel in der κοινωνία mit dem von Natur Heiligen den ἁγιασμός, die Heiligung, die ihr ganzes Wesen durchdrungen und sich mit demselben vereinigt hat[440]. Der Unterschied aber zwischen ihnen und dem Heiligen Geist liegt darin, daß dieser die ἁγιωσύνη von Natur aus besitzt, während die Engel erst durch Teilhabe (μετουσία) am Heiligen Geist geheiligt werden. Da die Engel das ἀγαθόν von außen bekommen, sind sie veränderlicher Natur, was der Fall Luzifers beweist. Die Aussagen über die Engel werden dann auf die Geschöpfe im allgemeinen übertragen und es wird wiederholt: Die Geschöpfe erhalten den ἁγιασμός als Kampfpreis für ihren Fortschritt und nach dem Wohlgefallen Gottes. Ihr freier Wille erlaubt es ihnen, sich nach beiden Seiten zu neigen und zwischen Gut und Böse zu wählen. Der Heilige Geist hingegen ist »Quelle der Heiligung« (πηγὴ ἁγιασμοῦ)[441]. Er ist kein Geschöpf, sondern heilig wie der Vater und der Sohn, weshalb er auch »heilig« als auserwählte und eigentümliche Bezeichnung hat[442].
In dieser eben dargelegten Bestimmung der naturhaften Heiligkeit des Geistes im Gegensatz zur »erworbenen« Heiligkeit der Geschöpfe war neben der Übertragung von anthropozentrischen Aussagen über den Heiligungsvollzug vom Menschen auf die Engel, der Einfluß der Kosmologie des Origenes nicht zu übersehen. Origenes, der in »De principiis« im gleichen Kontext der Wahlfreiheit der Engel die naturhafte Heiligkeit des Geistes hervorhebt, sagt: »Es gibt also keine Natur, die nicht das Gute wie das Böse aufnehmen könnte, außer der Natur Gottes, die der Quell alles Guten ist... Ebenso läßt die Natur des Heiligen Geistes wegen ihrer Heiligkeit keine Befleckung zu; denn sie ist ihrer Natur und ihrem Wesen nach heilig. Wenn eine andere Natur heilig ist, dann hat sie ihre Heiligkeit von der Annahme der Inspiration durch den Heiligen Geist, nicht aus ihrem eigenen Wesen, sondern als ein Hinzukommendes, das darum auch wieder wegfallen kann[443].« Origenes entfaltet diesen Gedanken im weiteren Verlauf noch im Hinblick auf die Gerechtigkeit und Weisheit, die wir auch als hinzukommende und wieder wegfallende Eigenschaften haben können, wenngleich es in unserer Hand liegt, durch Eifer und Lebensführung

[440] Adv. Eun. III, 2 (PG 29,660 B).
[441] Vgl. Origenes, In Rom. IV, 9 und X, 11 (PG 14,997 A und 1268 C); Basilius, Ep. 105 (II, 7,25 Courtonne) das Stichwort »πηγὴ ἁγιότητος«, das auf das Symbol des Gregorios Thaumaturgos verweist. Zur Textüberlieferung πηγὴ ἁγία, bzw. ἁγιότης vgl. H. Dehnhard, Das Problem der Abhängigkeit des Basilius von Plotin, 21 ff.
[442] Adv. Eun. III, 2 (PG 29,660 C).
[443] De princ. I 8,3 (100,10 ff. Görgemanns-Karpp).

so weise zu werden, daß wir auch dauernd an der Weisheit teilhaben[444]; aber durch diese Beispiele ist der völlig andere Charakter der Heiligkeit des Geistes deutlich hervorgehoben.
Hatte Basilius so von Origenes her kommend die naturhafte Heiligkeit des Geistes aus dem Vergleich mit der durch Teilhabe erworbenen Heiligkeit der Engel gewonnen, so entwickelt er auch die vom Geist ausgehende »Heiligung« als Vollendung dieser überkosmischen Mächte. Es ist bereits oben darauf hingewiesen worden, daß Basilius in »De Spiritu Sancto« XVI, jenem Kapitel, in dem die Engelheiligung am ausführlichsten entfaltet ist, von einem Vorverständnis der ἰσάγγελος-Idee ausgeht[445].
An drei Texten aus »Adv. Eun.« III, 2, der Homilie zu Psalm 32 und »De Spiritu Sancto« XVI soll nun die Engelheiligung kurz skizziert werden. In »Adv. Eun.« hatte Basilius das Streben der Engel nach dem Guten, welches das Maß ihrer Heiligkeit bestimmt, durch das Feuer-Eisen-Bild erläutert. »Wie das Eisen, wenn es mitten im Feuer liegt, zwar nicht aufhört, Eisen zu sein, aber durch die innigste Verbindung mit dem Feuer feurig gemacht wird, die ganze Natur des Feuers in sich aufnimmt und sowohl der Farbe als auch der Wirkung nach in das Feuer übergeht; ebenso haben auch die Engel in der κοινωνία mit dem von Natur Heiligen den ἁγιασμός, der ihr ganzes Wesen durchdrungen und sich ganz mit demselben vereinigt hat[446].« Basilius gebraucht hier ein bekanntes Beispiel, da es auch bei Origenes und Plotin zu finden ist, doch wird es hier in »Adv. Eun.« erstmalig auf die Heiligung der Engel angewandt[447].
In der Homilie zu Psalm 32 sind die Ausführungen über die Heiligung der Engel im wesentlichen nach »Adv. Eun.« III geformt, aber mit der Exegese von Psalm 32,6 kombiniert. Das Neue gegenüber »Adv. Eun.« III liegt darin, daß das Heiligungswirken des Geistes in direkte Verbindung zum Schöpfungswirken des Sohnes gebracht wird. Der Heilige Geist in seinem Heiligen wird dabei dem Sohn in seiner schöpferischen Tätigkeit koordiniert. So kann Basilius formulieren: »Den Eintritt in das Sein hat den Engeln das erschaffende Wort, der Schöpfer aller Dinge gewährt, die Heiligung

[444] De princ. I 8,3 (100,25 Görgemanns-Karpp).
[445] Vgl. die oben (52) entwickelte Bedeutung der »vita angelica« für das Mönchtum, vgl. S. Frank, Angelikos bios, 97 ff.
[446] Adv. Eun. III, 2 (PG 29,660 B).
[447] Origenes appliziert das Feuer-Eisen-Bild auf die Seele Christi, De princ. II 6,6 (145,18 Görgemanns-Karpp). In der kleinen Schrift »De Spiritu« wird das Feuer-Wärme-Bild (Plotins) auf die Teilhabe der Geheiligten (Menschen wie Engel) am Heiligen Geist bezogen (PG 29,772 B), vgl. A. Heising, Der Heilige Geist und die Heiligung der Engel, 287 A 133.

(ἁγιασμός) aber hat ihnen der Heilige Geist verliehen. Denn die Engel sind nicht als Unmündige erschaffen, die sodann durch allmähliche Übung vervollkommnet, somit für den Empfang des Geistes würdig geworden sind, sondern sie erhielten bei ihrer ersten Gestaltung gleichsam durch Vermischung mit ihrer Substanz die Heiligkeit. Daher sind sie auch nur schwer umstimmbar zum Bösen, da sie sogleich mit der Heiligkeit wie durch Eintauchen gestählt wurden und die Beständigkeit in der Tugend durch die Gabe des Geistes empfingen[448].« Basilius hat hier das in »Adv. Eun.« III entwickelte Eigenwirken der Engel korrigiert und den Vorgang der Heiligung durch das Bild vom Kneten — Vermischen[449] ergänzt. In der Exegese von Psalm 32,6 deutet er die Hilfe des Heiligen Geistes als »Stärke, Festigkeit und Beständigkeit in der Heiligkeit und Tugend«[450] und führt das Heiligungsaxiom ein: »Nichts wird geheiligt, außer durch die Gegenwart des Heiligen Geistes[451].«

Die volle Entfaltung der Engelheiligungslehre bietet »De Spiritu Sancto« XVI, 38. Auf den »Sitz im Leben« dieses Kapitels wurde oben bereits hingewiesen, hier sei deshalb nur der Aspekt der Heiligung hervorgehoben. Von der Analogie her, dem Schluß von der Erschaffung des Sichtbaren auf die des Unsichtbaren, gestützt auf Kol. 1,16, erschließt Basilius den Zugang zu seiner Heiligungs-Theologie, die er mit der Schöpfungs-Theologie verbindet. Nachdem Basilius bei der Erschaffung der Engel den Vater als die ursprüngliche Ursache (προκαταρκτικὴ αἰτία), den Sohn als die erschaffende (δημιουργική) und den Geist als die vollendende (τελειωτική) Ursache bestimmt hat[452], muß er dieses Wirkschema vor einem Mißverständnis bewahren: »Niemand möge glauben, daß ich sage, es gebe drei uranfängliche Wesenheiten, oder daß ich die Unvollkommenheit des Wirkens des Sohnes behaupte. Denn der einzige Urgrund des Seienden erschafft durch den Sohn und vollendet im Geist[453].« Die biblische Begründung für diese Folgerung ist für Basilius Psalm 32,6, die nach Ablehnung profaner Deutung auf den Sohn und den Geist bezogen wird: »Du erkennst aus der Psalm-Stelle ein Dreifaches: den Herrn, der ordnet, das Wort, das schafft, und den Geist, der festmacht. Was ist aber das Festmachen (στερέωσις) anderes als die Vollendung in der Heiligung, wobei das Fest-

[448] Hom. in Psalm. 32,4 (PG 29,333 B).
[449] Zugrunde liegt wohl das Bild vom Kneten des Mehlteiges.
[450] Hom. in Psalm. 32,4 (PG 29,333 B).
[451] Hom. in Psalm. 32,4 (PG 29,333 C).
[452] DSS XVI, 38 (378,14 ff. Pruche).
[453] DSS XVI, 38 (378,21 ff. Pruche).

machen das Unnachgiebige, das Unerschütterliche, das Festgegründete im Guten bedeutet[454]?«

Erfährt die durch den Heiligen Geist bewirkte τελείωσις in ihrer Verbindung mit dem Schöpfungswirken des Sohnes und dem Urwirken des Vaters in Psalm 32,6 die biblische Fundierung, so nimmt auch die volle Entfaltung der Engelheiligung von dort ihren Ausgang[455]. Interessant ist, wie Basilius hier früher Gesagtes aufgreift und modifiziert. Die Vollendung in der Heiligung ist das Festgegründetsein im Guten. Die Engel bewahren ihre Würde im Beharren auf dem Guten, wobei sie sich frei entscheiden, aber nie das Sich-Ausstrecken nach dem wahrhaft Guten aufgeben[456].

Was aber ist dieses wahrhaft Gute, nach dem sich die Engel unaufhörlich ausstrecken und wozu sie der Heilige Geist wiederum befähigt und befestigt? Basilius gibt an verschiedenen Stellen Auskunft. In der Homilie zu Psalm 1 heißt es: »Das wahrhaft Gute also ist es, was eigentlich und zuerst selig gepriesen werden muß. Dieses aber ist Gott ... Denn wahrhaft selig ist das an sich selbst Gute, auf das alles schaut, nachdem sich alles sehnt ... der sprudelnde Quell, die überschwengliche Gnade[457].« In der Homilie zu Psalm 44 weist Basilius darauf hin, daß geliebt (ἀγαπητόν) und gut (ἀγαθόν) dem Wesen nach dasselbe sei, weshalb schon einige die Bestimmung aufgestellt haben, gut sei das, wonach alle verlangen[458]. Den ausführlichsten Text über das Gute, nach dem alle verlangen, finden wir in dem 2. Kapitel der Großen Regeln. In diesem Kapitel behandelt Basilius das Thema der Gottesliebe. Diese Liebe zu Gott ist sogleich bei der Schöpfung des lebendigen Wesens, des Menschen, als Keim der Vernunft eingepflanzt, die vom Ursprung an das Verlangen in sich hat, sich die Liebe anzueignen[459]. Für die Entfaltung ist Eifer (σπουδή) notwendig[460]. Daß die ursprüngliche

[454] DSS XVI, 38 (380,37 ff. Pruche).
Die Hinführung zum Thema der Engelheiligung hängt bei B. ab von einem kleinen Abschnitt aus Origenes, De princ. I 3,7 (59,5 ff. Görgemanns-Karpp), vgl. die Gegenüberstellung der Themen bei A. Heising, Der Heilige Geist und die Heiligung der Engel, 295, A 164.

[455] Vgl. A. Heising, ebd. 297.

[456] DSS XVI, 38 (382,55 ff. Pruche).

[457] Hom. in Psalm. 1,3 (PG 29,216 B). Dehnhard ist der ἀγαθόν-Definition bei B. nachgegangen und stellt fest, daß die Art, wie an zwei dieser Stellen die Definition des Guten eingeführt wird, an die Nikomachische Ethik des Aristoteles erinnert. Hier in der Exegese von Ps. 1 ist noch wichtiger eine Parallele bei Eusebius in seiner Auslegung von Ps. 1,1 (PG 23,76 C), vgl. H. Dehnhard a.a.O. 71.

[458] Hom. in Psalm. 44,2 (PG 29,392 A).

[459] Reg. fus. tract. 2,1 (PG 31,908 C).

[460] Reg. fus. tract. 2,1 (PG 31,908 C).

Fähigkeit zur Gottesliebe zugleich bei der Schöpfung in uns hineingelegt ist, kann jeder daran erkennen, daß alle von Natur aus nach dem Schönen und Guten verlangen. Die Sehnsucht der Seele nach der göttlichen Schönheit und Herrlichkeit flößt Gott der von allem Bösen gereinigten Seele ein. Die Folge ist, daß der Mensch von einem unersättlichen Verlangen erfüllt wird, die göttliche Schönheit zu schauen[461]. »So sehnen sich also die Menschen von Natur aus nach dem Schönen. Das wirklich Schöne und Liebenswerte aber ist das Gute (τὸ ἀγαθόν). Gut aber ist Gott, und nach dem Guten strebt alles; also strebt alles nach Gott[462].«

Von dieser Stelle aus wird verständlich, warum Basilius das Sich-Ausstrecken nach dem Guten mittels der ἰσάγγελος-Idee auf die Engel überträgt. Das Streben nach dem Guten, das das Maß ihrer Heiligkeit bestimmt, ist das Verlangen nach Gott, ist die Liebe (ἀγάπη) zu Gott. Die Engel, die ja nicht durch allmähliches Fortschreiten die Vollkommenheit erlangen, sind gleich von der Schöpfung an vollendet, weil der Heilige Geist ihnen zur Vollendung und Erfülltheit ihres Wesens seine Gnade mit hineinsenkt[463].

Überschaut man nun die Aussagen bei Basilius, so ist festzustellen, daß die seinshafte Heiligkeit des Geistes zunächst Ausdruck der Zugehörigkeit zu Gott ist. Der Heilige Geist gehört nicht zur Schöpfung, sondern er ist »ἅγιος« wie der Vater und der Sohn[464]. In ihm aber manifestiert sich Gottes »Heiligsein« in der Weise, daß er sich als der Heiligende erweist. »Im« Geist wendet sich Gott als der Heilige und Transzendente der Schöpfung zu, um sie zur Teilhabe an der Heiligkeit zu rufen. Der Heilige Geist hat den ἁγιασμός nicht als »accidens«, sondern ihm eignet die Heiligkeit von Natur aus. Deshalb wendet sich an ihn alles, was nach Heiligung strebt und alles, was nach der Tugend lebt. Er ist »Ursprung« (ἁγιασμοῦ γένεσις)[465] und »Quelle der Heiligung«[466]. Wie vom Feuer die Wärme und vom Licht das Leuchten nicht getrennt werden können, so können auch vom Geist das Heiligen (ἁγιάζειν), das Lebendig-

[461] Reg. fus. tract. 2,1 (PG 31,912 A).

[462] Reg. fus. tract. 2,1 (PG 31,912 A). Eine letzte Stelle, die das Gute mit der Anschauung Gottes verbindet, sei hier noch angefügt: Für die Zukunft verspricht er uns noch weit größere Wohltaten: »die Wonne des Paradieses, die Herrlichkeit im Himmel, engelgleiche Ehren, die Anschauung Gottes, das größte Gut für die, die deren gewürdigt werden, wonach jedes vernünftige Wesen sich sehnt und das wir nach der Reinigung von den Begierden des Fleisches erlangen möchten«, Hom. in Martyrem Julittam 7 (PG 31,256 A).

[463] DSS XVI, 38 (384,100 f. Pruche).

[464] Adv. Eun. III, 2 (PG 29,660 C); DSS XIX, 48 (416,14 Pruche).

[465] DSS IX, 22 (324,20 f. Pruche).

[466] Adv. Eun. III, 2 (PG 29,660 C).

machen, die Güte und Gerechtigkeit nicht getrennt werden[467]. Hat der Heilige Geist den ἁγιασμός von Natur aus, so ist für die Geschöpfe Heiligung nur möglich durch Teilhabe am Heiligen Geist. Der Geist kann nur deshalb von der Knechtschaft befreien, weil er selbst die innigste Vertrautheit mit Gott besitzt. So kann Basilius sagen: »Frei zu sein von der Knechtschaft, Gottes Sohn genannt zu werden und vom Tod wieder zum Leben erweckt worden zu sein, das kann von keinem anderen als dem gesagt werden, der durch seine Natur die innigste Vertrautheit mit Gott besitzt... Wie kann ein Fremder mit Gott vertraut machen? Oder wie kann jemand befreien, der selbst unter dem Joch der Knechtschaft steht[468]?« Basilius arbeitet hier — wie bereits oben vermerkt — mit der Argumentation: Wenn der Geist vergöttlicht, dann muß er selbst »Gott« sein[469], obwohl Basilius »θεός« nicht ausdrücklich gebraucht. Hatte Basilius den Heiligkeitsbegriff des Geistes in Abhebung von der Heiligkeit der Engel gewonnen, so ergibt sich nun die Notwendigkeit, die Heiligung des Menschen darzustellen, da diese sich im Unterschied zur Engelheiligung in einem fortschreitenden Prozeß vollzieht.

b) Heiligung des Menschen

Aus dem Stellenwert, den die Heiligung der Engel in der Pneumatologie des Basilius einnimmt, ist noch zu erahnen, welche Bedeutung das Streben nach dem βίος ἀγγελικός im Mönchtum des 4. Jahrhunderts hatte. Nach der Anschauung des Basilius war Adam im Paradies in der Herrschaft den Engeln gleich und Tischgenosse der Erzengel[470]. Der gefallene Mensch soll nun durch Fortschreiten in der Tugend zur ἀξία der Engel wieder erhöht werden[471], denn der vollkommene Mensch ist der zur Stellung der Engel erhobene[472]. Für unseren Zusammenhang heißt das, die Heiligung der Engel mußte für das Mönchtum von großem Interesse sein, da das Streben nach der vita angelica auch das Verlangen, an der Heiligkeit der Engel zu partizipieren, umfaßte.

[467] Hom. De fide 3 (PG 31,469 A).

[468] DSS XIII, 29 (348,13 ff. Pruche).

[469] Vgl. B. Pruche, Sur le Saint-Esprit, 350 A 1; vgl. die Untersuchung von J. M. Hornus, La divinité du Saint-Esprit comme condition du salut personnel selon Basile, in: Verbum caro 23 (1969) 32—62; J. Verhees, Die Bedeutung der Transzendenz des Pneuma bei Basilius, in: Ostkirchl. Studien 25 (1976) 285—302.

[470] Hom. Quod Deus non est auctor malum 7 (PG 31,344 CD).

[471] Ebd. 7 (PG 31,348 D).

[472] Hom. in Hexaem. IX, 6 (519 Giet).

Hier mußte nun Basilius einen grundlegenden Unterschied zwischen der Heiligung der Engel und der Vollendung der menschlichen Natur einführen. Denn die Engel sind bereits bei ihrer Erschaffung vollendet und im Guten »befestigt« worden, wie Basilius es ausdrückt[473]. Der Mensch aber gelangt zu dieser Vollendung erst durch einen fortschreitenden Prozeß, in dem der Heilige Geist sich als prägende, formende und führende Kraft erweist.

(1) Der soteriologische Prozeß der Umformung durch den Geist: εἰκών und ὁμοίωσις

Für Basilius ist der Mensch in seinem vorfindlichen Sein ein unvollkommenes Wesen. Er bedarf des göttlichen Geistes, dessen Spezifikum es ist, die Geschöpfe zu »vollenden« und entsprechend dieser τελείωσις dem Menschen zu helfen, die in ihm angelegten Fähigkeiten zu entfalten und zu dem seiner Natur gemäßen τέλος zu führen[474]. Der Mensch, den logos spermatikos in sich tragend, nach dem Bild des Schöpfers geschaffen, ist gerufen, zur ursprünglichen Schönheit wieder zurückzukehren. Da er unfähig ist, in sich selbst das »königliche Bild«[475] wiederherzustellen, kommt Gott ihm entgegen und zeigt ihm »im« Geist den »Archetyp«, die »Form«, zu der der Prozeß der Vollendung führen soll[476].

Um das Wirken des Geistes in diesem soteriologischen Prozeß näherhin bestimmen zu können, müßte zunächst der Eikon-Begriff bei Basilius untersucht werden. Der Mensch, und nur er allein[477], ist geschaffen nach dem »Bild und Gleichnis Gottes«. Ausgangspunkt der theologischen Anthropologie ist Gen. 1,26 f. in der LXX-Übersetzung, in der sich die beiden Termini »εἰκών« und »ὁμοίωσις« finden. »Laßt uns den Menschen machen nach unserem Bild — κατ᾽ εἰκόνα — uns ähnlich — καὶ καθ᾽ ὁμοίωσιν«; und Gott schuf den Menschen; nach dem Bild Gottes schuf er ihn. Diese beiden hier nicht näher entfalteten Begriffe werden zur Bestimmung der theologischen Anthropologie in der Weise benutzt, daß εἰκών die naturgemäße Anlage, die der Mensch in der Schöpfung empfangen hat, charakterisiert, während ὁμοίωσις dem Ziel der menschlichen Berufung zugeordnet wird[478] und infolgedessen eine zunächst im Menschen keimhaft und wurzelhaft vorhandene Seinsweise kennzeichnet, die aber in sich die Fähigkeit zu Entwicklung und Fortschritt

473 DSS XVI, 38 (382,55 Pruche).
474 Vgl. W. D. Hauschild, Gottes Geist und der Mensch, 286.
475 DSS IX, 23 (327,7 Pruche).
476 DSS, IX, 23 (328,11 Pruche).
477 Hom. in Psalm. 48,8 (PG 29,449 B).
478 DSS I, 2 (252,11 Pruche).

enthält[479]. Ὁμοίωσις charakterisiert somit die Vollendung, die in gleicher Weise Ergebnis des menschlichen Suchens wie auch der neuschaffenden Kraft des Geistes ist.

In der Homilie zu Psalm 48 entwickelt Basilius diese Würde des Menschen, die in seiner Ebenbildlichkeit mit dem Schöpfer (κατ' εἰκόνα τοῦ κτίσαντος)[480] begründet ist. Der Mensch steht über der Schöpfung, ist mehr geehrt als der Himmel, mehr als die Sonne und mehr als die Sterne, denn nur er allein trägt das Ebenbild des Schöpfers[481]. Zwar steht er der Würde nach etwas unter den Engeln, aber er hat die Fähigkeit, den Schöpfer zu denken und zu erkennen, d. h. die Ebenbildlichkeit des Menschen besteht gerade darin, daß er Gott erkennen kann. Begründet wird diese Fähigkeit des Menschen mit der aus Gen. 2,7 gewonnenen Einsicht, daß Gott dem Menschen einen Teil seiner Gnade (χάρις) verlieh, damit er das Gleiche durch Gleiches erkenne[482].

Dieses antike Theorem der Erkenntnis des Gleichen durch Gleiches läßt erkennen, daß hinter dem bei Basilius biblisch begründeten Bildbegriff die antike Eikonologie steht. Um die daraus gewonnene und bei Basilius mit der Pneumatologie verbundene Soteriologie einordnen zu können, ist es notwendig, die antike Eikonologie in kurzen Zügen zu skizzieren.

Am Anfang der religionsphilosophischen Spekulation über den Bildbegriff stehen zwei antike Theoreme: nämlich die Lehre von der Erkenntnis des Gleichen durch Gleiches in der Anthropologie und die Lehre von der Gottebenbildlichkeit bzw. der Gottähnlichwerdung des Menschen in der Soteriologie[483]. Beide verhalten sich zueinander wie Korrelate und vertreten gemeinsam die entscheidende These, daß nur im Menschen Gott erkannt und das »Urbild« manifestiert und realisiert werden kann[484]. Im Menschen gelangen die Gottähnlichkeit wie das Gottschauen zum Austrag; denn sein νοῦς bzw. seine ψυχή stehen zu Gott wesenhaft in einem realen

[479] Zur Diskussion um die Identität bzw. Differenzierung beider Begriffe vgl. M. A. Orphanos, Creation and Salvation according to St. Basil of Caesarea, Athen 1975, 80—84; St. Giet, Homélies sur l' Hexaéméron, 520 A 3. Zum Gebrauch dieser Termini bei Gregor von Nyssa vgl. H. Merki, Ὁμοίωσις Θεῷ, Von der platonischen Angleichung an Gott zur Gottähnlichkeit bei Gregor von Nyssa, Freiburg i. d. Schweiz 1952, 143—146.

[480] Hom. in Psalm. 48,8 (PG 29,449 B).

[481] Ebd. PG 29,449 C.

[482] Ebd. PG 29,449 C.

[483] Vgl. P. Gerlitz, Der mystische Bildbegriff in der frühchristlichen Geistesgeschichte, in: ZRGG 15 (1963) 244 f.

[484] Vgl. H. v. Campenhausen, Die Bilderfrage als theologisches Problem, in: Das Gottesbild im Abendland, Witten und Berlin 1957, 90.

Verwandtschaftsverhältnis[485]. Dieses Verwandtschaftsverhältnis ist durch die beiden Begriffe ὁμοίωσις (Ähnlichkeit) und μετοχή (Teilhabe) gekennzeichnet[486]. Indem ὁμοίωσις und μετοχή eine wesenhafte Teilhabe am göttlichen Urbild, an der höchsten Idee, bedeuten, wird der Mensch, der von diesem gotterfüllten Sein bestimmt ist, zum Gott-Träger[487]. Als solcher vermag er von seiner Ähnlichkeit mit Gott schauend zu den ewigen Urbildern emporzusteigen. »Der menschliche Geist oder die Seele, also der homo interior, ist demnach als der Mittler zwischen Gott und Mensch diejenige Instanz, in der sich die Vergöttlichung des Menschen realisiert[488].«

Der erste, der mit dem Teilhabebegriff arbeitet und der Urbild-Abbild-Spekulation eine Art soteriologische Funktion innerhalb seiner Anthropologie gibt, ist Plato. Für ihn ist die eben bestimmte Struktur des Seinsverhältnisses nur denkbar auf Grund seiner kosmologischen Struktur, da gerade im kosmologischen Bereich das Gesetz von der Erkenntnis des Gleichen durch Gleiches gilt. Bei Plato ist jedwede Bildlichkeit als Teilnahme (μέθεξις) verstanden, insofern in jedem Urbild das Abbild ἐν δυνάμει, in Potenz, mitenthalten ist. Denn erst dadurch, daß etwas Bild wird, bezeugt es Wirklichkeit[489]. Dieser philosophische Begriff der Teilhabe wird nun zum Ausgangspunkt für eine soteriologische Interpretation in nachplatonischer und frühchristlicher Zeit. Es wird sich im Verlauf dieses Kapitels zeigen, wie Basilius aus allen philosophischen Schulen seiner Zeit Inhalte übernimmt, sie aber gleichzeitig souverän umprägt und das vorgegebene philosophische Ideal mit Hilfe theologischer Kategorien neu aussagt. Bevor wir auf die Begründung der Gottebenbildlichkeit bei Basilius zurückgehen, sei noch kurz auf Philo und Plotin verwiesen, da sich die Beziehung zu Plotin gerade in dem für diesen Sachverhalt wichtigen IX. Kap. in »De Spiritu Sancto« ergibt.

Philo von Alexandrien, der erstmals unter Berufung auf den LXX-Text Gen. 1,26 f. die Charakterisierung des Menschen als »κατ'

[485] Vgl. P. Gerlitz, Der mystische Bildbegriff, 245.

[486] Plato, Parmenides 132 d (Opera Plat., Burnet, Oxonii, 1905); vgl. die gründliche Studie von F. Normann, Teilhabe — ein Schlüsselwort der Vätertheologie, Münster 1978.

[487] Vgl. P. Gerlitz, Der mystische Bildbegriff, 245.

[488] P. Gerlitz, ebd. 245; vgl. Plotin, Enn. V, 1,10 (Ia, 234,56 Harder); Origenes, Comment. in Cant. Canticorum II (GCS 33,141,17—142,1 ff. Baehrens).

[489] P. Gerlitz, Der myst. Bildbegriff, 247. Bild ist nicht nur als im Bewußtsein vorhandene Größe zu verstehen, sondern es hat teil an der Wirklichkeit selbst. So bedeutet εἰκών nicht nur eine Abschwächung, gleichsam eine schlechte Nachbildung einer Sache, sondern das Inerscheinungtreten geradezu des Kerns, des Wesens einer Sache, vgl. J. B. Schoemann, Eikon in den Schriften des Athanasius, in: Scholastik XVI (1941) 339.

εἰκόνα« einführt[490], nimmt in gewisser Weise bereits Plotin vorweg und behauptet als Ergebnis seiner Genesisexegese, Gott habe bei der Schöpfung dem Menschen mit der Seele zugleich einen Teil seiner selbst verliehen. Gott bildete sich im Menschen unmittelbar ab, als er ihn schuf. Das dadurch gegebene Verwandtschaftsverhältnis ist wegen der Sündhaftigkeit und Unvollkommenheit des Menschen getrübt; aber deshalb geht es Philo um die Rückgewinnung der alten »Position des Urstandes«, d. h. um die Verähnlichung mit Gott[491].

Aber letztlich war es erst Plotin, der es verstand, religionsphilosophische Kategorien zu entwickeln, indem er geradezu zu einem »θεὸς γενέσθαι«, einem »Gott-werden« aufrief und damit die Möglichkeit zur Gottwerdung in den Menschen selbst hinein verlegte[492]. Plotin ist es auch, der ganz eindeutig die Seele als Trägerin der εἰκών τοῦ θεοῦ erklärt und sie als wesenhaft, von der Gottheit dem Menschen mitgegebene Anlage deutet, kraft derer sich der Mensch nach dem ewigen Urbild sehnen kann[493]. Das Zurückfinden der Seele zu ihrem göttlichen Ursprung ist nur darum möglich, weil beide — Seele wie Gott — miteinander verwandt sind[494]. Der Grundsatz von der Erkenntnis des Gleichen durch Gleiches wird von Plotin ausdrücklich betont und findet in diesem Verwandtschaftsverhältnis seine Bestätigung[495].

Kehren wir nun zu Basilius zurück. Basilius übernimmt, wie dieser kurze Exkurs deutlich werden ließ, Aspekte der philosophischen Eikonologie, grenzt sich aber gegen die philosophische Tradition ab, indem er spezifisch biblische Kategorien in die εἰκών-Spekulation einführt. Der Mensch wurde »κατ᾽ εἰκόνα κτίσαντος«[496], nach dem Bild des Schöpfers geschaffen und darin ist das schöpfungsmäßig gesetzte Verhältnis zwischen Gott und Mensch als ein reales Bild- und Verwandtschaftsverhältnis begründet.

Der Mensch aber hat diese seine in der Ebenbildlichkeit begründete Würde vergessen und unterließ es, dem Schöpfer ähnlich zu werden[497]. Vielmehr wurde er ein Sklave der πάθη, der Leidenschaften und den unvernünftigen Tieren ähnlich[498]. Er hat das »Bild des Himmlischen« abgelegt und das »Bild des Irdischen« angenom-

490 Philo von Alexandrien, De opif. mundi 69 (I, 23 Cohn-Wendland).
491 De opif. mundi 144 (I, 50 Cohn-Wendland).
492 Plotin, Enn. I, 2,6 (Ia, 344,28 Harder); II, 9,9 (IIIa 131,50 Harder).
493 Plotin, Enn. VI, 9,11 (Ia 202,73 Harder); P. Gerlitz, Der mystische Bildbegriff, 248 f.
494 Plotin, Enn. V, 8,10 (IIIa, 60,40 Harder).
495 Plotin, Enn. I, 4,9 (Va, 26,25 ff. Harder).
496 Basilius, Hom. in Psalm. 48,8 (PG 29,449 B).
497 Hom. in Psalm. 48,8 (PG 29,449 C).
498 Ebd. PG 29,449 D. Basilius wählt auch hier den Ausdruck »ὁμοιοῦσθαι«.

men[499]. Aber damit er nicht in der Sünde bleibe, kommt Gott ihm entgegen und zeigt ihm das wahre »Bild«, Christus, seinen Sohn. Hier vollzieht sich nun die zweite Korrektur der antiken Eikonologie, die Basilius und mit ihm die Väter im Anschluß an Kol. 1,15 und Hebr. 1,3 vornahmen. Nach Kol. 1,15 ist Christus eine εἰκὼν τοῦ θεοῦ τοῦ ἀοράτου — Bild des unsichtbaren Gottes und nach Hebr. 1,3 ἀπαύγασμα τῆς δόξης — Abglanz der Herrlichkeit. An diesem Logos stellte man ein Doppeltes fest: Als Christus ist er zweifellos die Gottheit selbst, obschon ein δεύτερος gegenüber Gott, ist er doch mit den höchsten Prädikaten ausgezeichnet wie εἰκὼν ἀγαθότης — Bild der Güte, ἀπαύγασμα τῆς δόξης — Abglanz der Herrlichkeit, wie auch ἔσοπτρον τῆς ἐνεργείας — Spiegel der Wirksamkeit[500]. Aber indem diese Gottheit sich im irdischen Raum darzustellen beginnt, heißt sie der Mensch Jesus von Nazareth[501]. »Von der christlichen Theologie wird also das, was bisher als eine mystische Fusion von Subjekt und Objekt gegolten hatte, aus dem antiken Zusammenhang herausgelöst und an dem neu gewonnenen Bild des ewigen, aber Mensch gewordenen Logos umgebildet[502].« Basilius hat seine Urbild-Abbild-Theorie ebenso wie die alexandrinische Christologie im Anschluß an Hebr. 1,3 und Kol. 1,15 entwickelt und ihr damit eine biblische Grundlage gegeben[503], sie aber gleichzeitig in entscheidender Weise umgeprägt bzw. weitergeführt. Bei Basilius übernimmt nun die Pneumatologie die Rolle der antiken Eikonologie, d. h. die Erkenntnis des Urbildes wird vermittelt durch die Erleuchtung des Heiligen Geistes. In Ep. 226 an seine Mönche finden wir den Inhalt der Eikonlehre in einem einzigen Satz zusammengefaßt: »Unser vom Geist erleuchteter Sinn blickt auf zum Sohn und schaut in ihm wie in einem Bild den Vater[504].« In »Adv. Eun.« hat die Eikonlehre im Anschluß an Hebr. 1,3 und Kol. 1,15 die Gestalt, daß im Abdruck das Gepräge des Prägenden erblickt wird; durch das Bild wird man zum Urbild geführt[505]. In »De Spiritu Sancto« IX schließlich wird dieser Gedanke vollends entfaltet. »Wie die Sonne sich eines gereinigten Auges bemächtigt, wird er dir in sich das Bild des Unsichtbaren zeigen. In der seligen Schau dieses Bildes wird dem Blick die unaussprechliche Schönheit des Urbildes zuteil[506].«

[499] Hom. in Psalm. 48,8 (PG 29,452 A).
[500] Origenes, Comment. in Joan. XIII, 25 (GCS 10,249 Preuschen).
[501] Vgl. Clemens von Alexandrien, Strom. V, 16,1 (GCS 52,336 Stählin-Früchtel).
[502] P. Gerlitz, Der mystische Bildbegriff, 250.
[503] Hom. in Hexaem. IX, 6 (518 Giet); Adv. Eun. I, 18 (PG 29,552 C).
[504] Ep. 226,3 (III, 27 Courtonne).
[505] Adv. Eun. I, 17 (PG 29,552 B); Adv. Eun. II, 16 (PG 29,605 A).
[506] DSS IX, 23 (328,11 f. Pruche).

Damit wird nun auch die Funktion des Heiligen Geistes im soteriologischen Prozeß klar: Indem der Geist in sich das Bild des unsichtbaren Gottes zeigt, führt er durch die Schau des Bildes zum Urbild hinauf[507]. Wurde bisher gesagt: Durch das Bild (Christus) gewinnt man die Erkenntnis des Urbildes[508], so wird dies jetzt erweitert: Wie im Sohn der Vater, so wird im Geist der Sohn gesehen[509]. Darin kommt zum Ausdruck, daß Basilius den Bildbegriff auch auf den Heiligen Geist übertragen hat. Der Geist ist nicht nur erleuchtende, die Gotteserkenntnis vermittelnde Kraft, sondern Eikon des Logos, wie der Logos Eikon des Vaters ist[510]. Wir finden diese Übertragung des Eikonbegriffes bereits im Symbol des Gregorios Thaumaturgos[511], vor allem aber bei Athanasius[512]. Dem Schriftwort Röm. 8,29 »Die er vorher erwählt hat, hat er auch zur Gleichheit mit dem Bild des Sohnes vorausbestimmt«, entnimmt Athanasius, daß der Geist Bild des Sohnes heißt und ist[513]. Vom Literalsinn der Stelle her liegt zu dieser Interpretation eigentlich keine Berechtigung vor[514]. Wir finden die gleiche Tendenz der Aussage, ebenfalls verknüpft mit Röm. 8,29, bei Ps.-Basilius in Adv. Eun. V. Eikon Gottes ist Christus, der, wie die Schrift sagt, Bild des unsichtbaren Gottes ist; Eikon des Sohnes aber ist der Geist, und die, die an ihm Anteil haben, werden gleichförmige Söhne, wie geschrieben steht: »Die er vorher erwählt hat, die hat er auch bestimmt, dem Bild seines Sohnes gleichgestaltet zu werden, damit er der Erstgeborene unter vielen Brüdern sei[515].« Das Gefälle der Aussage ist bei Athanasius wie auch bei Ps.-Basilius deutlich zu erkennen: Da der Sohn kein Geschöpf ist, kann auch dessen Bild kein Geschöpf sein, denn wie das Bild, so muß auch der sein, dessen Bild er ist[516]. So kann Ps.-Basilius daraus die Folgerung ziehen: Er ist also kein Geschöpf des Herrn, sondern sein Bild. Er ist εἰκὼν ἀληθής, ein wahrhaftes Bild, und als solches wird er von der Ebenbildlichkeit des Menschen abgesetzt. Er, der ein Bild darstellt, wird selbst von keinem

[507] DSS IX, 23 (328,10 f. Pruche).
[508] Adv. Eun. I, 17 (PG 29,552 B).
[509] DSS XXVI, 64 (476,2 Pruche).
[510] Vgl. H. Dehnhard, Das Problem der Abhängigkeit des Basilius von Plotin, 45.
[511] Vgl. A. Hahn, Bibliothek der Symbole und Glaubensregeln der alten Kirche, Hildesheim ³1962, 253 f.
[512] Athanasius, Ad Serap. I, 20 (PG 26,577 B); I, 24 (PG 26,588 B); I, 26 (PG 26,592 B); vgl. J. B. Schoemann, Eikon in den Schriften des Athanasius, in: Scholastik XVI (1941) 348 f.
[513] Vgl. A. Laminski, Der Heilige Geist als Geist Christi und Geist der Gläubigen, 75.
[514] Vgl. A. Laminski, ebd. 75.
[515] Adv. Eun. (Ps. — Basilius) V (PG 29,724 C).
[516] Athanasius, Ad Serap. I, 24 (PG 26,588 B).

Bild dargestellt, und er, der χρίσμα ist, wird selbst nicht gesalbt. Der Geist, der in uns die Ebenbildlichkeit erneuert, kann selbst kein Geschöpf sein, sondern er ist Abbild (χαρακτήρ) der Heiligkeit Gottes und Quelle der Heiligung[517].

Bei Basilius findet sich kein Hinweis, daß er den Eikonbegriff in dieser Weise mit Röm. 8,29 verbindet, sondern für ihn ist charakteristisch, daß er das Lichtmotiv mit dem Bildbegriff verknüpft. Mittels des Korrelationsprinzips zeigt Basilius auf, daß, wie im Sohn der Vater, so der Sohn im Geist gesehen wird; bzw. wie wir von einer Anbetung im Sohn als dem Bild des Vaters sprechen, so können wir auch in gleicher Weise von einer Anbetung im Geist als dem, der in sich die Gottheit des Herrn zeigt, sprechen[518]. Der Geist ist also Eikon des Logos insofern, als er den Sohn offenbart.

In der Tatsache, daß der Heilige Geist als »Bild des Sohnes« bezeichnet wird, ist eine fundamentale Grundgegebenheit jeglicher Pneumatologie erkennbar. Der Heilige Geist ist in der Trinität die einzige Person, die ihr Abbild nicht in einer anderen Person hat, d. h. er bleibt als Person ungeoffenbart, er verhüllt sich und verbirgt sich selbst in seiner Erscheinung, wie Lossky es formuliert[519]. Der Geist kommt als »Geist Christi«[520]; er kommt nicht in seinem eigenen Namen, sondern im Namen des Sohnes, so wie der Sohn im Namen des Vaters gekommen ist[521]. Ist die Anwendung des Bildbegriffes auf den Heiligen Geist bereits ein bekannter Topos, wie dieser Exkurs deutlich werden ließ, so ist aber doch die subjektive Aneignung der Erlösung mittels der Eikonlehre bei Basilius in einzigartiger Weise akzentuiert. Basilius hat mit der Aufnahme der Eikon-Spekulation zwar weitgehend auch philosophische Kategorien aufgenommen, aber es ist dennoch verfehlt zu sagen, daß die Begriffe ὁμοίωσις θεῷ, bzw. θεὸν γενέσθαι nichts anderes seien als das mystische Ziel Plotins[522]. Auch hier ist die Souveränität, mit der Basilius vorgegebene philosophische Begriffe aufgreift und der Theologie dienstbar macht, nicht auszuschalten. Die »Vergöttlichung« des Menschen ist bei Basilius nicht an eine augenblickshafte mystische Erfahrung gebunden wie bei Plotin[523], sondern sie ist zutiefst eingebunden in die Kirche und die in ihr durch den

[517] Adv. Eun. (Ps. — Basilius) V (PG 29,725 CD).
[518] DSS XXVI, 64 (476,2 ff. Pruche).
[519] Vgl. V. Lossky, Die mystische Theologie der morgenländischen Kirche, 203.
[520] DSS XVIII, 47 (410,10 Pruche).
[521] Vgl. V. Lossky, Die mystische Theologie der morgenländischen Kirche, 202.
[522] Vgl. P. Gerlitz, Außerchristliche Einflüsse auf die Entwicklung des christlichen Trinitätsdogmas, Leiden 1963, 169.
[523] Vgl. P. Petit, Émerveillement, prière et Esprit chez Saint Basile le Grand, in: Collectanea Cisterciensia 35 (1973) 227 f.

Geist vermittelte sakramentale Umgestaltung, in der das »Ein-für-alle-mal« Jesu Christi gegeben ist.

(2) Beginn der Umformung durch den Geist: Taufe und Katharsis

Taufe

Für den heutigen Betrachter bedarf es einiger Besinnung, um zu verstehen, welche Bedeutung die Taufe in frühchristlicher Zeit im Bewußtsein der Gläubigen hatte. In dem Bekenntnis, das Basilius einst für seine Mönche schrieb, in »De fide«[524], richtete sich sein Augenmerk auf die Charismen, auf das Enthüllen der Geheimnisse, das Ausrüsten mit der Kraft zum Guten. Aber indem Basilius sich auf die eigenen Erfahrungen besann, wurde ihm bewußt, »daß die ›Versiegelung‹, seine Taufe, es war, die ihm die erste Begegnung mit dem Heiligen Geist gebracht hatte«[525]. Für Basilius fielen Taufe und »Bekehrung« zum asketischen Leben zusammen. Die Taufe ist in seinem Leben die große Zäsur, durch die das eigentliche Leben erst beginnt. Vergegenwärtigt man sich diese zentrale Bedeutung der Taufe im Leben des Basilius, dann wird es verständlich, daß die Taufe mit ihrem trinitarischen Bekenntnis zum Ansatz seines theologischen Denkens und zur Mitte seiner Pneumatologie werden konnte. H. Dörries hat mehrfach auf den Taufbefehl als »theologischen Einsatz« im Denken des Basilius hingewiesen[526]. Durch die zentrale Bedeutung der Taufe für die basilianische Pneumatologie und die dadurch gegebene Bindung an die Gesamtkirche, wird verhindert, diese Theologie als reine »Mönchstheologie« anzusehen[527]. Hier werden die neuen asketischen Erfahrungen mit Hilfe der von Clemens und Origenes herkommenden Traditionen (Tauftheologie und Ethik, Erleuchtung und Heiligung) artikuliert und zu einer großartigen Synthese verbunden, »auf der Basis einer christlichen Paideia-Konzeption, aus dem Interesse an der geistigen und sittlichen Erhebung des Menschen«[528].

[524] De fide 4 (PG 31,685 B).
[525] Vgl. H. Dörries, De Spiritu Sancto, 149.
[526] Ebd. 132 ff.
[527] Vgl. W. D. Hauschild, Gottes Geist und der Mensch, 285.
[528] Ebd. 286; vgl. auch K. Holl, Amphilochius von Ikonium in seinem Verhältnis zu den großen Kappadoziern, 123. Zur Bedeutung der Taufe im Verständnis des Gregor v. Nazianz vgl. das Kap. Der Glaube und die Sakramente, in: H. Althaus, Die Heilslehre des hl. Gregor von Nazianz, Münster, 1972, 152 ff.

Die Taufe ist die sakramentale Gestalt der Umformung durch den Geist, in der die Elemente, »Reinigung«, »Erleuchtung« und »Vollendung«, die für den ethischen Umformungsprozeß von Bedeutung sind, bereits alle enthalten sind.

In der Taufe vollzieht sich demgemäß zunächst die Trennung vom Bösen, die Reinigung von der Sünde. Auf dem Hintergrund der typologischen Interpretation des Alten Testaments sieht Basilius die Taufe im Auszug aus Ägypten, konkret im Durchzug durch das Rote Meer vorgebildet[529]. Basilius beruft sich auf 1 Kor. 10,4 und folgert daraus: »Wäre Israel nicht durch das Meer gegangen, so wäre es vom Pharao nicht losgekommen. Auch du wirst nicht von der grausamen Herrschaft des Teufels befreit werden, wenn du nicht durch das Wasser gehst[530].« Offenbar erweckte das Hinabsteigen in das Taufbecken und das Heraussteigen auf der anderen Seite, wobei ein Täufling dem anderen folgte, in den Christen den Eindruck eines Durchzugs durch das Wasser[531]. Es ist also keine singuläre Erscheinung, daß Basilius von 1 Kor. 10 herkommend die typologische Interpretation des Alten Testamentes so konkret auf die Taufe anwendet. Das Meer ist Typos der Taufe, indem es vom Pharao trennt, wie auch das Bad der Taufe von der Tyrannei des Teufels trennt[532]. »Das Meer verschüttete damals in sich den Feind, jetzt stirbt unsere Feindschaft gegen Gott. Das Volk entkam ihm unversehrt, auch wir steigen aus dem Wasser, wie Lebende von Toten, empor, gerettet durch die Gnade dessen, der uns gerufen hat. Die Wolke aber ist ein Schatten der Gabe des Geistes, der die Flamme der Leidenschaften durch körperliche Abtötung abkühlt[533].«

War das Meer Bild für die Trennung von den Leidenschaften, so ist es das Wasser für das Abwaschen der Sünde. Denn die Sünden sind Schmutz, der Geist aber ist Licht, der durch die beim Nichtbekehrten vorhandene förmliche Schmutzschicht nicht durchdringen kann[534]. Die Taufe ist demgegenüber Reinigung von dem Schmutz, der ihr durch die Gesinnung des Fleisches zugefügt wurde[535]. Sie ist jene Wasserflut, in der die Seele, von der Sünde

[529] Hom. in s. Bapt. 2 (PG 31,428 B); vgl. F. J. Dölger, Der Durchzug durch das Rote Meer als Sinnbild der christlichen Taufe, in: Antike und Christentum II, 63—69; ders., Der Durchzug durch den Jordan als Sinnbild der christlichen Taufe, in: Antike und Christentum II, 70—79.

[530] Hom. in s. Bapt. 2 (PG 31,428 B).

[531] Vgl. F. J. Dölger, Der Durchzug durch das Rote Meer als Sinnbild der christlichen Taufe, 63.

[532] DSS XIV, 31 (358,42 Pruche).

[533] DSS XIV, 31 (358,48 Pruche).

[534] Vgl. Clemens v. Alexandrien, Paed. I, 28,1 (GCS 12,106,22 Staehlin).

[535] DSS XV, 35 (366,34 Pruche).

abgewaschen und vom »alten Menschen« gereinigt, fähig wird, Wohnung Gottes, Tempel des Heiligen Geistes zu werden[536]. »In der Seele, die durch die Flut glänzt, wohnt Gott und macht sie gleichsam zu seinem Thron«, so formuliert Basilius[537].

Im Kontext dieser Symbolik wird es für Basilius verständlich, warum das Wasser dem Geist verbunden wurde, denn in der Taufe liegt dieser zweifache Sinn: den der Sünde verfallenen Leib zu verlassen (Röm. 6,6), damit er nicht mehr dem Tod Frucht bringt (Röm. 7,5) und statt dessen dem Geist gemäß zu leben, um in Heiligkeit Frucht zu bringen[538]. So ist das Wasser Bild des Todes, das den Körper wie ein Grab aufnimmt, der Geist hingegen gibt seine lebendigmachende Kraft hinzu, indem er unsere Seelen vom Tod der Sünde zu einem neuen Leben führt[539]. »Das nun ist das Geborenwerden von oben, nämlich aus dem Wasser und dem Geist: daß sich das Sterben im Wasser vollendet, daß aber unser Leben gewirkt wird durch den Geist[540].«

Wie für die Israeliten der Durchzug durch das Meer Einzug in das Land der Verheißung war, so ist für den Christen die Taufe der Weg zum neuen Leben[541]. In immer neuen Variationen weiß Basilius die typologische Interpretation des Alten Testamentes in ihren einzelnen Zügen auf die Taufe anzuwenden. Für die Israeliten bezeugte die Beschneidung die Zugehörigkeit zum Volk Gottes. Der Christ ist gekennzeichnet durch eine Beschneidung, die nicht von menschlicher Hand vollzogen wird, sondern sich »im Ausziehen des Fleisches« realisiert[542]. Die Blutzeichen an den Türen der Israeliten, die vor dem tötenden Engel beschützten, sind zu vergleichen mit jenem Zeichen, das Basilius an einer Stelle »Licht des Antlitzes des Herrn«[543] nennt, das die Verwandtschaft, die οἰκειότης nachweist. »Wie soll der Engel sich deiner annehmen? Wie soll er dich dem Feind entreißen, wenn er das Siegel nicht wahrnimmt? Wie willst du sagen: Ich gehöre Gott an, wenn du nicht die Kennzeichen an dir trägst? Oder weißt du nicht, daß der Würgengel an den gezeichneten Häusern vorüberging, in den nichtbezeichneten aber die Erstgeburt tötete (Ex. 12,23)? Ein unversiegelter Schatz fällt

[536] Hom. in Psalm. 28,8 (PG 29,304 C).
[537] Ebd. PG 29,304 C.
[538] DSS XV, 35 (368,49 Pruche).
[539] DSS XV, 35 (368,50 ff. Pruche).
[540] DSS XV, 35 (368,53 ff. Pruche).
[541] Hom. in s. Bapt. 2 (PG 31,428 C).
[542] Hom. in s. Bapt. 2 (PG 31,428 A); DSS XV, 35 (366,31 Pruche).
[543] »τὸ φῶς τοῦ προσώπου Κυρίου«, Hom. in s. Bapt. 4 (PG 31,432 C).

leicht Dieben in die Hände; ein ungezeichnetes Schaf fängt man ohne Gefahr[544].«
Es ist offensichtlich, daß Basilius hier auf die altchristliche Taufbezeichnung »σφραγίς« zurückgreift[545] und entsprechend dieser Vorstellung der »Versiegelung« die Taufe als »Neu-« bzw. als »Umprägung« versteht. Der Mensch, der nach dem Bild Gottes geschaffen ist[546], ist gerufen, die ursprüngliche Gestalt des »königlichen Bildes«[547] wiederherzustellen. In der Taufe geschieht diese »Wiedergeburt«, die »neue Schöpfung«, in welcher der Mensch erneuert wird nach dem Bild des Schöpfers[548]. Eine Wiederherstellung des »Bildes Gottes« wird geschenkt und eine innere Transformation gibt neues Leben[549]. Christus, in dem wir nach Hebr. 1,3 den Abglanz der Herrlichkeit Gottes schauen, ist Bild des Vaters, dessen »Ebenbild« und »gleichförmiges Siegel«[550]. Nach Adv. Eun. I, 17 wird im Anschluß an Hebr. 1,3 und Kol. 1,15 im Abdruck das Gepräge des Prägenden erblickt[551]. War Christus der Prägestempel, das Siegel, so lag es durchaus nahe, zu sagen, die in der Taufe nach ihm geformte Seele sei gesiegelt mit dem Logos und dem Heiligen Geist, wobei nach Basilius Christus als das Siegel und der Heilige Geist als das Medium, in dem versiegelt wird, anzusehen ist, so daß Basilius die Taufe auch kurz »σφραγίς τοῦ Πνεύματος« nennen konnte[552]. Das ist die Struktur, die sich bei Basilius in der Eikonlehre durchgängig ergibt und wie er sie in »De Spiritu Sancto« zusammenfaßt: »Also schauen wir angemessen und folgerichtig den Abglanz der Herrlichkeit Gottes durch die Erleuchtung des Geistes; durch das Ebenbild aber werden wir zur Herrlichkeit dessen emporgeführt, dessen Ebenbild und gleichförmiges Siegel Christus ist[553].«

[544] Hom. in s. Bapt. 4 (PG 31,432 C); vgl. M. A. Orphanos, Creation and Salvation according to St. Basil of Caesarea, Athen 1975, 112—122. Für die Geläufigkeit dieser typologischen Verwendung sei verwiesen auf Gregor von Nazianz, bei dem es heißt: »Dieses Siegel schirmt für das Jenseits so gut wie einst beim Auszug aus Ägypten das Blut an den Türpfosten die israelitische Erstgeburt schützte, und auch für das gegenwärtige Leben ist es Schutz, ist ja auch das gezeichnete Schaf vor den Nachstellungen des Diebes mehr gesichert als das Schaf ohne Marke, Or. 40,15 (PG 36,377 AB).
[545] Vgl. F. J. Dölger, Sphragis als altchristliche Taufbezeichnung, in: Studien zur Geschichte und Kultur des Altertums, Paderborn 1911, 70 ff.
[546] Vgl. Hom. in Psalm. 48,8 (PG 29,449 B).
[547] DSS IX, 28 (328,7 Pruche).
[548] DSS XIV, 32 (360,23 Pruche).
[549] Vgl. M. A. Orphanos, a.a.O. 114.
[550] DSS XXVI, 64 (476,22 Pruche).
[551] Adv. Eun. I, 17 (PG 29, 552 B).
[552] Hom. in s. Bapt. 6 (PG 31,437 A).
[553] DSS XXVI, 64 (476,22 Pruche).

Die Taufe, die »Anfang des neuen Lebens«, »Wiedergeburt«, »Reinigung« und »Umformung« ist, ist aber auch »Erleuchtung« und schenkt die »Gabe der Gotteserkenntnis«[554]. Lauteres, himmlisches Licht leuchtet in den Seelen auf, die sich der Taufe nahen[555]. Wie der Körper nicht leben kann, ohne zu atmen, so kann die Seele nicht bestehen ohne die Kenntnis des Schöpfers. Denn Gott nicht kennen, ist der Tod der Seele; und wer nicht getauft ist, der ist auch nicht erleuchtet[556]. Ohne Licht kann das Auge die Gegenstände nicht wahrnehmen und die Seele Gott nicht schauen[557].

Aus den genannten Stellen geht hervor, daß Basilius die Taufe als Erleuchtung und Teilhabe am Geist im Sinn von Hebr. 6,4 beschreibt und damit gleichzeitig auf die Tradition des Clemens von Alexandrien zurückgreift. Auch für Clemens bedeutete die Taufe eine Zäsur, den Beginn eines völlig neuen Lebens. Die Erleuchtung als Wirkung des Heiligen Geistes beschreibt Clemens in folgender Weise: Die Getauften waschen durch ihren Gang zum Taufbad die Sünden ab und beseitigen dadurch das dem göttlichen Geist im Weg stehende Hemmnis[558]. So wird einerseits die pneumatische Schöpfungsanlage, der gottverwandte Nus, befreit und »licht«, andererseits strömt nun als göttliche Gabe der Heilige Geist in den Täufling ein und befähigt ihn zur Schau Gottes[559]. Im Zentrum der Beschreibung der Taufwirkungen steht für Clemens die Erleuchtung, weil für ihn die Gotteserkenntnis der eigentliche Inhalt der Bekehrung ist[560].

Mit diesem Hinweis auf Clemens dürfte deutlich geworden sein, welche Bedeutung die in der Taufe geschenkte Erleuchtung bei Basilius hatte, obgleich zu betonen ist, daß dieser Traditionsstrang nur die eine Seite der Tauftheologie des Basilius zum Ausdruck bringt, die durch eine weitere von Origenes her ergänzt wird.

Die gnadenhafte Wiedergeburt wird erst wirksam, wenn diese sich in einem neuen Leben konkretisiert. Das neue Leben muß der Mensch nicht aus eigener Kraft wirken, vielmehr wirkt der Geist in ihm und gemeinsam mit ihm die fortschreitende Veränderung.

[554] DSS XV, 35 (368,59 Pruche).

[555] Hom. in s. Bapt. 3 (PG 31,429 A).

[556] Die Taufe hieß daher auch φώτισμα. Zu diesem Aspekt vgl. H. Althaus, Die Heilslehre des hl. Gregor von Nazianz, 157. Althaus weist darauf hin, daß für Gregor nicht so sehr die Reinigung als vielmehr die Erleuchtung im Mittelpunkt der Tauftheologie steht. Gregor verwendet z. B. konsequent die Bezeichnung »φώτισμα«.

[557] Hom. in s. Bapt. 1 (PG 31,424 C).

[558] Clemens v. Alexandrien, Paed. I, 28,1 (GCS 12,106,22 Staehlin).

[559] Vgl. W. D. Hauschild, Gottes Geist und der Mensch, 31.

[560] Ebd. 31.

Die »Taufgabe« ist Basis und Kraft zur Gestaltung des Neuen[561]. In den Regulae morales fragt Basilius: »Was ist Sinn und Kraft der Taufe?« — und er antwortet: »Daß der Getaufte im Geist, im Reden und Handeln gewandelt werde und nach der Kraft, die ihm geschenkt wird, dahin verwandelt wird, von woher er geboren ist[562].« Taufe ist hier nicht mehr nur Umgestaltung im Sinn des Clemens, sondern Paideia im Sinn des Origenes[563].
Für Origenes fängt mit der Taufe der Prozeß der ethischen Umformung, die Erziehung durch Christus erst an. Aber die Formung des Menschen durch den Geist begegnet bei Origenes anders als bei Clemens, der sie weitgehend als sakramentale Umgestaltung faßt. Für ihn ist der vollkommene Christ derjenige, der sich durch Askese vom Menschlichen zum Göttlichen fortentwickelt und sich so der »ursprünglichen Seinsweise« annähert. Diesen Vorgang, das Ineinander von göttlicher Gnadenhilfe und menschlicher Entwicklung als Teil der universalen Paideia, sieht Origenes als Formung wahren Menschseins an. Der Gedanke der Erleuchtung ist für Origenes ein nicht so charakteristisches Element wie bei Clemens. Er beschreibt das Christwerden lieber als eine Bekehrung zu einem neuen Lebenswandel. Wer Christ geworden ist, steht weiterhin in einem stetigen Werden, wobei die Erkenntnis wächst, die Origenes gern als Einsicht in die in der Schrift verborgenen Wahrheiten beschreibt[564].
Basilius greift also auf beide Traditionen, auf Clemens und Origenes zurück und betont in gleicher Weise die sakramentale Umgestaltung wie auch die ethische Umformung, die in der Taufe beginnt. Das Neue, zu dem der Mensch fortschreitet, begleitet durch das erzieherische Geistwirken, ist zugleich das Ursprüngliche; wahres Menschsein als Angleichung an Gott durch Nachahmung (Mimesis) Christi und Formung durch den Geist[565].

Katharis

Die Taufe ist zwar Anfang des neuen Lebens, Beginn der Umformung durch den Geist, aber sie wird erst wirksam, wenn sie sich in einem neuen Leben konkretisiert. Die »Taufgabe« ist Basis und Kraft zur Gestaltung des Neuen[566]. Sehr treffend hat Basilius die

[561] Vgl. W. D. Hauschild, Gottes Geist und der Mensch, 287.
[562] Reg. mor. 20,2 (PG 31,736 D).
[563] Vgl. W. D. Hauschild, Gottes Geist und der Mensch, 287.
[564] Origenes, Cant.-Comm., Prol. (GCS 33,77,21 Baehrens); Comment. in Joann. XIII, 53 (GCS 10,282,6 ff. Preuschen).
[565] DSS XV, 35 (366,9 Pruche); DSS XXVI, 61 (466,9 ff. Pruche).
[566] Vgl. W. D. Hauschild, Gottes Geist und der Mensch, 287.

Wirksamkeit der Taufe in den oben bereits genannten Regulae morales charakterisiert: Sinn und Kraft der Taufe liegt darin, daß der Getaufte im Geist, im Reden und Handeln gewandelt werde und nach der Kraft, die ihm geschenkt wird, dahin verwandelt wird, von woher er geboren ist[567]. Ähnlich formuliert Basilius im letzten Kap. der Reg. morales: »Was unterscheidet den, der aus dem Geist geboren ist? Nach dem gewährten Maß eben das zu werden, woraus er geboren wurde, wie geschrieben steht: ›Wer aus dem Fleisch geboren ist, ist Fleisch, wer aus dem Geist geboren ist, ist Geist‹ (Joh. 3,6). Was unterscheidet den Wiedergeborenen? Den alten Menschen auszuziehen samt seinen Taten und Begierlichkeiten, und anzuziehen den neuen, der erneuert wird zur Erkenntnis nach dem Bild dessen, der ihn schuf (Kol. 3,9)[568].«
Diese Bekehrung, dieses »Ausziehen des alten Menschen«, ist nicht ein einmaliger Akt, er muß stets neu vollzogen werden, denn nur so kann die Kraft des Geistes wirken. Da Basilius die Vollendung weitgehend in der Form des Schauens darstellt, ist Bekehrung oder Reinigung (κάθαρσις) in ihrem sachlichen Sinn ein »Sehendwerden der Seele«. »Wie die Sonne sich eines gereinigten Auges bemächtigt, wird er dir in sich das Bild des Unsichtbaren zeigen ...[569].« Die Wirkkraft des Geistes »in« einer gereinigten Seele ist zu vergleichen mit der Sehkraft in einem gesunden Auge[570]. In jenem für unseren Zusammenhang wichtigen Kap. IX »De Spiritu Sancto« beschreibt Basilius die Voraussetzungen für die Wirkkraft des Geistes folgendermaßen: »Die Einwohnung des Geistes in der Seele besteht nicht in räumlicher Annäherung — wie könnte sich das Unkörperliche in körperlicher Weise nähern — sondern in der Trennung (χωρισμός) von den Leidenschaften (πάθη), die aus Liebe zum Fleisch später der Seele zugefügt, von der Vertrautheit mit Gott entfernen. Sich von der Schmach reinigen, wenn man von Lastern befleckt ist, und zur Schönheit der eigenen Natur zurückkehren, gleichsam dem königlichen Bild durch Reinheit die ursprüngliche Gestalt wiederzugeben — so allein kann Annäherung an den Tröster geschehen[571].«
Der erste Schritt im Vorgang der Katharsis ist nach Basilius die Trennung von den πάθη. Sie sind etwas von Gott Entfremdendes und, wie Basilius sagt, etwas später Hinzugefügtes. Ein Blick in die Enneaden Plotins kann veranschaulichen, welcher sachliche Sinn in diesen Aussagen gegeben ist.

[567] Reg. mor. 20,2 (PG 31,736 D).
[568] Reg. mor. 80,22 (PG 31,869 AB).
[569] DSS IX, 23 (328,11 f. Pruche).
[570] DSS XXVI, 61 (468,13 f. Pruche).
[571] DSS IX, 23 (326,41—328,9 Pruche).

In der Schrift über das Schöne (Περὶ τοῦ καλοῦ)[572] beschreibt Plotin die seelische Schönheit, die nur dem zugänglich ist, der sie wahrnehmen kann. Inwiefern die Seele schön ist, ergibt sich aus dem Gegenteil: der Häßlichkeit der Seele, ihrer Verunreinigung. Die häßliche Seele ist zuchtlos und ungerecht, voll von Begierden, von Wirrnis, in Ängsten aus Feigheit, in Neid aus Kleinlichkeit, all ihre Gedanken, soweit sie überhaupt denkt, sind irdisch und niedrig, verzerrt in allen Stücken, unreinen Lüsten verfallend und so lebend, daß sie das Häßliche als etwas Lustvolles empfindet[573]. Dieses Häßliche ist etwas, was als Übel hinzutritt. Es entstellt sie, macht sie unrein und bewirkt, daß ihr Wahrnehmen nicht mehr rein, d. h. durch Beimischung des Übels verdunkelt ist. Sie kann nicht mehr sehen, was eine Seele sehen soll, und sie hat nicht die Ruhe, in sich selbst zu verweilen, da sie sich immer nach außen wendet und zum Dunklen gezerrt wird. Da sie also verunreinigt ist und hin- und hergerissen wird, hat sie eine fremde Gestalt angenommen[574]. So tritt, wenn einer in Lehm oder Schlamm eintaucht, seine vorige Schönheit nicht mehr in Erscheinung, sondern man sieht nur das, was von Schlamm oder Lehm an ihm haftet; für ihn ist das Häßliche ein fremder Zusatz, und es ist nun seine Aufgabe, sich abzuwaschen und zu reinigen, dann ist er wieder, was er war. So dürfen wir wohl mit Recht die Häßlichkeit der Seele als eine fremde Beimischung bezeichnen, und häßlich sein bedeutet für die Seele, nicht rein und ungetrübt sein wie Gold, sondern mit Schlacken verunreinigt; entfernt man nun die Schlacken, so bleibt das Gold zurück und ist schön, sobald es vom Fremden losgelöst, nur mit sich selbst zusammen ist; so ergeht es auch der Seele: befreit sie sich von den Leidenschaften und reinigt sich von den Schlacken und verweilt mit sich, dann hat sie das Häßliche, das ihr aus dem fremden Sein kommt, abgelegt[575].

Die Parallelitäten, die sich bis in die Formulierungen hinein ergeben, sind nicht zu übersehen und lassen das bei Basilius Gemeinte klarer hervortreten. Auch bei Basilius sind die πάθη etwas Fremdes, sie sind Schmutz, Schlamm, die die Seele verunreinigen[576] und ihr eine fremde Gestalt geben. Die Leidenschaften, das Böse, jegliches

[572] Plotin, Enn. I, 6 (Ia, 1—25 Harder).
[573] Enn. I, 6, 24 f. (Ia, 12—14 Harder).
[574] Enn. I, 6,27 (Ia, 14 Harder).
[575] Enn. I, 6,27 (Ia, 14 Harder).
[576] Man beachte, daß diese Formulierungen sich auch in der Tauftheologie finden: »Die Taufe ist gleichsam eine Reinigung der Seele von dem Schmutz, der ihr von der Gesinnung des Fleisches zugefügt wurde«, DSS XV, 35 (366,34 Pruche).

Übel ist infolgedessen Krankheit[577] und Trübung der Seele[578]. Gram, Begierde, Furcht und Neid verdunkeln die Sehkraft der Seele[579]. Der fleischliche Mensch, dessen Geist in der Schau ungeübt ist und in der Gesinnung des Fleisches wie im Schlamm versunken ist, vermag nicht zum Licht der Wahrheit emporzublicken. Die Welt, d. h. das von den Leidenschaften geknechtete Leben, kann die Gnade des Geistes nicht aufnehmen, wie auch ein krankes Auge das Licht der Sonne nicht sehen kann[580]. Der menschliche Geist, der sich in das Materielle verliert, bleibt darin gleichsam wie in Kot begraben und die Seele ist unfähig, zur Sehnsucht nach der ewigen Schönheit bewogen zu werden und zur Anschauung Gottes zu gelangen[581]. Wie es dem verdunkelten Auge nicht möglich ist, die sichtbaren Gegenstände genau zu erfassen, so kann auch das beunruhigte Herz sich nicht mit der θεωρία der Wahrheit beschäftigen[582], oder der menschliche Geist, der von tausend weltlichen »Sorgen« beschwert ist, der sich in das »Außen« ergießt, kann unmöglich in die Wahrheit eindringen[583]. Die »Sorgen« sind wie Dornen, die den guten Samen ersticken[584]. Die πάθη, wie überhaupt das Böse schlechthin, führen in die Selbstentfremdung und entfremden damit auch von der Vertrautheit mit Gott. Sie führen den Menschen mehr und mehr in die »Vielheit« hinein und entfremden ihn von dem »Einen«, um es mit plotinischen Kategorien auszusagen. Ursprünglich war das Herz einfach gestaltet, so sieht es

577 In der IX. Hom. in Hexaem. findet sich die zentrale Stelle über die Naturgemäßheit der ἀρετή, der Tugend. »Wie kein Unterricht uns die Krankheit hassen lehrt, vielmehr wir schon einen natürlichen Widerwillen vor allem Schmerzlichen haben, so ist auch unserer Seele eine gewisse Abneigung gegen das Böse eigen, über die sie nicht belehrt zu werden braucht. Jedes Böse ist eine Krankheit der Seele, die Tugend aber bedeutet Gesundheit. Treffend haben ja einige Gesundheit als das Wohlbefinden der natürlichen Kräfte definiert. Wer daher auch das Wohlbefinden der Seele so nennt, wird nicht fehlgehen«, Hom. in Hexaem. IX, 4 (496 Giet).

578 Hom. in Psalm. 33,3 (PG 29,357 B).

579 Hom. in Psalm. 33,3 (PG 29,357 B). Basilius unterscheidet im Hinblick auf die πάθη drei Arten: eine vegetative, eine sensitive und eine ethische, vgl. A. Dirking, Die Bedeutung des Wortes Apathie beim hl. Basilius d. Großen, in: ThQ 134 (1954) 203. Im Sinn von Schmerz, Krankheit ect. führt Basilius die πάθη in Ep. 139,2 (II, 58,8 Courtonne) an. Häufiger aber hat πάθος bei Basilius die Bedeutung von Hochmut, Zorn, Trauer, Sorgen, vgl Reg. fus. tract. 8,3 (PG 31,940 D); schließlich charakterisiert πάθος oft durch den Zusatz »ἀπὸ κακίας« die ἁμαρτία, die Sünde. Zur Pathoslehre bei Gregor v. Nazianz vgl. H. Althaus, Die Heilslehre des hl. Gregor v. Nazianz, 23 ff. bes. der Exkurs: Gregors Anschauung u. die Pathoslehren der antiken Philosophie, 36 ff.

580 DSS XXII, 53 (452,25 Pruche).

581 Reg. fus. tract. 8,3 (PG 31,940 B).

582 Hom. in Psalm. 33,3 (PG 29,357 B).

583 Ep. 2,2 (I, 6 Courtonne).

584 Hom. in Psalm. 45,8 (PG 29,428 B).

auch Basilius: »Gott, der Schöpfer der Menschen, hat das Herz einfach gestaltet, so daß es das Bild nach ihm bewahrte; wir aber haben das Herz später durch Beimischung fleischlicher Begierden vielfältig und allseitig gemacht, indem wir die göttliche Gestalt, die Einfalt und Einfachheit zerstörten[585].«

Zu dieser ursprünglichen Gestalt gilt es nun wieder zurückzukehren. Diese Umkehr, die Rückkehr aus der Selbstentfremdung, beschreibt Basilius in Ep. 2, dem Brief an Gregor von Nazianz mit dem Begriff der ἡσυχία, der inneren Ruhe[586]. In diesem Brief, der in gewisser Hinsicht die Anfangssituation des basilianischen Mönchtums widerspiegelt, klagt Basilius seinem Freund Gregor, daß er aus der Einsamkeit noch keinen Nutzen gezogen habe, denn es gehe ihm wie Menschen, die, an eine Schiffahrt nicht gewöhnt, sich auf dem Meer unwohl fühlen und seekrank werden, dann ungehalten über diese Tatsache, in einen Kahn oder Nachen umsteigen, aber auch da seekrank werden und sich unwohl fühlen. »So etwa geht es auch uns ... Das Stadtleben habe ich zwar verlassen, aber mich selbst zu verlassen, vermochte ich noch nicht ... Wir tragen die inneren Leidenschaften mit uns herum, sind daher überall von der gleichen Unruhe[587].« Was aber zu tun wäre, so rät Basilius, und wodurch wir den Weg der Nachfolge antreten könnten, wäre, den Geist in Ruhe (ἡσυχία) zu halten. Den Geist lösen aus der vielfältigen Zerstreutheit in die Bindungen an das nur Materielle, ihn sammeln, damit das Auge sich mit gesammelter Kraft dem einen Ziel zuwende[588]. Die Leidenschaften, die wie Meereswogen das Innere in Unruhe versetzen, müssen durch die ἡσυχία eingeschläfert[589], gezähmt werden[590]. So wird der »innere Mensch«, den Basi-

585 Hom. in Psalm. 32,8 (PG 29,344 B).

586 Ep. 2,2 (I, 8,52 Courtonne). Nur sehr selten gebraucht Basilius für die Befreiung von den πάθη den in der Stoa so wichtigen Begriff der »ἀπάθεια«. Er kennt die Stoa und auch das Ideal der Apathie, wie aus einer Homilie seiner frühen Jahre hervorgeht. In dieser Homilie »In princ. proverbiorum« formuliert Basilius echt stoisch: »Der echte Steuermann ist der, der immer sich selbst gleich bleibt, ohne sich durch die Begierden zu erheben und niederzusinken im Unglück. Wenn die Leidenschaften wie Zorn, Furcht, Freude, Trauer die Seele bestürmen, dann muß die Seele wie der Steuermann oberhalb der Leidenschaften sitzen und die Vernunft beherrschen«, In princ. prov. 15 (PG 31,420 AB). Aber auch hier taucht der Begriff ἀπάθεια nicht auf. Neben ἡσυχία beschreibt Basilius dieses Freiwerden gern mit ἀποταγή, wobei der Zusammenhang zu ἀποτάσσεται aus Lk. 14,33, vgl. Reg. fus. tract. 8,1 (PG 31,936 A) deutlich wird; außerdem gebraucht Basilius für diesen Vorgang den Begriff χωρισμός, vgl. DSS IX, 23 (326,3 Pruche) oder den neutestamentlichen ἐλευθερία, vgl. ebenfalls Reg. fus. tract. 8,3 (PG 31,940 B).

587 Ep. 2,1 (I, 5 Courtonne).

588 Ep. 2,2 (I, 6 Courtonne).

589 Ep. 2,2 (I, 7 Courtonne).

590 Ep. 2,2 (I, 7 Courtonne).

lius sowohl mit »Seele« wie auch mit »Herz« bzw. »Geist« umschreibt[591], mehr und mehr gereinigt, denn ἡσυχία ist Reinigung[592]. Indem der Mensch lernt, die Dinge und sich selbst loszulassen, indem er nicht mehr hin- und hergeworfen wird wie von Meereswogen, kehrt der Geist in sich selbst zurück und erhebt sich zum Gedenken an Gott[593]. In einer so gereinigten Seele, einem von keiner Woge der Leidenschaft mehr beunruhigten Herzen, kann wie in einem Spiegel die Erleuchtung durch Gott rein und unverdunkelt hervorstrahlen[594]. Basilius fordert diese innere Freiheit auch für die Betrachtung der Schrift, die er in den Psalmenhomilien gern »ϑεωρία der Wahrheit« nennt[595].Man muß von allem weltlichen Treiben völlig frei sein — so rät Basilius — und völlige Ruhe im Verborgenen des Herzens hergestellt haben, wenn man an die Betrachtung der Wahrheit gehen will[596]. Man muß sich loslösen von allen Dingen und weder durch Augen noch durch Ohren oder durch irgendeinen anderen Sinn fremde Gedanken der Seele zuführen[597]. Dieses Streben nach der ἡσυχία wird bei Basilius besonders in der ersten Phase seines Weges zu einem bestimmenden Element. Aber diese »Ruhe« führt dennoch nach der Auffassung des Basilius nicht in eine weltentrückte Schwärmerei, sondern sie befähigt, den Anspruch Gottes, der in allen Forderungen des Lebens begegnet, wahrzunehmen. Sie besteht darin, »Mittel und Wege zu suchen, Mäßigung und Starkmut, Gerechtigkeit und Klugheit[598] sich anzueignen ... um in allem den Forderungen des Lebens nachzukommen[599].«

591 Hom. in Psalm. 33,3 (PG 29,357 BC). In diesem Abschnitt ist bezeichnend, wie Basilius innerhalb weniger Verse die verschiedenen Bezeichnungen variiert.

592 Ep. 2,2 (I, 8 Courtonne).

593 Ep. 2,2 (I, 8 Courtonne).

594 Hom. in Psalm. 45,8 (PG 29,429 C).

595 Hom. in Psalm. 33,3 (PG 29,357 B).

596 Hom. in Psalm. 33,3 (PG 29,357 B).

597 Ebd. PG 29,357 B.

598 Der Hinweis auf die vier Kardinaltugenden läßt erkennen, daß Basilius hier auf bekannte Klassifizierungen der Tugend zurückgreift. Die Tugenden haben im Neuplatonismus, speziell bei Plotin, kathartische Funktion. Schon in der Schrift über das Schöne finden wir den reinigenden Charakter der Tugend. Züchtigkeit, Tapferkeit und jegliche Tugend, auch die Weisheit selber ist Reinigung (Enn. I, 6,28 — Ia, 17 Harder). Die eigentliche Katharsis-Lehre findet sich aber in der Schrift »Περὶ ἀρετῶν« (Enn. I, 2 — Ia, 332—348 Harder). Plotin bedient sich hier einer Klassifizierung in bürgerliche, d. h. praktische und höhere Tugenden. Die höheren sind kathartisch, beruhen auf Reinigung. Und zwar werden die vier Kardinaltugenden nicht auf diese Stufen aufgeteilt, sondern jede von ihnen gehört sowohl der höheren wie auch der niederen Stufe an, vgl. den Kommentar von Harder, Plotins Schriften, Hamburg 1956, Ib, 560.

599 Ep. 2,2 (I, 8 Courtonne).

Wir finden diesen Bezug zwischen ἡσυχία und ἀρετή in einer sehr bezeichnenden Weise auch in einem Apophthegma. Auf die Frage, was die »Ruhe« sei, gibt Abbas Rufus die Antwort: »In seiner Zelle sitzen mit Furcht und Erkenntnis Gottes und sich fern halten von aller Erinnerung an Schlechtes und von aller hochmütigen Gesinnung. Eine solche ist die Mutter aller Tugenden; sie bewahrt den Mönch vor den feurigen Wurfgeschossen des Feindes und läßt nicht zu, daß er von diesen verwundet wird[600].«
Das Ideal dieser »mönchischen Ruhe« ist Basilius offensichtlich so vertraut, daß es ihm auch bei der Psalmenexegese wie selbstverständlich aus der Feder fließt. Der Psalmvers »Weiche ab vom Bösen und tue das Gute, suche den Frieden und jage ihm nach«, gibt ihm Anlaß zu Elementar-Ermahnungen, wie er sagt. Es ist unmöglich, zum Guten zu gelangen, ohne sich vorher vom Bösen entfernt zu haben. Die Entfernung vom Bösen ist also der erste elementare Schritt auf dem Weg der εὐσέβεια[601]. Sie geschieht in der Hinwendung zum Frieden. Friede aber — das ist Befreiung von der Unruhe der Welt, Ruhe des Geistes, ein ungestörter Zustand der Seele, der weder von Leidenschaften beunruhigt, noch durch falsche Lehren zum Wanken gebracht wird — Friede, das ist Jesus Christus selbst; denn er ist unser Friede (Eph. 2,14)[602]. Man würde Basilius also mißverstehen, wollte man ἡσυχία nur als eine Form der »Selbstversenkung« sehen, sie ist mehr. Sie ist sowohl ein »Zu-sich-selbst-kommen« des Menschen aus der Selbstentfremdung, aber sie ist gleichzeitig auch ein »Über-sich-hinaus-kommen«, eine Hinwendung zu Christus, dem Bild, nach dem wir geformt werden sollen.
Dieses innere Freiwerden bezeichnet Basilius in den Regeln auch mit dem Begriff der ἀποταγή, der Entsagung, so daß wie in Ep. 2

[600] Apoph. Patrum 801 (PG 65,389 BC); vgl. K. Heussi, Der Ursprung des Mönchtums, 266.

[601] In der Homilie zu Psalm 1 verbindet Basilius mit dem Weg zu Gott das Bild der Leiter, die Jakob im Traum sah (Gen. 28,12 ff.). Das »Leben nach der Tugend« ist dieser Leiter vergleichbar, deren unterer Teil die Erde berührte, während der obere bis in den Himmel hinaufreichte (Hom. in Psalm. 1,4 — PG 29,217 CD). Dem Bild dieser Leiter entsprechend bedeutet das Ersteigen der ersten Stufe die Entfernung von der Erde. Ebenso, so folgert Basilius, ist auf dem Weg zu Gott der erste Schritt die Entfernung vom Bösen (Hom. in Psalm. 1,4 — PG 29,220 A). Das Bild der Leiter, das später in der asketischen Literatur eine bedeutsame Rolle spielte, vgl. Reg. Benedicti 7,8 ff. (CSEL 75,41 ff. Hanslik), ist hier bei Basilius der Interpretation des ersten Psalmes entsprechend nur im Hinblick auf die erste Stufe ausgeführt. Am Schluß der Homilie entschuldigt sich Basilius gewissermaßen, daß er nur die Vermeidung des Bösen aufgezeigt habe, die Darstellung der Vollkommenheit aber übergangen worden sei, vgl. Hom. in Psalm. 1,6 (PG 29,228 B).

[602] Hom. in Psalm. 33,10 (PG 29, 376 BC).

ἡσυχία und Nachfolge, in Reg. 8,3 ausgehend von Lk. 14,33 ἀποταγή[603] und Nachfolge in einem eindeutigen Zusammenhang stehen. Apotaxis gegenüber der Welt und Syntaxis zu Christus entsprechen einander. Basilius nennt diese innere Freiheit deshalb »Anfang der Gleichförmigkeit mit Christus« (ἀρχὴ τῆς πρὸς Χριστὸν ὁμοιώσεως), ohne die es nicht möglich ist, κατὰ τὸ Εὐαγγέλιον τοῦ Χριστοῦ, dem Evangelium gemäß zu leben[604]. Die Freiheit von allen πάθη, die Abkehr von allem Besitz, die Reinigung von allem Bösen ist ihrem sachlichen Sinn nach ein Vorgang der Vergeistigung, man könnte sagen, ein Prozeß der »Durchlichtung«, der Transparenz der irdischen Wirklichkeit. Es geht nicht um eine Verneinung der Schöpfung, sondern um die Fähigkeit, die begrenzten Dimensionen dieser Schöpfungswirklichkeit zu übersteigen, um dadurch zum Urheber, zum Schöpfer selbst zu gelangen.

Diese Katharsis ist die unabdingbare Voraussetzung für die Entfaltung der neuschaffenden Kraft des Geistes, die Umwandlung selbst aber ist ein Werk des Geistes, dessen Spezifikum es ist, die Geschöpfe zu vollenden. »Durch ihn werden die Herzen erhoben, die Schwachen geleitet, die Fortschreitenden vollendet. Indem er die von jedem Makel Gereinigten erleuchtet, weist er sie durch die Gemeinschaft mit sich als Geisterfüllte aus[605].«

603 Lk. 14,33 »So kann auch keiner von euch, der nicht allem entsagt, was er hat, mein Jünger sein«. Man beachte, wie Basilius in Reg. 8,3 zur Beschreibung dieses Vorgangs in einem Satz gleich drei Begriffe wie ἀποταγή, λύσις, ἐλευθερία verwendet, Reg. fus. tract. 8,3 (PG 31,940 B).

604 Reg. fus. tract. 8,3 (PG 31,940 C). Neben der ὁμοίωσις πρὸς Χριστόν führt Basilius an dieser Stelle unter Hinweis auf Phil. 3,20 den Topos der vita angelica an. Diese Freiheit ist gleichsam eine »Versetzung des menschlichen Herzens in den Himmel«, d. h. die Befreiung von den πάθη macht den Menschen den Engeln gleich; durch Fortschreiten in der Tugend ist der Mensch zur ἀξία der Engel erhöht, wie nach der Anschauung des Mönchtums im 4. Jh. der vollkommene Mensch der zur Stellung der Engel erhobene ist, vgl. Hom. in Hexaem. IX, 6 (519 Giet); vgl. auch Origenes: Der Vollkommne ist nur scheinbar auf der Erde, während in Wirklichkeit sein Wandel im Himmel ist (Ps 118, XIII, 84 Lo.), er befindet sich immer »in transitu« (Numeri H. 23,11,221,20 ff.), die Welt ist nur ein Schatten, gleichsam eine Landschaft, die schnell vorübergleitet (Ps 36, Hom. 5,5, XII, 229 Lo.). Wer engelgleich lebt, dem eignet die ἀρετή; die ἀρετή in vollem Umfang kann aber nur der entfalten, der den Leib überwunden hat, der Pneumatiker, vgl. P. Nagel, Die Motivierung der Askese in der alten Kirche, 46. Im Prolog der griechischen Historia Monachorum heißt es: »Ich sah dort viele Väter, die das Leben der Engel führten und in der Imitatio unseres Herrn lebten. Nichts Irdisches hatten sie im Sinn, noch gedachten sie eines der zeitlichen Güter. Sie wandelten tatsächlich im Himmel, obwohl sie noch auf Erden lebten« (Hist. mon., prol. 5; 7,30 Festugière).

605 Es hat sich damit erwiesen, daß die oben aufgezeigte urchristliche Anschauung, daß Askese zum Empfang des Geistes disponiert, auch bei Basilius wirksam ist.

(3) Erkenntnis und Erleuchtung durch den Geist

Der weitere Schritt im Prozeß der Heiligung, der bei Basilius auf dem Hintergrund der Eikon-Spekulation zu sehen ist, ist durch Erkenntnis bzw. Erleuchtung charakterisiert. Auch in diesem Kapitel liegt der Akzent nicht in erster Linie auf den erkenntnistheoretischen Voraussetzungen von seiten des Menschen, sondern auf dem Wirken des Heiligen Geistes. Wir sahen oben bereits, daß der Mensch durch die schöpfungsmäßige Ebenbildlichkeit in einem realen Bild- und Verwandtschaftsverhältnis zu Gott steht. Dadurch wird nach dem antiken Prinzip der Erkenntnis des Gleichen durch Gleiches die Vereinigung mit Gott in der Form des Schauens und Erkennens möglich. »Die Erkenntnis Gottes und die Ähnlichwerdung mit Gott sind also schlechterdings Korrelate und werden nahezu promiscue gebraucht[606].«

Es ist bereits oben dargelegt, daß dieser soteriologische Prozeß sich von der in der Schöpfung gegebenen εἰκών zur ὁμοίωσις, die Basilius als das Ziel der menschlichen Berufung deutet[607], vollzieht. Dieser Prozeß der Verähnlichung realisiert sich nun für Basilius durch Teilhabe am Urbild, näherhin durch die Schau des Bildes, durch die dem Blick die unaussprechliche Schönheit des Urbildes zuteil wird[608]. Demzufolge ist der menschliche Geist oder die Seele diejenige Instanz, in der sich die Vergöttlichung des Menschen realisiert. Seit dem Neuplatonismus ist die Seele Trägerin der εἰκών τοῦ θεοῦ, denn sie, die Seele, ist Basis für den νοῦς, der in einem besonders engen Verhältnis zum Absoluten steht[609]. Im voraufgehenden Kapitel sahen wir bereits, daß der erste Schritt, die Reinigung, gleichsam ein Sehendwerden der Seele ist, daß die Termini im Hinblick auf den Gegenstand der Reinigung aber zwischen Seele, Geist und Herz variieren, je nach dem Ausgangspunkt und der Schriftstelle, von der aus Basilius argumentiert. In der Homilie »Attende tibi ipse« gebraucht er »Seele« und »Geist« synonym, wenn er sagt: »Wir sind Seele und Geist, insofern wir nach dem Ebenbild des Schöpfers geschaffen wurden[610].« In der Homilie zu Psalm 48 ist dieses der Ebenbildlichkeit korrespondierende Element

[606] P. Gerlitz, Außerchristliche Einflüsse auf die Entwicklung des christlichen Trinitätsdogmas, 225.

[607] Vgl. DSS I, 2 (252,12 f. Pruche).

[608] DSS IX, 23 (328,12 f. Pruche).

[609] Vgl. P. Gerlitz, Außerchristliche Einflüsse auf die Entwicklung des christlichen Trinitätsdogmas, 228.

[610] Hom. Attende tibi ipse, 3 (PG 31,204 A); vgl. M. Orphanos, Creation and Salvation according to St. Basil of Caesarea, 82.

die Fähigkeit, Gott zu erkennen[611]. An einer weiteren Stelle der Homilie »Attende tibi ipse« verbindet Basilius ψυχή und Erkenntnisfähigkeit in der Weise, daß er von einer »vernünftigen Seele« spricht[612]. Und in Epistola 233 schließlich weiß Basilius den νοῦς als etwas Herrliches zu preisen, da wir in ihm die εἰκών τοῦ κτίσαντος haben[613]. Seele und Geist, also der innere Mensch[614], sind jene Instanz, die durch Teilhabe am Geist umgewandelt, geheiligt werden soll. Es geht also darum, das Wirken des Geistes in diesem schauenden Wahrnehmen, das letztlich die Gestalt der Liebe hat, aufzuzeigen.

Auch hier sei der Ausgangspunkt das IX. Kap. »De Spiritu Sancto«. »Wie die Sonne sich eines gereinigten Auges bemächtigt, so wird er dir in sich das Bild des Unsichtbaren zeigen. In der seligen Schau dieses Bildes wird dem Blick die unaussprechliche Schönheit des Urbildes zuteil[615].« Erkenntnis des Bildes, Christus, Gotteserkenntnis überhaupt, dazu ist der Mensch nicht von sich aus fähig, sondern es geschieht im Licht des Geistes. Es findet sich in dem eben genannten Zitat wiederum der Hinweis auf die Sonne, die nur dem gereinigten Auge zuteil wird. Wir sahen bereits im Kapitel über die Selbstmitteilung des Heiligen Geistes in der Gnade, wie Basilius das Sonnengleichnis auf die Wirksamkeit des Geistes anwendet. Basilius verbindet mit der Wirklichkeit des Heiligen Geistes das Lichtmotiv. »Erkennbares Licht« — φῶς νοητόν[616] nennt er den Heiligen Geist, Licht, das aus sich jeder Kraft unseres Geistes eine gewisse Klarheit zum Auffinden der Wahrheit gewährt[617]. Die Wirksamkeit unseres Geistes entwickelt sich »im« Heiligen Geist wie in einem Licht[618], so sagt Basilius am Schluß seines Werkes. Die menschliche Erkenntnisfähigkeit, bleibt sie für sich, so ist sie klein und begrenzt[619]. Neigt sie sich aber auf die göttliche Seite und nimmt die Gnadengabe des Geistes auf, dann wird sie für das Göttliche empfänglich[620]. Ja, der νοῦς, der sich mit der Gottheit des Geistes ver-

[611] Hom. in Psalm. 48,8 (PG 29,449 B). Hier findet sich zur Begründung — wie bereits oben vermerkt — das Prinzip »damit er das Gleiche durch Gleiches erkenne«, PG 29,449 C.
[612] Hom. Attende tibi ipse 6 (PG 31,212 B).
[613] Ep. 233,1 (III, 39,3 Courtonne).
[614] Der »innere Mensch«, der auch der geistige heißt, (vgl. 1 Kor. 2,15), der nach dem Bild und der Ähnlichkeit mit Gott geschaffen ist, er ist es, der erneuert wird, Origenes, De princ. IV, 4,9 (363,10 Görgemanns-Karpp).
[615] DSS IX, 23 (328,10 ff. Pruche).
[616] DSS IX, 22 (324,27 Pruche).
[617] DSS IX, 22 (324,27 f. Pruche).
[618] DSS XXVI, 64 (476,4 Pruche).
[619] Vgl. Ep. 233,1 (III, 39, Courtonne).
[620] Ebd. Ep. 233,1 (III, 40, Courtonne).

mischt, schaut bereits große Dinge und sieht die göttliche Schönheit — soweit es die Gnade (χάρις) gestattet und seine Verfassung es erträgt[621].

»Geist der Wahrheit« — so nennt Basilius mit dem biblischen Titel den Heiligen Geist[622]. Geist der Wahrheit, der in sich die Wahrheit hell aufscheinen läßt und der in seiner Größe Christus, die Kraft und Weisheit Gottes, offenbart[623]. Diese Aussage ist eng verknüpft mit jener, in der Basilius einige Zeilen später den Weg der Gotteserkenntnis in einen größeren Zusammenhang stellt. Ziel der Aussage ist es, die κοινωνία des Geistes mit dem Vater und dem Sohn aufzuzeigen. Die Elemente der Eikon-Theologie bestimmen auch hier den Verlauf des Gedankens. Wegen der Bedeutsamkeit dieses Zitats sei es zunächst im Wortlaut angeführt. »Wenn wir in einer uns erleuchtenden Kraft unverwandt auf die Schönheit des Bildes des unsichtbaren Gottes sehen und durch das Bild zur über die Maßen schönen Schau des Urbildes emporgeführt werden, ist dabei der Geist der Erkenntnis untrennbar anwesend, der denen, die die Wahrheit schauen wollen, in sich die Kraft, das Bild anzuschauen, gewährt, wobei er sie nicht von außen her aufzeigt, sondern in sich in die Erkenntnis hineinführt. Wie ›niemand den Vater kennt als der Sohn‹ (Mt. 11,27), so kann ›niemand Herr Jesus sagen außer im Heiligen Geist‹ (1 Kor. 12,3). Es heißt nicht ›durch den Geist‹, sondern ›im‹ Geist. ›Gott ist Geist, und die ihn anbeten, müssen ihn im Geist und in der Wahrheit anbeten‹ (Joh. 4,24), wie geschrieben steht: ›In diesem Licht schauen wir das Licht‹ (Psalm 35,10), d. h. im Leuchten des Geistes sehen wir das ›wahre Licht, das jeden Menschen erleuchtet und in die Welt kam‹ (Joh. 1,9). Also zeigt er in sich die Ehre des Eingeborenen und gewährt in sich den wahren Anbetern die Erkenntnis Gottes. Der Weg der Gotteserkenntnis geht also von dem einen Geist durch den einen Sohn zu dem einen Vater[624].«

An diesem Zitat, ebenso wie in Kap. IX[625] ist zu beachten, daß Basilius aufzeigt, daß der Heilige Geist in sich die »Schau des Bildes« ermöglicht. Er ist das Licht, das in unser Erkenntnisvermögen hineinleuchtet und uns hinführt zum wahren Licht[626]. Dabei wird mehrfach betont, daß dies »im« Geist geschehe. Wir sahen oben bereits (115 ff.), daß Basilius, indem er dem Heiligen Geist diese entscheidende Funktion im soteriologischen Prozeß zuschreibt,

621 Ep. 233,1 (III, 40 Courtonne).
622 DSS XVIII, 46 (410,14 Pruche).
623 DSS XVIII, 46 (410,15 f. Pruche).
624 DSS XVIII, 47 (412,1 ff. Pruche).
625 DSS IX, 23 (328,10 f. Pruche).
626 DSS XVIII, 47 (412,14 Pruche).

den Eikon-Begriff nicht nur umgeprägt, sondern gleichzeitig auch weitergeführt hat in dem Sinn, daß er diesen Bildbegriff auch auf den Heiligen Geist überträgt. Es wäre jedoch nun zu fragen, welcher sachliche Aussagegehalt sich für diesen hier gestellten Zusammenhang, d. h. für die Heilsvollendung des Menschen daraus ergibt.

Wir haben hier von der Voraussetzung auszugehen, daß Basilius mittels der Eikon-Spekulation die fundamentale biblische Grundgegebenheit interpretiert, daß wir in dem einen Geist durch Christus Zugang haben zum Vater[627]. Das »ἐν Πνεύματι« hat sowohl räumliche als auch instrumentale Bedeutung[628]; d. h. der Heilige Geist ist jener »Raum«, in dem wir uns bewegen und leben[629]. Im XXVI. Kapitel der Schrift »De Spiritu Sancto«, in dem Basilius die Präposition »in« der doxologischen Formel »ἐν ἁγίῳ Πνεύματι« zu begründen versucht, spricht er vom Heiligen Geist als diesem bergenden »Raum«[630], jenem wahren Ort der Anbetung. Die Darbringung des Lobpreises, sie ist nur möglich »im Heiligen Geist«[631]. Joh. 4,24 ist für Basilius die biblische Begründung sowohl für diese »räumliche« als auch für die instrumentale Bedeutung des »ἐν Πνεύματι«[632], d. h. das Pneuma ist nicht nur »unbegreiflicher Horizont, sondern ebenso unbegreifliche Vermittlung zu Christus und durch Christus zum Vater hin«[633]. Der Heilige Geist ist jene unmittelbare Vermittlung, die selbst keiner Vermittlung mehr bedarf. Wenn Basilius die Stelle 1 Kor. 12,3 aufgreift: »niemand kann sagen ›Herr ist Jesus‹ außer im Heiligen Geist«[634], dann weist er darauf hin, daß der Heilige Geist die Bedingung der Möglichkeit dafür ist, daß wir zu Christus in ein Verhältnis treten können. Und dieses Verhältnis zu Christus ist wiederum die Bedingung der

[627] Vgl. DSS XVIII, 47 (412,18 f. Pruche); Eph. 2,18.

[628] Vgl. H. Mühlen, Una mystica Persona. Die Kirche als das Mysterium der heilsgeschichtlichen Identität des Heiligen Geistes in Christus und den Christen, ³1968, 452 f.

[629] Vgl. H. Mühlen, Die abendländische Seinsfrage als der Tod Gottes und der Aufgang einer neuen Gotteserfahrung, Paderborn ²1969, 58.

[630] Basilius führt seine Überlegungen ein: »Was zu sagen widersinnig ist, ist dennoch wahr wie kaum etwas anderes: Der Geist wird oft als Ort der Geheiligten bezeichnet. Es wird gezeigt werden, daß diese Vorstellung den Geist nicht herabsetzt, sondern vielmehr verherrlicht. Denn oft bringt die Schrift um der Klarheit willen Namen aus dem körperlichen mit Vorstellungen aus dem geistigen Bereich zusammen . . .« DSS XXVI, 62 (470,1 ff. Pruche).

[631] DSS XXVI, 62 (472,17 Pruche).

[632] DSS XXVI, 64 (476,3 Pruche); DSS XXVI, 62 (472,19 f. Pruche); DSS XVIII, 47 (412,10 Pruche).

[633] H. Mühlen, a.a.O. 58.

[634] Vgl. DSS XVIII, 47 (412,8 Pruche).

Möglichkeit dafür, daß wir zum Vater gelangen[635]. Daß der Heilige Geist nach Basilius »in sich« die Schönheit des Bildes aufstrahlen läßt, besagt demnach auch, daß dieses Pneuma den Menschen, der selbst »Bild Gottes« ist, in die Bewegung des Lebens und der Liebe hineinzieht; daß er ihn das eigentliche »Bild Gottes«, Christus, schauen läßt und daß in diesem Bild der Mensch den Archetypos erkennt, das Urbild, das gleichzeitig Ziel menschlicher Vollendung ist.

Als »Ort« dieser heilschaffenden Vermittlung ist zunächst wieder die Taufe zu nennen. Hier beginnt jener Prozeß der »Vergöttlichung«, der nach Basilius ein immer größeres Durchdrungensein vom Licht, d. h. vom Heiligen Geist bedeutet[636]. Diese in der Taufe geschenkte »Gabe der Erkenntnis«, die für Basilius gewissermaßen lebensnotwendig ist, muß sich entfalten. Diese in der Taufe geschenkte Erkenntnis, die ein dauerndes Fundament ist, ist trotzdem nicht statisch, sondern zu Fortschritten und Entwicklungen fähig[637]. Wir sahen oben bereits den grundlegenden Zusammenhang von Taufe und neuem Lebenswandel. Von Origenes her wurde sichtbar, daß diese »Bekehrung« zu einem neuen Lebenswandel ein stetes Wachsen in der Erkenntnis beinhaltet, die Origenes gern als Einsicht in die in der Schrift verborgenen Wahrheiten beschreibt. Für Basilius, den Vertreter des Mönchtums, für den die Contemplatio der Schrift einen eminent wichtigen Stellenwert hat, gibt es einen grundlegenden Zusammenhang zwischen Exegese und der vom Geist gewirkten religiösen Erfahrung, die vom Buchstaben der Schrift zum Geist führt. In »De Spiritu Sancto« XXI heißt es: »Wer sich an den Buchstaben der Heiligen Schrift hält, dessen Herz ist wie mit einer Hülle bedeckt. Kann aber jemand durch das gesetzliche Verständnis zur Tiefe durchblicken und, die Undeutlichkeit (ἀσάφεια) des Buchstabens wie einen Vorhang zerteilend, in das Verborgene eindringen, so wird ihm wie Moses, als dieser mit Gott redete, die Hülle fortgenommen ... Bei solchem Lesen kehrt er sich zum Herrn, der Herr aber heißt jetzt der Geist, und sein Antlitz erglänzt wie das des Moses bei der Erscheinung Gottes[638].«

Basilius geht in der Interpretation dieser Stelle offensichtlich wie Origenes von der paulinischen Antithese »Buchstabe und Geist« (vgl. Röm. 2,29 und 7,6) aus. »Der Buchstabe tötet, der Geist aber

[635] Vgl. H. Mühlen, Die abendländische Seinsfrage, 59; vgl. auch ders. Una mystica Persona, 452 ff.

[636] DSS IX, 23 (328,15 f. Pruche).

[637] Vgl. P. Petit, a.a.O. 233.

[638] DSS XXI, 52 (436,51 ff. Pruche).

macht lebendig« (2 Kor. 3,6)[639]. Aber während Origenes in der Interpretation dieser Stelle[640] davon spricht, daß das allzu grobe Schriftverständnis von einem geistigen Verständnis überboten werden müsse[641], geht Basilius von dem paulinischen Gegensatz Altes Testament — Neues Testament aus. Basilius geht es nicht um die Erfassung eines tieferliegenden allegorischen Sinnes, sondern um die durch den Heiligen Geist vermittelte Offenbarung der Wahrheit der Schrift. Wir haben bereits festgestellt[642], daß Basilius die Gesetze der Allegorese kennt, dieser exegetischen Methode aber doch sehr distanziert gegenübersteht. Denn, so sagt er, diejenigen, die die Schriftworte nicht in ihrem gewöhnlichen Sinn verstehen, nennen Wasser nicht Wasser, sondern verstehen darunter irgendeine andere Natur ... Wenn ich jedoch Gras höre, dann denke ich an Gras, wenn ich Pflanze höre, dann Pflanze, überhaupt alles verstehe ich so, wie das Wort es sagt. Ich schäme mich des Evangeliums nicht (vgl. Röm. 1,16). Das scheinen mir nicht jene bedacht zu haben, die mit absonderlichen und bildlichen Auslegungen aus ihrem Kopf den Schriftworten etwas Ansehen zu geben versuchten. Doch so handelt, wer sich selber weiser dünkt als die Worte des Geistes und unter dem Vorwand der Exegese seine eigenen Meinungen hineinschmuggelt[643]. Trotzdem gelangt Basilius selbst oft auch zu einem tieferen Schriftverständnis und nennt als Motiv die Schrift selbst, die die zu erklärenden Worte an anderen Stellen in einem tieferen Sinn gebrauche[644].

In der eben angeführten Stelle »De Spiritu Sancto« XXI gehe es Basilius darum aufzuzeigen, daß die buchstabengetreue Beobachtung des Gesetzes durch die Ankunft Christi ihre Geltung verloren habe, indem die Vor-Bilder sich in die Wahrheit (ἀλήθεια) verwandelten[645]. Die Lampen werden unnütz, wenn die Sonne aufscheint; das Gesetz ist müßig und die Prophezeiungen verstummen, wenn die Wahrheit aufstrahlt[646]. Wer aber das alttestamentliche buchstabengetreue Verständnis, wie einen Vorhang zerreißend, durchdringt, der wendet sich vom Buchstaben weg zum Geist. Basilius, der in diesem Kapitel aus der Schrift Zeugnisse für den

639 Vgl. Origenes, Contra Cels. VI, 70 (140,15 Koetschau).
640 Vgl. De princ. I, 1,2 (18,8 Görgemanns-Karpp).
641 De princ. I, 1,2 (18,14 Görgemanns-Karpp).
642 Vgl. oben 60 A 162.
643 Hom. in Hexaem. IX, 1 (482 Giet); vgl. Hom. in Hexaem. II, 2 (142 Giet). Vgl. auch H. Weiss, Die großen Kappadozier Basilius, Gregor von Nazianz und Gregor von Nyssa als Exegeten, Braunsberg 1872, 59 ff.
644 Vgl. H. Weiss, ebd. 68.
645 DSS XXI, 52 (434,48 Pruche).
646 DSS XXI, 52 (434,49 Pruche).

»Kyrios-Titel« des Geistes sucht, geht hier von der für ihn selbstverständlichen Voraussetzung aus, daß dieses »Hinwenden zum Herrn«, von dem 2 Kor. 3,16 spricht, Hinwendung zum Geist besagt. Die Schrift ist die unter dem »Anhauch des Geistes« geschriebene[647] und der Heilige Geist ist der »Geist der Wahrheit«, der in alle Wahrheit einführt und der, wie Basilius sagt, die Wahrheit »in sich« hell aufscheinen läßt[648]. War in der bisherigen gedanklichen Führung eindeutig der Bezug zu 2 Kor. 3,14—17 vorherrschend, so ist jetzt dieser Bezug unter Hinweis auf V. 18 zwar noch gegeben, die Interpretation jedoch geschieht in einer dem IX. Kap. verwandten Art. »Wie nämlich das, was neben blühenden Farben liegt, auch selbst im umfließenden Licht gefärbt wird, so wird auch, wer unverwandt auf den Geist schaut, aus seinem Glanz irgendwie zur Helle hin verwandelt, da er durch die Wahrheit aus dem Geist in seinem Herzen wie durch ein Licht erleuchtet wird. Das meint das Wort: ›Umgeformt vom Glanz des Geistes in seinem eigenen Glanz‹, nicht geringfügig, nicht undeutlich, sondern in dem Maß, wie es dem vom Geist Erleuchteten gebührt[649].« Der Aussageabsicht dieses Kapitels entsprechend — sie liegt darin, die überragende δόξα des Geistes[650] aufzuweisen — macht Basilius hier expressis verbis keine Aussage über die Heiligung des Menschen. Inhaltlich dürfen wir jedoch festhalten: Erkenntnis der Wahrheit ist nur möglich »im« Heiligen Geist. Aber durch diese »θεωρία der Wahrheit«, wie Basilius die Schrifterkenntnis gern bezeichnet[651], wird der Mensch wie durch ein Licht erleuchtet. Diese Erleuchtung wiederum bewirkt eine immer tiefere Umformung in die Helligkeit des Geistes hinein, d. h. die »θεωρία« der Schrift bewirkt ein allmähliches Durchdrungenwerden vom Geist. Es geht hier letztlich um jene Wahrheit, die Basilius im I. Kap. seines Werkes formuliert: »Das nämlich ist uns verheißen: Gott ähnlich zu werden gemäß der Möglichkeit der menschlichen Natur. Verähnlichung aber geschieht nicht ohne Erkenntnis[652].«

Für Basilius, den Vertreter des Mönchtums, spielt die Meditatio, bzw. Contemplatio der Schrift — wie schon erwähnt — eine wichtige Rolle. Mit einer gewissen Ausschließlichkeit beschreibt er im Prolog zu den Kleinen Regeln die Aufgabe der Mönche: »Wenn nun Gott uns dazu zusammengeführt hat und wir uns deshalb von

[647] DSS XXI, 52 (438,76 Pruche).
[648] DSS XVIII, 46 (410,15 Pruche); vgl. auch Origenes, De princ. I, 1,2 (18,18 Görgemanns-Karpp).
[649] DSS XXI, 52 (436,65 ff. Pruche).
[650] DSS XXI, 52 (432,3 Pruche).
[651] Hom. in Psalm. 33,3 (PG 29,357 B).
[652] DSS I, 2 (252,12 Pruche).

allem weltlichen Getümmel zurückgezogen haben, so wollen wir uns weder einer anderen Tätigkeit zuwenden, noch uns dem Schlaf überlassen, sondern in »meditandis ac expendendis« bzw. »ἐν τῇ μερίμνῃ καὶ ἐξετάσει« den vom Schlaf übrigen Teil der Nacht zubringen, um das zu erfüllen, was von David gesagt worden ist: ›Im Gesetz des Herrn wird er betrachten Tag und Nacht‹ (ἐν νόμῳ Κυρίου μελετήσει-Psalm 1,2)[653].«

Die Schrift wird von Basilius als eine vom Heiligen Geist gereichte Speise verstanden[654], die die Seele kräftigt und nährt[655]. Infolgedessen spielen die Verben des Kostens und und Schmeckens eine große Rolle. In den Kleinen Regeln fragt Basilius: »Was heißt: Lobsingt mit Einsicht?« — und er antwortet: »Was bei den Speisen der Sinn (αἴσθησις) die verschiedenen Speisen zu unterscheiden, das ist bei den Worten der Schrift die Einsicht. Denn der Gaumen heißt es, verkostet die Speisen, der Verstand aber unterscheidet (διακρίνει) die Worte. Wenn daher jemand durch die Bedeutung eines jeden Wortes in der Seele (ψυχή) so bestimmt wird, wie er beim Verkosten der verschiedenen Speisen gestimmt wird, so erfüllt er das Gebot, das sagt: Lobsingt mit Einsicht[656].« Hieraus geht hervor, daß der

[653] Reg. brev. tract., Prolog (PG 31,1080 B). In der erwähnten Stelle aus dem Prolog wird μελετάω — μελέτη wie auch in Reg. brev. tract. 306 in einem LXX-Zitat gebraucht und hat ursprünglich die Bedeutung »Für etwas sorgen«, »eifriges und sorgfältiges Betreiben einer Sache«, »die durch Übung einer Sache herbeigeführte Gewöhnung an etwas«; bei Xenophon und Demostenes hat es die Bedeutung von »rednerischen und deklamatorischen Übungen«, vgl. F. Passow, Griechisches Wörterbuch, Leipzig 1841, Bd. II, 1,163. Diese zuletzt genannte Bedeutung steht dem Bedeutungsgehalt, das μελετάω in der LXX hat, sehr nahe. Dort entspricht μελετάω durchweg dem hebräischen »haga«, das in seiner Grundbedeutung »murmeln«, »summen« und dann erst »sinnen« meint, vgl. E. von Severus, Das Wort ›meditari‹ im Sprachgebrauch der Heiligen Schrift, in: GuL 26, 1953, 365—375. Subjekt für das Verb »haga« sind demgemäß die Lippen, die Kehle, der Gaumen, der Mund und in den späteren Büchern das Herz, der Geist, vgl. ebd. 366. Auf jeden Fall bedeutet es — wenigstens in den älteren Büchern — nicht das stumme Nachsinnen, sondern meint ein Vorsich-Hinsprechen oder Murmeln, wie ja überhaupt der antike Mensch laut zu denken pflegte, vgl. H. Bacht, ›Meditatio‹ in den ältesten Mönchsquellen, in: Das Vermächtnis des Ursprungs, Würzburg 1972, 263. — Bacht gibt hier einen guten Überblick über die Bedeutung von meditari — μελετάω im koptischen Mönchtum. Von daher wird Jos. 1,8 verständlich: »Non recedat volumen legis ab ore tuo, sed meditaberis in eo diebus et noctibus«. Wenn das Buch des Gesetzes nicht vom Mund weichen soll, dann will »meditari — μελετάω« hier wie in der Parallele von Ps. 1,2 zum Ausdruck bringen, daß das Wort immer wieder ausgesprochen, »gemurmelt« werden soll.

[654] Hom. in Psalm. 59,2 (PG 29,464 C).

[655] Vgl. Ep. 2,4 (I, 10 Courtonne).

[656] Reg. brev. tract. 279 (PG 31,1280 A).

Umgang mit dem Wort der Schrift nicht nur ein intellektueller Vorgang ist, sondern daß gerade die geistige Auseinandersetzung zu einem »Verkosten« dieses Inhaltes führt. Basilius spricht folgerichtig deshalb von einem »geistigen Mund des inneren Menschen«, durch den er genährt wird, wenn er das Wort des Lebens empfängt[657]. Daß Basilius das Wort der Schrift als Speise versteht, geht aus mehreren Stellen hervor, aber das Psalmwort »kostet und seht, wie gut der Herr ist« veranlaßt ihn, über die Wirkung dieser Speise nachzudenken. »Da nun unser Herr wahres Brot und sein Fleisch wahre Speise ist, so muß notwendig durch das geistige Kosten der Genuß der Freude an dem Brot in uns erkannt werden[658].« Mit dem Bild der Speise und der damit verbundenen Assimilation dieser Speise beschreibt Basilius die Schriftkontemplation als einen ganzheitlichen Vorgang, der den Charakter einer personalen Begegnung mit dem Herrn hat. Hierbei ist zu beachten, daß Basilius grundsätzlich von der Voraussetzung ausgeht, daß Moses der Typos des Menschen ist, der, »den Engeln gleich der unmittelbaren Anschauung Gottes gewürdigt worden ist«[659], mit dem Gott »von Mund zu Mund geredet hat, offenbar und nicht in Rätseln«[660], daß die übrigen Menschen aber die Wahrheit noch wie durch einen Spiegel schauen. Aber — und damit kommen wir auf »De Spiritu Sancto« XXI zurück — wer sich vom Geist führen läßt und die Undeutlichkeit des Buchstabens durchdringt, der wird Moses ähnlich. Er wird ebenso »verwandelt und umgeformt vom Glanz des Geistes»[661]. Der Heilige Geist ist als Urheber der Schrift auch ihr Exeget, der durch die Erleuchtung die Erkenntnis der Wahrheit vermittelt. Er ist als »spiritus creator« aber ebenso Interpret der Schöpfung. Die Gegenwart Gottes in der Schöpfung durch seinen Geist macht es letztlich dem Menschen möglich, durch die Vermittlung der sichtbaren Dinge zur Erkenntnis Gottes zu gelangen. Die Schöpfung ist gewissermaßen das geöffnete Buch, in dem die Schönheit und Weisheit Gottes wie in Buchstaben gelesen werden kann[662]. Grundlegendes Axiom für die Frage der Anwesenheit Gottes in der Schöpfung ist für Basilius die Voraussetzung, daß Gott in seiner οὐσία für uns unerkennbar, in seinen ἐνέργειαι, in seinen Wirkungen für uns aber erfahrbar werde. Diesen Grundsatz verteidigt er besonders Eunomius gegenüber, der glaubt, Gott in seiner οὐσία erfassen zu können. Schon in Adv. Eun. I hatte Basilius, ausgehend

657 Hom. in Psalm. 33,1 (PG 29,353 B).
658 Hom. in Psalm. 33,6 (PG 29,364 C).
659 Hom. in Hexaem. I, 1 (90 Giet).
660 Hom. in Hexaem. I, 1 (90 Giet).
661 DSS XXI, 52 (436,66 f. Pruche).
662 Hom. in grat. actione 2 (PG 31,224 A).

von Röm. 1,19 f., entwickelt: Was sich von Gott erkennen läßt, das hat er selbst geoffenbart. Durch die Werke Gottes werden wir angeleitet, einen Begriff von seiner Güte und Weisheit zu erhalten[663], denn das Unsichtbare an ihm ist seit Erschaffung der Welt zu erkennen[664]. Nach Basilius kennen wir Gott durch seine ἐνέργειαι, sie steigen zu uns hernieder, aber Gott in seinem innersten Wesen bleibt unerreichbar[665]. Basilius wird nicht müde, diese in den ἐνέργειαι sich offenbarende Größe und Schönheit Gottes zu rühmen. Und der Mensch, ausgestattet durch das geistige Vermögen, ist befähigt, staunend von den Wundern der Schöpfung und Erlösung zur Erkenntnis der höchsten Schönheit voranzuschreiten, um sich einzufügen in das Lob des ganzen Kosmos. P. Petit hat sehr gut die Bedeutung des Staunens und der Bewunderung bei Basilius aufgezeigt und somit das Grundanliegen des Kappadoziers dargelegt: den Menschen vom Staunen und der Bewunderung zur Liebe und zur Anbetung zu führen[666]. Erkenntnis und Anbetung stehen in einer unmittelbaren Relation zueinander[667]. Die menschliche Intelligenz bleibt nach Basilius nicht nur bei der visuell wahrnehmbaren Wirklichkeit stehen, sondern — wie Basilius sagt — in hohem Schwung des Geistes[668] erkennt sie die Größe und Schönheit der Schöpfung und gelangt durch sie hindurch zur Erkenntnis der ewigen Schönheit. Das wahrhaft Schöne aber, das jeden menschlichen Begriff und alle menschliche Kraft übersteigt, ist das Göttliche, das nur der Betrachtung des Geistes zugänglich ist[669]. Aber Gott schenkt sich der menschlichen Intelligenz nicht wie ein Gegenstand, den man wissenschaftlich erkennen kann, sondern er erweist sich als Person[670] und somit nimmt das Erkennen die Gestalt der Liebe, der Danksagung und Anbetung an. In einem Brief an Amphilochius verweist Basilius auf diesen biblischen Aspekt der Erkenntnis. »Wir erkennen nämlich Gott, wenn wir unsern Schöpfer kennen, wenn wir seine Wunder betrachten, wenn wir seine Gebote beachten und wenn wir uns mit ihm vereinigen[671].« In dieser Epistola verweist Basilius ausdrücklich auf den biblischen Erkenntnis-

[663] Adv. Eun. I, 14 (PG 29,544 B).
[664] Röm. 1,20; Adv. Eun. II, 2 (PG 29,576 B).
[665] Ep. 234,1 (III, 42 Courtonne).
[666] Vgl. P. Petit, a.a.O. 106; vgl. auch J. Verhees, Pneuma, Erfahrung und Erleuchtung in der Theologie des Basilius des Großen, in: Ostkirchliche Studien 25 (1976) 43—59.
[667] Ep. 234,3 (III, 43,12 Courtonne).
[668] Hom. in Psalm. 33,3 (PG 29, 357 A).
[669] Hom. in Psalm. 44,5 (PG 29, 400 C).
[670] Vgl. P. Petit, a.a.O. 106.
[671] Ep. 235,3 (III, 46 Courtonne).

vorgang, wie ihn das Alte Testament mit ידע umschreibt[672]. Es ist dies ein Kennen im Umgang, in der Erfahrung. »Es kennt der Herr die Seinen« — das will besagen: Er hat sie in seine Freundschaft aufgenommen, er wird sich seinen Dienern offenbaren[673].
Erkenntnis Gottes, so läßt sich jetzt abschließend sagen, ist das Werk des Heiligen Geistes in uns. Wohl bedarf es der menschlichen Anstrengung im Hinblick auf die Reinigung, die für Basilius immer Voraussetzung für das erleuchtende Wirken des Geistes ist; und ebenso bedarf es der Anstrengung der menschlichen Intelligenz, die Basilius mit den Anstrengungen eines Kampfes vergleicht, an dem alle beteiligt sind[674]. Der Heilige Geist ist jenes Licht, das in unser Erkenntnisvermögen hineinleuchtet, in dem sich die Wirksamkeit unseres Geistes entfaltet. Im Licht des Geistes wird so die menschliche Erkenntnis weitergeführt zur Anbetung und vollendet sich im Lobpreis des dreifaltigen Gottes. Nach Basilius führt so die Anbetung »im« Geist zu dem Bekenntnis, daß der Heilige Geist in keiner Weise vom Vater und vom Sohne zu trennen ist. »Denn wenn du außerhalb seiner bist, betest du überhaupt nicht. Bist du aber in ihm, trennst du ihn auf keine Weise von Gott, wenigstens nicht leichter, als du das Licht vom Geschauten trennst. Denn es ist unmöglich, das Bild des unsichtbaren Gottes zu sehen, außer im Licht des Geistes. Man kann, wenn man das Bild anschaut, das Licht nicht vom Bild trennen. Der Grund des Sehens wird notwendig mit dem Geschauten zugleich gesehen. Also schauen wir angemessen und folgerichtig den Abglanz der Herrlichkeit Gottes durch die Erleuchtung des Geistes; durch das Ebenbild aber werden wir zur Herrlichkeit dessen emporgeführt, dessen Ebenbild und gleichförmiges Siegel Christus ist[675].«

(4) Das Ziel: Die ὁμοίωσις θεῷ bzw. die Gleichförmigkeit mit dem Bild des Sohnes

»Gott ähnlich zu werden gemäß der Möglichkeit der menschlichen Natur«[676], so hatte Basilius das Ziel der menschlichen Berufung bestimmt. Ähnlich hatte schon Origenes das »höchste Gut, zu dem

[672] Vgl. oben 33 f.
[673] Ep. 235,3 (III, 47,38 f. Courtonne).
[674] Basilius vergleicht hier die Aktivität der Zuhörer mit der Spannkraft der Zuschauer bei Kampfspielen und bezieht so die Zuhörer in das Finden der Wahrheit mit ein, vgl. Hom. in Hexaem. VI, 1 (324 Giet).
[675] DSS XXVI, 64 (476,13 ff. Pruche).
[676] DSS I, 2 (252,11 Pruche) »ὁμοιωθῆναι θεῷ, κατὰ τὸ δυνατὸν ἀνθρώπου φύσει«.

alle Vernunftwesen streben«, definiert, und Origenes weist darauf hin, daß dieses von den Philosophen formulierte »Telos«[677] sich bereits in der Schrift finde. Die Würde des »Bildes« habe der Mensch bei der Schöpfung empfangen, aber die Vollendung der Ähnlichkeit sei ihm für das Ende aufgespart. Nachdem ihm zu Anfang die Fähigkeit zur Vervollkommnung kraft der Würde des »Bildes« gegeben war, sollte er nun durch Eifer und Nachahmung nach dieser letzten Verähnlichung streben[678].

Wir sahen (s. oben 115 ff.) bereits, wie Basilius die ὁμοίωσις als eine keimhaft und wurzelhaft vorhandene Seinsweise charakterisiert, die aber in sich die Fähigkeit zu Entwicklung und Fortschritt enthält[679]. Es zeigte sich, daß dieses in der Schöpfung geschenkte, aber durch die Sünde zerstörte »königliche Bild«[680] im Menschen durch Reinigung, durch die Freiheit von den πάθη, wieder zur ursprünglichen Schönheit zurückkehren kann. In diesem Prozeß der fortschreitenden Reinigung, die letztlich ein Prozeß der Vergeistigung ist, d. h. der Loslösung aus dem Dunklen, dem nur Materiellen und der Hinwendung zu den ewigen Gütern — und das bedeutet Hinwendung zum Licht — ist der Heilige Geist die formende Kraft[681] im Menschen, »in« dem sich die Entfaltung aller im Menschen angelegten Fähigkeiten vollzieht. Durch seinen Anhauch belebt, empfängt der Mensch vom Geist die Hilfe, sein eigenes, seiner Natur entsprechendes Ziel zu erlangen[682]. Diese wirkende Kraft des Geistes ist zwar — wie Basilius sagt — immer im Menschen gegenwärtig, aber sie ist nicht immer wirksam[683]. Reinigung und Erkenntnis, die in den voraufgehenden Kapiteln in gewisser Hinsicht als »Stufen« bezeichnet wurden, sind nicht einfachhin »Phasen«, die man nacheinander durchschreitet, es sind Grundhaltungen, die als solche immer ineinander wirken und sich wechselseitig bedingen. So ist die Reinigung immer die notwendige Voraussetzung, sozusagen die »Öffnung«, die Bedingung der Möglichkeit für das Wirken des Geistes. Auch die Erleuchtung bzw. die Erkenntnis ist nicht zu verstehen als eine abgeschlossene »Stufe«, sondern umschaffendes Wirken des Geistes ist immer auch erleuchtend und erhellend, d. h. der Mensch als solcher wird in seinem geistigen Vermögen nicht »übermächtigt«, wie wir dies im außer-

677 Die platonische Formel für das ethische Telos lautete: ὁμοίωσις θεῷ κατὰ τὸ δυνατόν (Theaet. 176 B).
678 Origenes, De princ. III, 6,1.
679 Vgl. oben 116 A 479.
680 DSS IX, 23 (328,7 Pruche).
681 DSS XXVI, 61 (466,5 Pruche).
682 DSS IX, 22 (324,23 Pruche).
683 DSS XXVI, 61 (468,17 Pruche).

christlichen Prophetentum feststellten[684], er wird immer in seinem »νοῦς«, in der »Seele«, im inneren Menschen, biblisch gesprochen im »Herzen« verwandelt. Diesen Vorgang beschreibt Basilius als »Heiligung durch den Geist«. Wir hatten oben gesehen, daß das Streben der Mönche nach der »vita angelica« auch das Verlangen nach der Partizipation an ihrer Heiligkeit implizierte und festgestellt, daß Basilius die Aussagen, die am Heiligungswirken des Menschen gewonnen wurden, auf die Engelheiligung überträgt. Zwar unterscheidet sich die Heiligung der Engel wesentlich von der Vollendung des Menschen[685], aber es bleibt eine Analogie. Die Engel erhalten den ἁγιασμός, die Heiligung, durch Aufmerksamkeit und Eifer[686]; indem sie nach dem Guten streben, nach der Analogie ihrer Liebe zu Gott, empfangen sie auch das Maß der Heiligkeit[687]. Wie im Feuer liegendes Eisen zwar Eisen bleibt, aber ganz die Natur des Feuers in sich aufnimmt, so haben die Engel in der κοινωνία mit dem von Natur Heiligen die Heiligung, die ihr ganzes Wesen durchdrungen und sich mit demselben vereinigt hat[688]. Diese Aussagen werden dann auf die Geschöpfe im allgemeinen übertragen und es wird wiederholt: Die Geschöpfe erhalten den ἁγιασμός als Kampfpreis für ihren Fortschritt und nach dem Wohlgefallen Gottes.

Dieses Streben nach dem Guten, nach dem Schönen, nach Gott, das bei den Engeln das Maß ihrer Heiligkeit bestimmt, hat Basilius im 2. Kap. der Großen Regeln sozusagen zum Fundament christlicher Beziehung zu Gott gemacht. Basilius entwickelt hier mit Hilfe eines stoischen Begriffs, dem »λόγος σπερματικός«, daß diese Liebe zu Gott gleich bei der Schöpfung keimhaft in den Menschen hineingelegt worden sei[689]. »Die Liebe, die wir zu Gott haben sollen, ist

[684] Vgl. oben 72 ff.

[685] Vgl. oben 113.

[686] Adv. Eun. III, 2 (PG 29,660 B).

[687] Adv. Eun. III, 2 (PG 29,660 B).

[688] Adv. Eun. III, 2 (PG 29,660 B).

[689] Basilius konnte diesen Begriff bereits in einer umgeformten und mit christlichem Inhalt gefüllten Weise übernehmen. Für Justin und die Apologeten war die natürliche sittliche Erkenntnis ein besonders wichtiger Begriff, da sie ja die »Naturgemäßheit« des Christentums erweisen wollten. Sie wird — ganz stoisch — mit dem Wirken des logos spermatikos begründet, vgl. A. Dihle, Art. Ethik, RAC, Bd. VI, 742; J. Stelzenberger, Die Beziehungen der frühchristlichen Sittenlehre zur Ethik der Stoa, München 1933. Zu diesem Begriff in der Patristik vgl. H. Meyer, Geschichte der Lehre von den Keimkräften von der Stoa bis zum Ausgang der Patristik, Bonn 1914.
Mit der Gleichsetzung Natur — Vernunft — Logos, die sich daraus ergibt, daß das All in sich alle vernunftmäßigen Keime, die logoi spermatikoi trägt, ist auch ein ungeheuer ethisches Fundament gegeben: die Logosidee wird mit der Sittlichkeit verbunden. Die ethische Norm lautet: der Mensch muß der

nichts, was gelehrt werden könnte: denn wir bedurften nie der Unterweisung durch andere, um zu lernen, uns des Lichtes zu erfreuen, das Leben zu lieben oder jene gern zu haben, die uns das Leben geschenkt oder sich um unsere Erziehung gekümmert haben. Da dem so ist, hat man um so mehr Grund zu glauben, daß die Liebe zu Gott keine Wissenschaft ist, die man durch fremde Unterweisung lernt: sondern daß in dem Augenblick, in dem dieses vernunftbegabte Wesen, das man Mensch nennt, geschaffen wurde, unsere natürliche Konstitution uns eine Vernunftfähigkeit verlieh, kraft derer wir in uns selbst die Neigung vorfinden, Gott zu lieben. Geht nun dieser natürliche Same in die Schule der göttlichen Gebote, so wird er mit großer Sorgfalt herangezogen, mit himmlischem Wissen genährt und erlangt schließlich durch die Gnade und die Barmherzigkeit Gottes die letzte Vollkommenheit[690].« Basilius hat hier in großartiger Weise die stoische Orientierung am Logos in seine moralische Synthese integriert. So wie der Logos die ganze Physis, den Mikro- und Makrokosmos durchdringt, so trägt nach stoischer Auffassung auch der Mensch als »logoshaltiger« Mikrokosmos das normative Bild und Ziel der Paideia in sich. Wenn aber die Logosteilhabe in ihm durch schlechte Einflüsse und böse Gewohnheiten überdeckt ist, kann er neu erweckt und erzogen werden durch die normative Kraft kosmologischer Logosmächte, vor allem durch den in der Physis aufleuchtenden Nomos[691]; hier bei Basilius sind es die göttlichen Gebote, die den logos spermatikos durch die Gnade entfalten.

Diese in der Schöpfung geschenkte keimhafte Fähigkeit zur Liebe verbindet Basilius nun im folgenden Teil des Kapitels mit der Kategorie des Schönen und begründet dadurch, daß der Mensch sich von Natur aus nach dem Schönen sehnt[692]. Das wahrhaft Schöne

Natur-Vernunft-Logos gemäß leben. Statt des Terminus »naturgemäß leben« setzt Basilius oft die auch bei Paulus vorkommende Wendung (Phil. 1,27) »dem Evangelium Christi entsprechend leben«.

690 Reg. fus. tract. 2,1 (PG 31,908 BC). Diese Formulierung ist sorgfältig zu beachten: die Gebote entwickeln mit Hilfe der Gnade durch die ihnen eigene Kraft den logos spermatikos der Liebe bis zur Vollkommenheit, vgl. I. Hausherr, Christliche Berufung und Berufung zum Mönchtum nach den Kirchenvätern, in: Laien und christliche Vollkommenheit, hrsg. von G. Thils und K. V. Truhlar, Freiburg 1960, 68. Die »Gebote« sind für Basilius nicht nur eingeschränkt auf den Dekalog, sondern bezogen auf den in der Schrift sich offenbarenden Anspruch. Diese Gebote sind nach dem Verständnis des Basilius ein Element der göttlichen Paideia. Es liegt in ihnen eine Kraft, die den logos spermatikos im Menschen sozusagen affiziert, anspornt.

691 Vgl. G. Greshake, Wandel der Erlösungsvorstellungen in der Theologiegeschichte, QD 61, Freiburg 1973, 79 f.

692 Reg. fus. tract. 2,1 (PG 31,909 BC).

und Liebenswürdige aber ist das Gute. Gut aber ist Gott, und nach dem Guten trägt alles Verlangen, also trägt alles Verlangen nach Gott[693]. Hier ist also die Fähigkeit zur Liebe, d. h. die Sehnsucht nach dem Schönen das Element, welches das Verwandtschafts- und Ähnlichkeitsverhältnis zu Gott begründet. Deshalb muß die Seele »schön« werden[694]. Zwar ist die Seele »schön« gestaltet bei der ursprünglichen Schöpfung, aber sie ist schwach und durch Sünde verletzlich[695]. Daß aber die Seele sowohl die Schönheit als auch die Kraft erhalte, das Notwendige zu vollbringen, dazu bedürfen wir der göttlichen Gnade[696]. »Mit meiner Schönheit also« — so führt Basilius in der Interpretation eines Psalmverses aus — »die ich bei der ersten Schöpfung von dir erhalten habe, hast du die Kraft verbunden, das Nötige zu vollbringen. Schön ist also die Seele, die in der Harmonie (συμμετρία) ihrer Kräfte erblickt wird; die wahre und liebenswürdigste Schönheit aber, die nur der schauen kann, der reinen Herzens ist, besteht in der göttlichen und seligen Natur[697].« In einer weiteren Homilie beschreibt Basilius dieses Schöne als das, was jeden menschlichen Begriff und alle menschliche Kraft übersteigt und die nur der Betrachtung durch den Geist (διάνοια) zugänglich ist[698]. Im weiteren Verlauf der eben angeführten Homilie zu Psalm 29 beschreibt Basilius nun die Umwandlung, die sich durch die Betrachtung der Schönheit vollzieht. »Und wer den Glanz und die Gnaden derselben aufmerksam betrachtet, der empfängt etwas von ihr (er hat teil an ihr), wie durch das Eintauchen in irgendeine Farbe, und es verbreitet sich über sein Antlitz gleichsam ein blühender Glanz. Daher wurde auch Moses dadurch, daß er während seines Umgangs mit Gott jener Schönheit teilhaftig wurde, in seinem Angesicht verklärt[699].« Basilius verbindet die durch Teilhabe geschenkte Schönheit mit der ἀρετή, der Tugend, und fügt hinzu: »Wer sich also seiner Tugend bewußt wird, der spricht den Dank aus: ›Herr, durch dein Wohlwollen hast du Kraft gegeben

693 Reg. fus. tract. 2,1 (PG 31,912 A). Vgl. auch die Homilie zu Psalm 1,3, in der Basilius das an sich Gute wie auch den zukünftigen Zustand der Gerechten beschreibt: »Denn wahrhaft selig ist das an sich Gute, auf welches alles schaut, nach dem sich alles sehnt, die unveränderliche Natur, die herrliche Würde, das nicht beunruhigte Leben, der unbetrübte Wandel, bei dem keine Veränderung stattfindet und den keine Wandelbarkeit berührt, der sprudelnde Quell, die überschwengliche Gnade, der unerschöpfliche Schatz«, PG 29,216 B.

694 Vgl. oben 129.

695 Hom. in Psalm. 29,5 (PG 29,317 A).

696 Ebd. PG 29,317 A.

697 Ebd. PG 29,317 B.

698 Hom. in Psalm. 44,5 (PG 29,400 C).

699 Hom. in Psalm. 29,5 (PG 29,317 B).

meiner Schönheit‹[700].« Diese »Schönheit der Seele«, die Basilius hier beschreibt, ist nicht nur eine verborgene Beschaffenheit, sie wird sichtbar an ihrem Gegenteil: an der häßlichen und leidenschaftlichen Seele, die sich ausformt im Verhalten des Zornigen und Traurigen. Ja, die Schwelgerei und Unzucht durchdringt den ganzen Menschen und wird so für jeden offenbar. Ebenso äußert sich nun auch die Schönheit der Seele im »Zustand des Heiligen«[701]. »Deshalb müssen wir diese Schönheit zu erlangen suchen«, — und nun fügt Basilius in Analogie zu einem Vers aus dem Hohen Lied (5,7) hinzu — »damit der Bräutigam auch uns lobe und sage: ›Ganz schön bist du, meine Freundin, und kein Makel ist an dir‹[702].«

Ein Zweifaches ist an dieser Psalmeninterpretation zu beachten: Das Bild des Eintauchens in eine Farbe war uns schon in der Heiligung der Engel begegnet. In der Homilie zu Psalm 32,4 hatte Basilius die Hilfe des Heiligen Geistes durch dieses Bild verdeutlicht: Die Engel erhielten gleich bei ihrer Erschaffung gleichsam durch Vermischung ihrer Substanz die Heiligkeit. Daher können sie sich nicht leicht zur Bosheit wenden, da sie sogleich mit der Heiligkeit wie durch Eintauchen in eine Farbe gestärkt wurden und durch die Gabe des Geistes Beständigkeit in der Tugend empfingen[703]. In dem eben behandelten Text dient das Bild ebenfalls zur Umschreibung einer Verwandlung und wird mit dem Bild des Lichtglanzes verbunden, das als solches zu dem zweiten hier zu beachtenden Aspekt führt, zu Moses. Wir hatten oben bereits den Text aus »De Spiritu Sancto« XXI untersucht, in dem Basilius darlegt, wie im Lesen der Schrift die Hinwendung zum Geist diese erleuchtende Verwandlung bewirkt. »Wie nämlich das, was neben blühenden Farben liegt, auch selbst im umfließenden Licht gefärbt wird, so wird auch, wer unverwandt auf den Geist schaut, aus seinem Glanz irgendwie zur Helle hin verwandelt, da er durch die Wahrheit aus dem Geist wie durch ein Licht erleuchtet wird[704].« Und Basilius fügt abschließend hinzu: »Das meint das Wort: ›Umgeformt vom Glanz des Geistes in seinem eigenen Glanz‹ (2 Kor. 3,18)[705].«

Zusammenfassend läßt sich jetzt sagen: Die Sehnsucht nach dem Schönen, das Streben nach dem Guten, nach der ἀρετή[706], wie Basi-

[700] Ebd. PG 29,317 C.

[701] Hom. in Psalm. 29,5 (PG 29,317 C).

[702] Ebd. PG 29,317 C.

[703] Hom. in Psalm. 32,4 (PG 29,333 B).

[704] DSS XXI, 52 (436,63 Pruche).

[705] DSS XXI, 52 (436,68 Pruche).

[706] Basilius verbindet sowohl mit der Liebe (Reg. fus. tract. 2,1, PG 31,909 A) als auch mit dem »Schönwerden der Seele« (Hom. in Psalm. 29,5, PG

lius es in jenem zentralen 2. Kap. der Großen Regeln beschreibt, ist identisch mit der Liebe zu Gott. Diese Liebe hat in der Gnade des Geistes eine umwandelnde Kraft, d. h. das Streben nach der »Schönheit« bewirkt gleichzeitig auch das »Schönwerden der Seele«, das letztlich identisch ist mit der Heiligkeit[707].

Wenn Basilius hier mit Hilfe der Kategorie des Schönen das Wachsen in der Liebe beschreibt, so charakterisiert er es an anderen Stellen mit dem biblischen Begriff des »Sohn-Werdens«. Im Prolog zu den Großen Regeln hat Basilius dieses »Sohn-Werden« in drei Stufen beschrieben. Man beginnt Gott zu lieben aus Furcht, wie der Sklave es tut. Diese Furcht wandelt sich langsam in Liebe, weil man erfährt, daß der Herr gut ist und man wird ein »fidelis servus«. Diese vermehrte Liebe vertreibt mehr und mehr die Furcht und man kommt schließlich dahin, in Gott den Vater zu lieben und weiß sich als »Sohn« angenommen[708].

Wenn Basilius hier von der langsamen Transformation der Furcht in die Liebe, des Sklavengeistes in den Geist von Söhnen spricht, dann versteht er dies als fortschreitende Entwicklung, die ähnlichen Gesetzen unterworfen ist wie das physische Leben. »Die Furcht des Herrn ist der Anfang der Weisheit; euch aber, die ihr sozusagen aus der Kindheit in Christus (νηπιότητα ἐν Χριστῷ) herausgetreten seid und nicht der Milch bedürft, sondern durch feste Speise der Glaubenslehre dem inneren Menschen nach vollendet werden könnt, sind die Gebote notwendig, in denen die ganze Wahrheit der Liebe in Christus ausgeführt wird[709].

Basilius verbindet mit dieser Furcht, die den »Anfang der Weisheit«[710], wie den ersten Schritt im Vorgang der »Sohnwerdung« kennzeichnet, die Seligpreisung der Armut. Nicht jede Armut ist lobenswert, so führt er in der Homilie zu Psalm 33 aus, sondern nur die, die nach dem Rat des Evangeliums aus freiem Willen gewählt wird. Demnach wird nicht jeder Arme selig gepriesen, sondern nur derjenige, der das Gebot Christi höher achtet als die Schätze der Welt[711]. Dieser Arme lenkt seine Aufmerksamkeit auf Gott, er ist hungrig, durstig und nackt[712]. Und darin wird er Christus ähnlich, der selbst, obwohl er reich war, unseretwegen arm wurde[713].

29,317 BC) den Begriff der ἀρετή. Es geht nicht genau aus dem Zusammenhang hervor, auf welche Klassifizierungen der ἀρετή Basilius sich bezieht.

707 Hom. in Psalm. 29,5 (PG 29,317 C).

708 Reg. fus. tract., Prolog 3 (PG 31,896 D — 897 A).

709 Reg. fus. tract. 4 (PG 31,920 A).

710 Buch der Sprüche 1,7; Reg. fus. tract. 4 (PG 31,920 A).

711 Hom. in Psalm. 33,5 (PG 29,361 B).

712 Ebd. PG 29,361 B.

713 Ebd. PG 29,361 BC.

Er ist es, der sich in der Knechtsgestalt entäußerte, damit wir an seiner Fülle teilhaben[714]. Arm wird darum derjenige genannt, der den Herrn fürchtet. »Wer also Furcht hat, der steht noch im Rang eines Knechtes, wer aber durch die Liebe vervollkommnet ist, der hat sich bereits zur Würde des Sohnes emporgeschwungen. Der Knecht wird arm genannt, weil er nichts Eigenes hat; der Sohn hingegen ist schon reich, weil er Erbe der väterlichen Güter ist[715].«

In beiden Fällen, in dem Streben nach dem Schönen, wie in dem »Sohn-Werden« wurde ein Ähnlichwerden durch die Umwandlung in der Liebe beschrieben. Wo immer aber diese Umformung geschieht, ist es das Werk des Geistes in uns, auch wenn Basilius, der Aussageabsicht der jeweiligen Schrift entsprechend, es nicht eigens hervorhebt. Wir sahen bereits in der Darstellung der Engelheiligungslehre, daß Basilius das Heiligungsaxiom einführte: »Nichts wird geheiligt, außer durch die Gegenwart des Geistes[716].« Der Heilige Geist ist »Ursprung der Heiligkeit«[717], an ihn wendet sich alles, was nach Heiligung strebt, zu ihm richtet sich alles, was nach der Tugend lebt[718]. Es ist das Spezifikum des Heiligen Geistes, die Geschöpfe zu vollenden und sie in ihrer Beziehung zu Gott zu »befestigen«[719]. »Durch ihn werden die Herzen erhoben, die Schwachen geleitet, die Fortschreitenden vollendet. Indem er die von jedem Makel Gereinigten erleuchtet, weist er sie durch die Gemeinschaft mit sich als Geisterfüllte aus. Wie helle und durchscheinende Körper, wenn Licht auf sie fällt, selbst zu glänzen anfangen und aus sich ein eigenes Licht werfen, so strahlen die Geisttragenden, deren Seelen vom Geist erhellt worden sind, selbst geistig (πνευματικός) geworden, auch zu anderen diese Gnade aus. Dadurch wird Vorausschau des Zukünftigen, Erkenntnis von Geheimnissen, Begreifen von Verborgenem, Verteilung der Gnadengaben, himmlisches Leben, der Reigen mit den Engeln, die Unendlichkeit der Freude, das Verbleiben in Gott (ἐν θεῷ διαμονή), die Verähnlichung mit Gott (ὁμοίωσις) und das höchste Ziel: Gott zu werden (θεὸν γενέσθαι) möglich[720].«

Auf dem Hintergrund neuplatonischer Kategorien zeigt Basilius auf, daß der Heilige Geist als das Element der Heiligung den »Aufstieg der Herzen zu Gott«, die ὁμοίωσις, die Vollendung übernimmt. Durch die Teilhabe am Heiligen Geist wird bewirkt, daß

714 Ebd. PG 29,361 C.
715 Ebd. PG 29,364 A.
716 Hom. in Psalm. 32,4 (PG 29,333 C); DSS XVI, 38 (380,41 Pruche).
717 DSS IX, 22 (324,26 f. Pruche).
718 DSS IX, 22 (324,21 Pruche).
719 DSS XVI, 38 (380,39 Pruche).
720 DSS IX, 23 (328,12 ff. Pruche).

die von jedem Makel Gereinigten erleuchtet und so völlig durchdrungen vom Geist, selbst geistig, d. h. πνευματικός werden. Während in der Heiligung der Engel das Feuer-Eisen-Bild[721] dazu diente, dieses Durchdrungensein der ganzen Substanz zu beschreiben und in der Homilie zu Psalm 29 das Bild vom Eintauchen in die Farbe die »Umwandlung in den Glanz« beschrieb, ist es hier das Bild des Lichtes, das in gleicher Weise die Wirksamkeit des Geistes umschreibt. Wir hatten schon mehrfach festgestellt, daß Basilius mit dem Wirken des Geistes dieses Lichtmotiv verbindet, daß er den Heiligen Geist als dieses »Licht«[722], das uns Gott schauen läßt, bezeichnet. Ist aber der Heilige Geist als dieses Licht charakterisiert, dann ist es müßig zu fragen, ob es so etwas wie eine »gegenständliche« Anschauung Gottes gibt. H. U. von Balthasar hat den von Basilius gemeinten Sachverhalt sehr gut formuliert. »Ist aber Gott-Geist der, wodurch wir Gott ›sehen‹, sofern wir eine innere Erfahrung dessen erhalten, was Gottes Wesen als Liebe ist, dann ist die Frage müßig, ob es so etwas gibt wie eine (gegenständliche) Anschauung Gottes. Die Frage kann mit Ja und Nein beantwortet werden. Der, wodurch wir Gott ›anschauen‹, ist der Geist, das ungegenständlichste, ewig jenseits aller Objektivierung atmende Geheimnis, in dessen Licht jedoch alles klar und durchsichtig wird, was überhaupt aufklärbar ist. Aber dieses Licht durchklärt für uns doch wesenhaft das Weltförmige, zuhöchst den Gottmenschen, dem Kirche, Menschheit, Kosmos angegliedert sind: in Ihm werden wir den Gott(-menschen) anschauen, der uns Gott widerspiegelt und uns zeigt, was der Vater ist; und da wir ihn schauen werden mit den vom Geist vergöttlichten Augen und Herzen, kann man nicht sagen, daß diese ›Schau‹ nur ›vermittelte‹, indirekte sein wird. Wir werden Gott ›sehen‹, soweit er überhaupt sehbar ist. Sein Geheimnis wird das Licht sein, in welchem wir sein in Geheimnis verdämmerndes Licht schauen werden[723].«

Basilius geht es im IX. Kap. nicht um die Frage einer »vermittelten« oder »unmittelbaren« Schau Gottes[724], sondern um die Tatsache, daß der Heilige Geist dieses Werk der »Vergöttlichung« in uns vollbringt. Basilius spricht dort, wo er von der Funktion des

[721] Vgl. oben 110; Adv. Eun. III, 2 (PG 29,660 B).

[722] DSS IX, 22 (324,27 Pruche); DSS XVIII, 47 (412,13 Pruche).

[723] H. U. von Balthasar, Spiritus Creator, Skizzen zur Theologie III, Einsiedeln 1967, 101.

[724] Vgl. die Stellungnahme P. Petits zu einer Untersuchung über den Theoria-Begriff bei Basilius von Sergio Rendina, La contemplazione negli scritti di S. Basilio Magno, Excerpta ex dissertatione ad Lauream in Facultate Theologica Pontificiae Universitatis Gregorianae, Romae 1959.
Diese Untersuchung war mir leider nicht zugänglich, ich verweise auf die gründliche Stellungnahme P. Petits, a.a.O. 88 f.

Geistes im soteriologischen Prozeß spricht, stets davon, daß der Geist »in sich« die Schau des Bildes gewährt, d. h. daß er das Licht ist, das uns zu Christus und in ihm zum Vater führt. Wenn Basilius nun darlegt, daß durch die Schau des Bildes dem Menschen die »Schönheit des Urbildes« zuteil wird, dann wird dadurch ausgedrückt, daß der Mensch, der selbst »Bild Gottes« ist, in die immer größere Verähnlichung mit ihm verwandelt, daß er (plotinisch gesprochen) »schön« wird und dadurch die »ὁμοίωσις«, das höchste Ziel, erreicht wird. In ähnlicher Weise hatte Origenes das Wirken des Geistes beschrieben. »Durch Teilhabe am Heiligen Geist ... gelangt man zu einem solchen Grad von Lauterkeit und Reinheit, daß das Sein, das man von Gott empfangen hat, so beschaffen ist, wie es Gottes würdig ist, der ja das Sein in reiner und vollkommener Weise verliehen hat. Dann hat das Seiende die gleiche Würde wie der, der es ins Sein rief. Denn wer genau so ist, wie sein Schöpfer ihn wollte, wird dann auch von Gott die Gnade erhalten, daß seine Tugend Dauer hat und auf ewig bleibt[725].«
Origenes wie Basilius beschreiben also beide diesen Prozeß der Verähnlichung als Teilhabe am Heiligen Geist. Basilius gebraucht für die Umschreibung dieses höchsten Zieles den Begriff »θεὸν γενέσθαι« — Gott-Werden. Man wird aber mit Vorbehalt Urteile auch von neueren Forschern[726] betrachten müssen, die annehmen, Basilius übernehme hier einfachhin das mystische Ziel Plotins, wenn er die Begriffe »ὁμοίωσις« und »θεὸν γενέσθαι« gebraucht. In der Tat geht es Basilius hier darum, die durch die κοινωνία[727] mit dem Heiligen Geist vermittelte Vereinigung mit Gott als das höchste Ziel menschlichen Suchens zu beschreiben. Die Erkenntnis von Geheimnissen, das Begreifen von Verborgenem, die Erwähnung der Engel, die Unendlichkeit der Freude, das Bleiben in Gott (die διαμονή) — dies alles sind Umschreibungen dieser höchsten Vereinigung, der ὁμοίωσις mit Gott. Aber es liegen trotzdem keine Anhaltspunkte vor, daß Basilius diesen Zustand an mystische Erfahrungen knüpft.
Es ist häufig nachgewiesen worden, wieviel platonisches und neuplatonisches Erbe in dieses IX. Kap. aufgenommen wurde[728], aber umgeformt und in seinen einzelnen Begriffen in einen anderen

[725] Origenes, De princ. I, 3,8 (62,5 Görgemanns-Karpp).
[726] Vgl. P. Gerlitz, Außerchristliche Einflüsse auf die Entwicklung des christlichen Trinitätsdogmas, 169.
[727] DSS IX, 23 (328,15 Pruche).
[728] Vgl. H. Dörries, De Spiritu Sancto, 53; H. Dehnhard, Das Problem der Abhängigkeit des Basilius von Plotin, 68 ff.; A. Jahn, Basilius Magnus plotinizans, Bern 1838; vgl. vor allem P. Henry, Etudes Plotiniennes, I: Les Etats du texte de Plotin. Museum Lessianum, Section philos. 20, Paris 1938.

und neuen Zusammenhang eingeordnet. Es ist deutlich, daß dieses Kap. innerhalb der ganzen Schrift »De Spiritu Sancto« eine Sonderstellung einnimmt. Gerade von dieser Stellung her ist es deshalb angezeigt, diese Aussagen immer auch im Kontext des »ganzen« Basilius zu lesen. Es wäre lohnend, hier ganze Passagen aus den Enneaden Plotins anzuführen, um den Abgrund aufzuzeigen, der sich trotz aller Ähnlichkeiten zwischen Plotin und Basilius auftut. Für unseren hier gegebenen Zusammenhang ist vor allem die Schrift »Das Gute und das Eine«[729] von Bedeutung. Plotin beschreibt hier den Vorgang der Kontemplation, der Schau des Einen. Zum Vergleich seien hier einige Zitate angeführt: »So ist es denn jenen vergönnt, sich selbst zu schauen ... vom Glanz erhellt, erfüllt vom geistigen Licht, vielmehr man ist selbst das Licht, rein, ohne Schwere, leicht, ja Gott geworden — nein: seiend ...[730]. Wenn der Schauende nun, wenn er schaut, sich selbst schaut ... wird er mit sich selbst als einem so erhabenen vereinigt sein ...[731]. Da es nun nicht zwei waren, sondern er selbst, der Schauende, mit dem Geschauten eines war, so trägt er, wenn er sich nur an den Zustand im Augenblick der Vereinigung erinnert, ein Abbild von jenem in sich. In diesem Zustand war er aber auch in sich selbst ... ja, sein Selbst war nicht mehr da ...[732]. Sieht jemand sich selbst in diesem Zustand, so hat er an sich selbst ein Gleichnis von Jenem, und geht er von sich als einem Abbild zum Urbild hinüber, so ist er am Ziel der Reise ... Das ist das Leben der Götter und göttlicher, seliger Menschen ...[733].«

Die Väter haben diese Sprache verstanden und sie weithin benutzt, um das Ideal der Vergöttlichung zu formulieren. Aber es ist dennoch nicht schwer, den Abgrund zu sehen, der diese Texte von Basilius trennt[734]. Bei Plotin hebt die Schau jeden Unterschied zwischen Gott und Mensch auf. Es gibt keine Distanz mehr, die Zentren fallen zusammen. Basilius geht es aber gerade darum, den Unterschied zwischen Gott und uns, zwischen dem Geist und der Schöpfung, aufzuzeigen[735]. Die von Plotin beschriebene Vergöttlichung ist kein Dauerzustand, sondern gebunden an mystische Erfahrungen, die deshalb vorübergehend und nur wenigen Menschen zugänglich sind. Basilius hingegen knüpft die Vergöttlichung an die Gabe Gottes, den Heiligen Geist, der immer im Menschen als

[729] Plotin, Enn. VI, 9 (I a, 170 — 207 Harder).
[730] Plotin, Enn. VI, 9,9,68 (I a, 200 Harder).
[731] Enn. VI, 9,10,70 (I a, 202 Harder).
[732] Enn. VI, 9,11,73 (I a, 202 Harder).
[733] Enn. VI, 9,11,79 (I a, 206 Harder).
[734] Vgl. die Stellungnahme zu diesem Problem bei P. Petit, a.a.O. 227 f.
[735] Vgl. oben 49 ff.

wirkende und umgestaltende Kraft gegenwärtig ist[736], sofern der Mensch sich diesem Wirken öffnet. Diese Vergöttlichung ist bei Basilius in einer fundamentalen Weise an die Taufe und den Glauben gebunden[737]. Das Bild des Lichtes ist bei Basilius ein Bild für die Wirksamkeit des Geistes. Aber Plotin hebt den Unterschied zwischen Bild und Wirklichkeit auf: Der Mensch wird selbst ein reines Licht[738]. Der Christ wird nicht Geist — wie bei Plotin —, sondern er trägt ihn, er wird πνευματοφόρος[739], und der Geist macht ihn geistlich — πνευματικός[740].

Auch im Hinblick auf die Schau des Bildes wird der Unterschied zu Plotin deutlich. Für Plotin ist der Mensch selbst das Bild, das sich allmählich in seinen eigenen Archetyp verwandelt, in Gott, der das Ziel der Reise ist[741]. Nach Basilius zeigt der Heilige Geist dem Menschen das Bild Gottes, Christus, der zum Vater führt. In beiden Fällen führt das Bild zum Archetypos, aber der Blick auf das »Eine« führt Plotin dazu, jede Trennung zwischen dem Einen und jenem, der an seinem Wesen teil hat, aufzuheben, während bei Basilius die Sorge um die Wahrung der Transzendenz ihn dazu führt, die notwendigen Unterscheidungen zu treffen[742].

Es zeigt sich also, daß die Aussagen von P. Gerlitz etwas modifiziert werden müßten. »Und diese ὁμοίωσις πρὸς θεόν bzw. das θεὸν γενέσθαι, Begriffe, wie sie sich bei Basilius, De Spiritu Sancto IX, 23 finden, — sind nichts anderes als das mystische Ziel Plotins . . .[743].« Gerlitz beschließt dieses Kapitel, indem er feststellt: »Nach alledem zeigt es sich, daß die Theologie des Basilius weitgehend von der zeitgenössischen Philosophie des Neuplatonismus beeinflußt worden ist; denn ihr ganzes Denkschema, das sich beispielsweise aus dem εἰκών-Begriff entwickelt hat, zeigt außer den unphilosophischen Aussagen Hebr. 1,3 und Kol. 1,15 keine biblischen Anhaltspunkte. Vielmehr dienen jene Stellen lediglich der Legitimierung des Platonismus; durch sie vermag der Mystiker Basilius seine Lehre vom ›unerschaffenen Licht der Gottheit‹ (um mit Meister Eckhart zu reden) und seiner Einwohnung im Gläubigen durch den Heiligen Geist . . . durchzuführen, deren Sinn es ist, dem Menschen

736 DSS XXVI, 61 (468,20 Pruche).
737 Vgl. die Hom. in s. Baptisma (PG 31,424—444); ferner P. Petit, a.a.O. 228.
738 Enn. VI, 9,9,68 (I a, 200 Harder).
739 DSS IX, 23 (328, 18 Pruche).
740 DSS IX, 23 (328,20 Pruche).
741 Enn. VI, 9,11 (I a, 206 Harder).
742 Vgl. P. Petit, a.a.O. 229.
743 P. Gerlitz, Außerchristliche Einflüsse auf die Entwicklung des christlichen Trinitätsdogmas, 169.

selber die Möglichkeit einer ὁμοίωσις πρὸς θεόν, eines θεὸν γενέσθαι als höchstes Ziel vor Augen zu stellen[744].«

Es bleibt bei Basilius das Ideal der ὁμοίωσις und das θεὸν γενέσθαι, aber es ist doch wichtig, zu beachten, daß von der christlichen Theologie das, was bisher als eine mystische Fusion von Subjekt und Objekt gegolten hatte (und das hat der gleiche Verfasser festgestellt), aus dem antiken Zusammenhang herausgelöst und an dem neu gewonnenen Begriff des ewigen, aber Mensch gewordenen Logos umgebildet wird[745]. Das neue »Vollkommenheitsideal« heißt jetzt Jesus Christus, und dies wird zu einem Nachfolge-Ideal[746]. Jetzt gilt es zu zeigen, daß der Mensch auf Grund seiner schöpfungsmäßig mitgegebenen Ähnlichkeit mit Gott danach trachten müsse, dem Logos gleichgestaltet zu werden. So kann Basilius sagen: »Wer nicht mehr nach dem Fleisch lebt, sondern vom Geist Gottes getrieben, Sohn Gottes heißt und mit dem Bild des Sohnes gleichförmig geworden ist, wird ›geistig‹ — ›πνευματικός‹ genannt[747].« Der Heilige Geist ist es, der diese Umformung in das Bild des Sohnes hinein bewirkt. Wenn Basilius davon spricht, daß der Geist Christus, die Kraft und Weisheit Gottes offenbart[748], daß er die Schau des Bildes ermöglicht, dann ist diese Umwandlung, diese Gleichgestaltung mit dem Bild des Sohnes gemeint. Dieses »Vollkommenheitsideal« Jesus Christus umgreift sowohl die umformende Kraft des Geistes als auch das Element der ethischen Nachahmung. In den Großen Regeln führt Basilius z. B. aus, daß die ἀποταγή, die Freiheit von allen Sorgen, Anfang der Gleichförmigkeit mit Christus sei (ἀρχὴ τῆς πρὸς Χριστὸν ὁμοιώσεως)[749]. Diese Nachfolge versteht Basilius in einem umfassenden Sinn. Durch sie empfängt der gerettete Mensch die Sohnschaft[750]. Zur Vollendung des Lebens (τελείωσις ζωῆς) ist die Mimesis, die Nachfolge Christi, notwendig[751], nicht nur hinsichtlich der Sanftmut, Demut und Langmut, sondern auch in seinen Tod, wie Paulus, der Nachahmer Christi (μιμητὴς τοῦ Χριστοῦ), sagt: »Gleichförmig geworden seinem Tod, werde ich auch zur Auferstehung der Toten gelangen« (Phil. 3,17)[752]. Ist das Wasser Bild für die »Ähnlichkeit des Todes«, so ist der Geist das

744 P. Gerlitz, ebd. 171.
745 P. Gerlitz, Der mystische Bildbegriff, 250.
746 P. Gerlitz, ebd. 250.
747 DSS XXVI, 61 (466,9 ff. Pruche).
748 DSS XVIII, 46 (410,15 f. Pruche).
749 Reg. fus. tract. 8,3 (PG 31,940 C).
750 DSS XV, 35 (364,7 Pruche).
751 DSS XV, 35 (366,9 Pruche).
752 DSS XV, 35 (366,12 f. Pruche).

Unterpfand des Lebens[753]. Vom Tag der Wiedergeburt an ist der Heilige Geist jene Kraft, die uns umformen will in das Bild des Sohnes hinein.
Und so dient die Heiligung durch den Geist, die »Vergöttlichung« des Menschen, dazu, die Zugehörigkeit des Geistes zur Gottheit zu bekräftigen. »Wenn also gesagt wird, daß Gott durch den Geist in uns wohne, ist es dann nicht eine offenbare Gottlosigkeit, zu behaupten, der Geist sei selbst der Gottheit (θεότης) nicht teilhaftig? Und wenn wir die in der Tugend Vollkommenen ›Götter‹ nennen, die Vollkommenheit aber durch den Geist bewirkt wird, wie ist dann der, der andere zu ›Göttern‹ macht, nicht selbst Gottheit[754]?« Der Mensch wird durch Teilhabe am Geist geheiligt, er wird durch Gnade »göttlich«[755], der Heilige Geist aber ist heilig von Natur[756]. So kann Basilius sagen: »Frei zu sein von der Knechtschaft, Gottes Sohn genannt zu werden, und vom Tode zum Leben erweckt worden zu sein, das kann von keinem anderen als dem gesagt werden, der durch seine Natur die innigste Vertrautheit mit Gott besitzt und vom Knechtsstand befreit ist. Wie kann ein Fremder mit Gott vertraut machen? Oder wie kann jemand befreien, der selbst unter dem Joch der Knechtschaft steht[757]?« Die Erneuerung auf Erden und die Verwandlung vom erdhaften und in Leidenschaften verstrickten zum himmlischen Leben: sie wird uns durch den Geist erwirkt und führt unsere Seelen zu jeglichem Übermaß des Staunens[758].

6. Die eschatologische Wirksamkeit des Heiligen Geistes

In jenem zentralen XVI. Kapitel seiner Schrift »De Spiritu Sancto«, in dem Basilius die κοινωνία des Geistes mit dem Vater und dem Sohn aus seinem Wirken begründet, lenkt er den Blick hin zu den »Werken des Anbeginns«, d. h. zur Teilhabe des Geistes an der Schöpfung und führt den Betrachter weiter zu den Propheten, zum Wirken des Geistes im großen Erlösungswerk; er zeigt auf, wie alles Tun Jesu in der Gegenwart des Geistes gewirkt ist, wie dieser Geist den »Leib Christi«, die Kirche, belebt; wie er die Geschöpfe heiligt und vollendet, sie in ihrer Beziehung zu Gott »befestigt«. Schließlich wendet er den Blick dem Zukünftigen zu und legt dar,

[753] DSS XV, 35 (368,43 f. Pruche).
[754] Adv. Eun. III, 5 (PG 29,665 B).
[755] Adv. Eun. III, 5 (PG 29,665 C).
[756] Adv. Eun. III, 3 (PG 29,661 A).
[757] DSS XIII, 29 (348,13 ff. Pruche).
[758] DSS XIX, 49 (420,35 f. Pruche).

daß auch das Gericht sich nicht ohne das Mitwirken des Geistes vollzieht. Ja, man hat ein Recht, seiner dabei noch besonders zu gedenken. Denn an seiner Stellung zu ihm, dem treuen Hüter des Angeldes, entscheidet sich das ewige Geschick[759]. Auch hier im letzten Aufweis der Wirksamkeit des Geistes wird die zentrale Bedeutung der Taufe sichtbar. Am Bewahren oder Verletzen der Taufgnade entscheidet sich das ewige Geschick des Menschen. Die Taufe ist für Basilius der Ort, wo er zuerst und zuletzt dem Wirksamwerden des Geistes begegnet[760]. In der Taufe ist der Christ »gesiegelt« für den Tag der Erlösung. Wir sahen oben bereits, wie bei Basilius die altchristliche Taufbezeichnung »σφραγίς« noch lebendig ist. Der typologischen Interpretation des Alten Testamentes zufolge empfängt der Christ in der Taufe ein Prägezeichen, das seine Zugehörigkeit zu Gott kennzeichnet. »Wie soll der Engel sich deiner annehmen? Wie soll er dich dem Feind entreißen, wenn er das Siegel nicht wahrnimmt? Wie willst du sagen: Ich gehöre Gott an, wenn du nicht die Kennzeichen an dir trägst? Oder weißt du nicht, daß der Würgengel an den gekennzeichneten Häusern vorüberging, in den nichtbezeichneten aber die Erstgeburt tötete[761]?« Der Christ ist bezeichnet nicht durch die alttestamentliche Beschneidung, sondern geprägt mit dem »Licht des Antlitzes des Herrn«[762]. Hier in der Taufe empfing der Christ die Gabe des Geistes als »Angeld«, als »Erstlingsgabe«[763]. Und wer diese Gabe unversehrt bewahrt, oder besser: wer damit wirtschaftet wie der Knecht mit den Talenten, der wird einst hören: »Recht so, du guter und getreuer Knecht; weil du über Weniges getreu gewesen bist, will ich dich über Vieles setzen[764]!« Diejenigen aber, die den Heiligen Geist betrüben durch ihren Lebenswandel und die mit den Talenten nicht gewirtschaftet haben, sie verlieren, was sie empfingen, wobei die Gnade (χάρις) auf andere übergeht, wie Basilius hinzufügt[765]. Basilius spricht von einem wartenden Dabeistehen des Geistes, das

[759] DSS XVI, 40 (386,1 — 388,3 ff. Pruche); vgl. auch H. Dörries, De Spiritu Sancto, 150.

[760] Vgl. H. Dörries, ebd. 151.

[761] Hom. in s. Bapt. 4 (PG 31,432 C).

[762] Hom. in s. Bapt. 4 (PG 31,432 C).

[763] DSS XVI, 40 (388,15 Pruche). Basilius verwendet hier nicht den Terminus ἀρραβών wie am Schluß des Kapitels, sondern ἀπαρχή. Offensichtlich benutzt er hier in freier Form eine Stelle aus dem Epheserbrief, Eph. 1,13 f. und 4,30, wobei aber in Eph. 1,14 die biblische Redeweise vom Angeld des Geistes unter dem Begriff ἀρραβών erscheint.

[764] DSS XVI, 40 (388,17 f. Pruche).

[765] DSS XVI, 40 (388,23 f. Pruche).

zur Umkehr mahnt. Erst beim letzten Gericht wird die Gnade von einer Seele, die sie völlig entweiht hatte, »abgeschnitten«, während die Gerechten, mit denen sich die Gnade des Geistes jetzt schon »vermischt« hat, statt des Angeldes die Fülle erhalten[766].

Der Heilige Geist, durch den die Herzen erhoben, die Schwachen geleitet und die Fortschreitenden vollendet werden[767], er verleiht ihnen auch die δόξα πνευματική[768]. Die »Krone der Gerechten« ist die Gnade des Geistes[769]. Dieses biblische Bild der »Krone« oder des »Kranzes«, das nach 1 Petr. 5,4 als »στέφανος τῆς δόξης« bezeichnet wird, ist Symbol des Lebens, denn Licht und Leben gehören zusammen, wie auch Tod und Finsternis einander entsprechen[770]. Das Angeld, ἀρραβών bzw. ἀπαρχή ist die Erstlingsgabe Gottes an den Menschen, eine Pneumabegabung, die nur eine vorläufige ist, an dessen Ende die υἱοθεσία, die Begabung mit dem σῶμα πνευματικόν steht[771]. Aber dieses Angeld ist gebunden an das Bekenntnis, das der so »Versiegelte« bei der Taufe gesprochen hat. Und dieses Bekenntnis hat auf untrennbare Weise den Heiligen Geist mit dem Vater und dem Sohn verbunden. Basilius erbittet deshalb für sich, mit diesem Bekenntnis zum Herrn einzugehen und ermahnt, diesen Glauben unversehrt zu bewahren bis zum Tag Christi, und darauf zu achten, daß der Heilige Geist ungetrennt von Vater und Sohn bleibt und die Lehre der Taufe im Bekenntnis des Glaubens und in der Verkündigung des Lobpreises erhalten bleibe[772]. An der Treue zu diesem Bekenntnis entscheidet sich im Gericht das ewige Geschick[773]. Es gibt keine Rechtfertigung für die Verleugnung des Geistes, denn wer ihn verleugnet, dessen Glaube ist nichtig: »Denn nicht glaubt an den Sohn, wer dem Geist nicht glaubt; nicht glaubt an den Vater, wer dem Sohn nicht glaubt; da niemand sagen kann ›Jesus Christus‹ außer im Heiligen Geist« (1 Kor. 12,3)[774]. Die Rechtfertigung, die im Gericht bleibt, ist diese: daß uns zur Verherrlichung des Geistes zunächst das Zeugnis des Sohnes gebracht hat, der ihn sich dem Vater bei der Taufe verbunden hat[775].

766 DSS XVI, 40 (390,35 ff. Pruche).
767 DSS IX, 23 (328,12 f. Pruche).
768 DSS XVI, 40 (388,10 Pruche).
769 DSS XVI, 40 (388,8 Pruche).
770 Vgl. W. Grundmann, Art. στέφανος, ThWb VII, 630.
771 Vgl. G. Delling, Art. ἀπαρχή, ThWb I, 484.
772 DSS X, 26 (338,25 f. Pruche).
773 DSS XI, 27 (340,15 f. Pruche).
774 DSS XI, 27 (342,23 ff. Pruche).
775 DSS XXIX, 75 (516,24 f. Pruche).

So ist für Basilius das Wirksamwerden des Geistes untrennbar mit der Taufe verbunden. In ihr empfängt der Mensch die »Erstlingsgabe«. Aber sie ist gewissermaßen nur die Anzahlung auf das Erbe, den vollen Heilsbesitz, der noch nicht erreicht ist[776], sondern dessen Vollendung noch aussteht. Aber diese »Vollendung« wird nicht »automatisch« herbeigeführt, das Bild von den Talenten, das Basilius mit dem Angeld verbindet, verdeutlicht sehr gut diesen Sachverhalt. Zwar ist es das Werk des Geistes in uns, die von Gott geschenkten Gaben zur Entfaltung zu bringen, und Basilius sagt, daß der Geist sich mitteilt »ohne Maß«, doch findet diese Wirksamkeit des Geistes allein im »Maß unseres Glaubens« seine Begrenzung[777].

Ἀρραβών und τέλειον — Angeld und Fülle, damit ist der ganze Spannungsbogen, in den hinein der Mensch gestellt ist, gekennzeichnet. Basilius wird nicht müde, den Menschen aufzufordern, diese Gabe des Geistes für den Tag der Erlösung zur Entfaltung zu bringen. In einer Psalmen-Homilie vergleicht Basilius den Heiligen Geist mit dem Strom, der die ganze »Stadt Gottes« erfüllt. »Jetzt trinkt der Gerechte das lebendige Wasser, später aber wird er es in größerer Fülle trinken ... Jetzt trinkt er wie durch einen Spiegel und in Rätseln ... in der Folge aber wird er den überströmenden Fluß in sich aufnehmen, der die ganze Stadt Gottes mit Freude überströmt. Was aber ist dieser Strom Gottes anderes als der Heilige Geist, der aus dem Glauben derjenigen, die an Christus glauben, in die Würdigen übergeht[778]?«

Taufe — Glaube — Doxologie, das war der Dreischritt, in dem Basilius die Verherrlichung des Geistes begründet sieht. Taufe — Glaube — Doxa, das ist auch der Dreischritt, in dem sich das Leben des Christen vollendet. Die Taufe, das war Beginn des neuen Lebens; am Bewahren oder Verleugnen dieses Taufbekenntnisses entscheidet sich auch das ewige Geschick des Christen. So ist das Wirken des Heiligen Geistes, das Basilius beginnend bei der Schöpfung bis hin zur Vollendung darstellt, immer auch trinitarisch bestimmt, ist er doch überall mit der ganzen Gottheit verbunden: Im Bekenntnis des Glaubens, in der Taufe, in den Krafttaten, in den Gnadengaben, in der Anbetung, denn es ist unmöglich, den Sohn zu verehren, außer im Heiligen Geist, noch kann man den Vater anrufen, außer im Geist der Annahme an Sohnes Statt[779].

[776] Vgl. J. Gnilka, Der Epheserbrief, Freiburg 1971, 86.
[777] DSS IX, 22 (326,31 f. Pruche).
[778] Hom. in Psalm. 45,4 (PG 29,421 BC).
[779] DSS XI, 27 (342,26 f. Pruche).

IV. DER HEILIGE GEIST IN DER KOINΩNIA MIT DEM VATER UND DEM SOHN

1. *Die Wirkungen des Geistes als Manifestation der* κοινωνία *mit dem Vater und dem Sohn*

Während im voraufgehenden Kapitel die heilsökonomische Wirksamkeit des Heiligen Geistes im Mittelpunkt der Untersuchung stand, wären nun die Folgerungen, die Basilius für sein Gottesverständnis daraus zieht, näher in den Blick zu nehmen. Das machtvolle Wirken des Geistes, das Basilius auf jeder Seite seines dogmatischen Hauptwerkes »De Spiritu Sancto« beschreibt, ist nicht ein isoliertes, vom Vater und Sohn getrenntes Wirken, sondern es offenbart zutiefst die φυσικὴ κοινωνία, die Natur-Gemeinschaft.
Es zeigte sich oben bereits, daß der Taufbefehl das erste Argument war, das Basilius den Pneumatomachen entgegenhielt. Die darin bezeugte Koinonia des Heiligen Geistes mit dem Vater und dem Sohn ist die Antwort auf ihr Bestreiten der τάξις, seiner Gleichstellung[780]. Der Heilige Geist ist mit dem Vater und dem Sohn untrennbar verbunden, das ist die sichere Schlußfolgerung, die Basilius aus dem Taufbefehl, dem »heilbringenden Dogma«[781], gewinnt. Und diese διδασκαλία τοῦ Κυρίου[782] ist für Basilius Richtschnur für das Bekenntnis des Glaubens wie auch Ursprung und Maß für die Doxologie. Aber Basilius war zu sehr Theologe, als daß er sich mit dem einfachen Rezitieren von Formeln begnügen konnte, und seien es auch Doxologien, worin der Heilige Geist neben dem Vater und dem Sohn seinen Platz hatte[783]. Deshalb genügte es nicht, sich für die Doxologien einzusetzen, worin neben dem Vater und dem Sohn auch der Heilige Geist genannt wurde, es mußte dies auch theologisch gedeutet und annehmbar gemacht werden[784]. Das Thema der Doxologie, das sich wie ein roter Faden durch alle Argumentationen hindurchzieht, läßt erkennen, daß der Lobpreis des Heiligen Geistes vornehmlich seiner Gaben gedenkt. Deshalb weiß Basilius dem Heiligen Geist nicht besser die Doxa zu bezeugen, als im Erzählen seiner Wunder und Wohltaten[785].

[780] DSS X, 24 (332,1 ff. Pruche).
[781] DSS X, 25 (334,18 Pruche).
[782] DSS XXVII, 68 (488,11 Pruche).
[783] Vgl. J. Verhees, Mitteilbarkeit Gottes in der Dynamik von Sein und Wirken nach der Trinitätstheologie des Basilius des Großen, in: Ostkirchliche Studien 27 (1978) 9.
[784] Vgl. J. Verhees, ebd. 9.
[785] DSS XXIII, 54 (446,20 f. Pruche).

Indem er aber seinen Wirkungen nachgeht, offenbart sich von Anbeginn der Schöpfung an bis zum Jüngsten Gericht die Koinonia des Geistes mit dem Vater und dem Sohn.

Der Heilige Geist hat teil am göttlichen Schöpfungswerk. Eigenständig, wie der Vater und der Sohn, wirkt auch der Heilige Geist, so hatte Basilius schon Eunomius gegenüber argumentiert[786]. Aber bereits hier wird durch die Anwendung des Wirkschemas ἀπό — διά — ἐν deutlich, in welchem Sinn dieses eigenständige schöpferische Wirken des Geistes zu verstehen ist: »Von Gott wird uns durch Christus im Geist das Leben verliehen[787].« Die langen Ausführungen über die schöpferische Wirksamkeit des Geistes in Kap. XVI »De Spiritu Sancto« bringen zum Ausdruck, daß dieses göttliche Wirken eine Einheit ist, die durch die ἐκ — διά — ἐν-Formel differenziert ist. Im Geist manifestiert sich Gott in der Welt als »Schöpfer des Lebens«. Das schöpferische Werk des Heiligen Geistes kann verstanden werden als die »königliche Freiheit Gottes«[788] gegenwärtig zu sein in der Kreatur, um die schöpferischen Absichten Gottes zu verwirklichen. Die Einheit wird geschaut in der einen ἀρχή, die durch (διά) den Sohn wirkt und im (ἐν) Geist vollendet. Die besondere Art der Wirksamkeit des Geistes innerhalb des einen Wirkens der Trinität ist wohl, ähnlich wie bei Athanasius, darin zu sehen, daß der Heilige Geist die Macht Gottes jeweils in den Geschöpfen realisiert[789]. Von Psalm 32,6 her wird diese Koinonia im Sein und die Einheit im Wirken biblisch begründet.

Durch die Einbeziehung des Geistes in das schöpferische Wirken ist den Pneumatomachen gegenüber seine dienende Funktion widerlegt und sein »Herr-sein« begründet. Wesen und Werk des Geistes gehören eng zusammen und bedingen einander. Der Gegensatz δοῦλος — δεσπότης[790] oder κτίσις — θεότης[791], mit dem Basilius arbeitet, bringt eindeutig zum Ausdruck, daß der Heilige Geist auf der Seite der Gottheit steht. Denn die Schöpfung dient, der Geist aber macht frei (Röm. 8,21; 2 Kor. 3,17); die Schöpfung bedarf des Lebens, der Geist aber ist Lebensspender (Joh. 6,63); die Schöpfung bedarf des Belehrtwerdens, der Geist aber lehrt (Joh. 14,26); die Schöpfung wird geheiligt, der Geist aber heiligt (1 Kor. 6,11)[792].

[786] Adv. Eun. III, 4 (PG 29,664 C).
[787] Adv. Eun. III, 4 (PG 29,664 C).
[788] Vgl. Th. F. Torrance, Spiritus Creator, 76.
[789] Vgl. A. Laminski, Der Heilige Geist als Geist Christi und Geist der Gläubigen, 147.
[790] DSS XX, 51 (426,1 Pruche).
[791] Ep. 159,2 (II, 87 Courtonne).
[792] Ep. 159,2 (II, 87 Courtonne).

Die Wirksamkeit des Geistes offenbart somit sein Getrenntsein von der Schöpfung und seine volle Teilhabe an der Gottheit. Obwohl Basilius mit der Argumentation arbeitet: wenn der Geist vergöttlicht, dann muß er selbst »Gott« sein, wendet er »θεός« nicht ausdrücklich auf den Heiligen Geist an.
Lenkte die Darlegung der schöpferischen Wirksamkeit des Geistes den Blick des Lesers zunächst zum Anbeginn der Schöpfung zurück, so zeigt sich doch im weiteren Verlauf des XVI. Kap. »De Spiritu Sancto«, daß der gesamte Heilsplan, die göttliche οἰκονομία, durch die Gnade des Heiligen Geistes verwirklicht wird. Der über den Wassern der Urflut schwebende Gottesgeist, der die göttliche und selige Dreifaltigkeit vollendet[793], der die himmlischen Mächte im Guten »befestigt«[794], ist derselbe, der in den Patriarchen und Propheten wirkt. Die Prophetie ist nicht nur eine der vielen Gnadengaben, die der Heilige Geist austeilt, sondern das »Offenbaren der Geheimnisse« kommt dem Heiligen Geist in besonderer Weise zu[795]. Es ist dies der stärkste Beweis für die συνάφεια des Geistes mit dem Vater und dem Sohn, daß er das »Innerste Gottes« kennt[796], daß er die »Tiefen Gottes« erforscht. Die biblische Begründung durch 1 Kor. 2,10 f. bezeugt, daß der Geist sich zu Gott verhält, wie der Geist in uns sich zu jedem einzelnen verhält[797]. So kann auch niemand und nichts außer Gott das Wesen und Geheimnis Gottes erkennend ergründen[798].
Damit bringt Basilius zum Ausdruck, daß auch hier der Aufweis der Wirksamkeit des Geistes der Bekräftigung des Gegensatzes dient: Der Geist kennt die Tiefen Gottes, die Schöpfung dagegen empfängt die Offenbarung der Geheimnisse durch den Geist[799]. Das ist für Basilius ein Beweis dafür, daß der Geist der Gottheit nicht fremd ist, denn »wie kein Fremder die inneren Gedanken der Seele erkennen kann, so vermag der Geist, wenn er mit Gott an den Geheimnissen teil hat, — da er kein anderer als Gott und Gott nicht fremd ist — die Tiefen der Gerichte Gottes zu erforschen«[800]. Für Basilius ergibt sich daraus die Folgerung, daß der Heilige Geist in seinem ganzen Wirken mit dem Vater und dem Sohn untrennbar verbunden ist[801]. Auch dieser Beweisgang läßt

793 Hom. in Hexaem. II, 6 (168 Giet).
794 DSS XVI, 38 (380,38 f. Pruche).
795 DSS XVI, 38 (382,75 Pruche).
796 DSS XVI, 40 (390,44 f. Pruche).
797 DSS XVI, 40 (390,45 Pruche).
798 DSS XVI, 40 (390,47 Pruche).
799 DSS XXIV, 56 (452,4 Pruche).
800 Adv. Eun. III, 4 (PG 29,664 C).
801 DSS XVI, 37 (374,19 Pruche).

erkennen, daß Basilius es vermeidet, über das »Innerste« Gottes zu spekulieren, sondern daß er mit Behutsamkeit und »theologischer Bescheidenheit«[802] von den Wirkungen her die »Natur-Gemeinschaft« des Geistes mit dem Vater und dem Sohn zu erschließen versucht.
Die Heilsökonomie, die Basilius in ihrem chronologischen Verlauf darzustellen versucht, führt ihn weiter zum Christusereignis. Der Titel »Christus« offenbart für Basilius das Ganze des Glaubens, denn er bezeugt den salbenden Gott, wie auch den gesalbten Sohn und den Heiligen Geist als die Salbung[803]. Das Pneuma, zum χρῖσμα geworden, verbindet sich untrennbar (ἀχώριστος) mit der σάρξ τοῦ Κυρίου[804], so daß alles Tun Jesu in der Gegenwart des Geistes gewirkt wird[805]. Die Analogie Heiliger Geist — χρῖσμα, die ja gewiß nicht auf materielles Salböl reflektiert, sondern alttestamentliche Vorstellungen aufgreift, veranschaulicht sehr gut die Mitteilbarkeit Gottes im Pneuma. Sie bringt zum Ausdruck, daß das »Wesen« des Geistes jene δύναμις ist, in der der Vater sich dem Sohn schenkt und Christus, der Gesalbte, in einmaliger und unüberbietbarer Weise zum Spender des Geistes wird für alle, die an ihn glauben[806]. Auch hier im Christusereignis wird die κοινωνία und συνάφεια des Geistes mit dem Vater und dem Sohn offenbar.
Basilius sieht auch den Aufbau und die Struktur der Kirche als vom Geist gewirkt an. 1 Kor. 12,4—6 ist hier jene zentrale Stelle, die das Wirken des Geistes in den Charismen in die Wirkeinheit von Vater und Sohn einbezieht. Zwar gibt es Verschiedenheiten in den Charismen, Verschiedenheiten in den Diensten wie auch Verschiedenheiten in den ἐνεργήματα, aber es ist derselbe Gott, der alles in allem wirkt[807]. Diese Stelle aus dem 1. Korintherbrief ist für Basilius Ausdruck der Wirkformel »vom Vater-durch den Sohn-im Heiligen Geist«[808]. Der Heilige Geist ist jene der Schöpfung zugewandte Seite Gottes, jene »Gabe«, in der Gott sich dem Menschen schenkt. Aber indem Gott sich »im« Geist der Schöpfung zuwendet — nach Basilius gibt es überhaupt keine Gabe, die ohne den Heiligen Geist der Schöpfung zukommt —[809] wird sie gleichzeitig »vollendet«, »vergöttlicht«. Hier in der Heiligung, im ἁγιασ-

[802] Vgl. den Absatz über die »theologische und pastorale Bescheidenheit« des Basilius bei J. Verhees, Mitteilbarkeit Gottes in der Dynamik von Sein und Wirken, 5.
[803] DSS XII, 28 (344,8 f. Pruche).
[804] DSS XVI, 39 (386,10 Pruche).
[805] DSS XVI, 39 (386,10 ff. Pruche).
[806] Vgl. W. Kasper, Jesus der Christus, 297 f.
[807] DSS XVI, 37 (376,21 ff. Pruche).
[808] Vgl. oben 100.
[809] DSS XXIV, 55 (450,27 Pruche).

μός, liegt für Basilius das wichtigste Argument für die Transzendenz des Geistes[810]. »Wenn zwei Dinge genannt werden, nämlich Gottheit und Schöpfung, Herrschaft und Dienstbarkeit, eine Kraft, die heiligt und eine Kraft, die geheiligt wird, eine Kraft, welche die Tugend von Natur hat und eine solche, die sie erst durch Vorsatz erlangt, welchem Teil werden wir den Heiligen Geist zuordnen? Denjenigen, welche geheiligt werden? Allein er ist selbst die Heiligung[811] und er ist die Quelle der Heiligung[812].« Basilius verbindet mit der Wirklichkeit des Geistes den Begriff der τελείωσις, der Vollendung[813]. Der Heilige Geist ist jene Kraft, die die im Menschen angelegten Fähigkeiten entfaltet und zu dem seiner Natur gemäßen Telos führt. In diesem soteriologischen Prozeß wird die Funktion des Heiligen Geistes wie auch seine unzertrennliche Verbundenheit mit der gesamten Trinität deutlich. Indem der Geist »in« sich das Bild des unsichtbaren Gottes zeigt, führt er durch das Schauen des Bildes zum Urbild, zum Archetypos hinauf[814]. So wird gerade in der Heiligung, in der »Vergöttlichung« des Menschen, die Basilius als ein Spezifikum des Geistes bezeichnet, offenbar, daß das Wirken des Geistes kein isoliertes, neben dem des Vaters und des Sohnes sich vollziehendes Wirken ist, sondern daß im Geist uns die umgestaltende und lebenschaffende Kraft des Vaters und des Sohnes erfaßt und hineinzieht in den Strom des göttlichen Lebens. Deshalb kann Basilius sagen, um die untrennbare und ungeteilte Trinität zu erweisen, daß dort, wo die Gegenwart des Geistes ist, auch Christus zugegen ist; wo aber Christus ist, da ist auch der Vater[815]. In der Homilie Contra Sab. et Ar. fügt er — durch eine Schriftstelle diesen Gedanken noch einmal begründend — hinzu: »Wißt ihr nicht, daß eure Leiber Tempel des Heiligen Geistes sind, der in euch wohnt? ... Wenn wir daher durch den Heiligen Geist geheiligt werden, so empfangen wir Christus, der im inneren Menschen wohnt, und mit Christus zugleich auch den Vater, der in Gemeinschaft mit Christus bei den Würdigen wohnt[816].« Die συνάφεια des Geistes mit dem Vater und dem Sohn sieht Basilius auch hier wiederum in der Überlieferung der Taufe begründet[817]. Denn diejenigen, so lautet seine Begründung, die den Geist von

[810] Vgl. J. Verhees, Die Bedeutung der Transzendenz des Pneuma bei Basilius, in: Ostkirchliche Studien 25 (1976) 299.
[811] Adv. Eun. III, 2 (PG 29,660 A).
[812] Adv. Eun. III, 2 (PG 29,660 C).
[813] Vgl. DSS XVI, 38 (378,22 ff. Pruche); DSS XVI, 38 (380,39 Pruche).
[814] DSS IX, 23 (328,10 f. Pruche).
[815] Hom. Contra Sab. et Ar. 5 (PG 31,609 C).
[816] Ebd. 5 (PG 31,609 CD).
[817] Ebd. 5 (PG 31,609 D).

Vater und Sohn trennen und unter die Geschöpfe zählen, machen nicht nur die Taufe, sondern auch das Bekenntnis des Glaubens unvollständig[818].

Dieser zuletzt genannte Aspekt zeigt auf, in welchem Kontext die Bekräftigung der untrennbaren Verbundenheit des Geistes mit dem Vater und dem Sohn steht. Es geht hier nicht um die Spekulation einer späteren Schultheologie, die glaubte, das gesamte Wirken Gottes nach außen allen drei göttlichen Personen gemeinsam zusprechen zu müssen und dabei die *besondere* heilsgeschichtliche Funktion außer acht ließ[819]. Infolgedessen wagten die meisten Theologen, von wenigen Ausnahmen abgesehen (Petavius, Thomassin, Passaglia, Scheeben, Schauf, Volk)[820], nicht mehr, von einer persönlichen Einwohnung des Heiligen Geistes in den Gläubigen zu sprechen, obwohl dies in der Schrift eindeutig bezeugt ist. »Der Geist hatte damit geschichtlich keinen Ort und keine Funktion mehr[821].«

Bei Basilius ist dieser »heilsgeschichtliche Ort« des Heiligen Geistes noch in aller Deutlichkeit ausgesagt, gleichzeitig aber auch bezeugt, daß das Wirken des Geistes in allen Dimensionen trinitarisch bestimmt ist. Dieser Unterschied zur eben genannten späteren Schultheologie ist zu beachten. Basilius differenziert sehr genau das in Einheit sich vollziehende Wirken der drei göttlichen Personen[822]. Im Wirken des Geistes kommen alle Willensentscheidungen des dreifaltigen Gottes zur Vollendung[823]. Durch die Kraft des Geistes setzt sich das Handeln Gottes in innerweltliche Wirklichkeit um; das Wirken des Geistes ist die Stätte des Hereinbrechens Gottes in die Welt[824]. Und nur in der κοινωνία τοῦ ἁγίου Πνεύματος, in der Gemeinschaft des Heiligen Geistes — gibt es eine Teilhabe der Geschöpfe am Leben des Schöpfers[825]. Das Wirken des Geistes, das in allen seinen Dimensionen die Koinonia mit dem Vater und dem Sohn bezeugt und darin manifestiert, daß der Geist nicht auf der Seite der Schöpfung steht, sondern zur »θεότης« gehört, dieses

818 Ebd. 5 (PG 31,609 D).

819 Vgl. W. Kasper, Kirche — Ort des Geistes, Freiburg 1976, 18.

820 Vgl. H. Schauf, Die Einwohnung des Heiligen Geistes, Freiburger Theologische Studien 59, Mainz 1941; H. Volk, Das Wirken des Heiligen Geistes in den Gläubigen, in: Gott alles in allem, Ges. Aufsätze, Bd. 1, Mainz 1961, 86—112.

821 W. Kasper, a.a.O. 18 f.

822 Vgl. oben 56 f. die Ausführungen zu Kap. XVI »De Spiritu Sancto«.

823 DSS XVI, 33 (378,20 ff. Pruche).

824 Vgl. G. Wagner, Der Heilige Geist als offenbarmachende und vollendende Kraft. Der Beitrag der orthodoxen Theologie, in: C. Heitmann - H. Mühlen, Erfahrung und Theologie des Heiligen Geistes, München 1974, 215.

825 Vgl. G. Wagner, ebd. 215.

Wirken, das Basilius wie Athanasius durch die klassische Formel aussagt: Vom Vater — durch den Sohn — im Geist, ist Offenbarung der Trinität nach außen hin, Offenbarung Gottes ad extra — die eine zeitliche Widerspiegelung der ewigen Ordnung des inneren Lebens der Trinität ist[826].

2. *Das »ἴδιον« des Geistes*

Die Wirkungen des Geistes sind für Basilius eindeutig Manifestation der Koinonia mit dem Vater und dem Sohn. Aber auch die biblischen Namen und Titel bezeugen seine innige Vertrautheit, seine οἰκειότης κατὰ τὴν φύσιν mit ihnen[827]. Er ist »πνεῦμα« wie der Vater und der Sohn[828]. Joh. 4,24 ist die Begründung für die Geistigkeit Gottes[829]. Der Geist ist »ἅγιος«, wie der Vater heilig ist und der Sohn[830]. »Ἄγαθον« wird er genannt, weil er gut ist wie der Vater und der Sohn[831]. Er ist »εὐθές« — gerade, gerecht, wie Gott, der Herr, gerecht ist (Ps. 91,16)[832]. Diese Gemeinsamkeit der Namen, wie Basilius sie hier anführt, scheint aber nun in eine Aporie zu führen, wenn der Name gleichzeitig auch das Eigene, das »ἴδιον« des Geistes bezeichnen soll. »Heiliger Geist« — das ist, wie Basilius argumentiert, die ihm eigentümliche und zukommende Bezeichnung.

Es ist nun dem Beweisgang nachzuspüren, wie Basilius aus dem Gemeinsamen gerade das »Eigene« des Geistes entwickelt. Zunächst weist Basilius nach, daß der Geist »heilig« ist, nicht wie die Geschöpfe, die die Heiligkeit gnadenweise als Hinzukommendes erhalten[833]. Seine wesenhafte Heiligkeit schließt ihn ja gerade in die Gottheit ein. Das Trishagion der Isaiasvision bringt für Basilius die Jenseitigkeit und das völlige Anderssein Gottes gegenüber allem Geschaffenen zum Ausdruck[834]. Diese Heiligkeit ist nicht eine Eigentümlichkeit Gottes neben anderen, sondern die,

[826] DSS XVIII, 47 (412,19 f. Pruche); vgl. auch G. Wagner, a.a.O. 215.
[827] DSS XIX, 48 (418,25 Pruche).
[828] Adv. Eun. III, 3 (PG 29,661 A).
[829] Adv. Eun. III, 3 (PG 29,661 A); DSS IX, 22 (322,11 Pruche).
[830] DSS XIX, 48 (416,14 Pruche); Adv. Eun. III, 3 (PG 29,661 A).
[831] DSS XIX, 48 (416,18 f. Pruche).
[832] DSS XIX, 48 (416,19 f. Pruche).
[833] Ep. 105 (I, 7 Courtonne); Ep. 159,2 (II, 87 Courtonne).
[834] Adv. Eun. III, 3 (PG 29,661 A). Basilius führt an dieser Stelle aus: »Darum glaube ich, steht bei Isaias (6,3) geschrieben, daß die Seraphim dreimal ›heilig‹ ausrufen, weil in den drei Personen die natürliche Heiligkeit erblickt wird.« Die Formulierung »ἐν τρισὶ ὑποστάσεσιν« dürfte auf Athanasius, De incarnarn. et contra Ar. 10 (PG 26,1000 B) verweisen. — Zur Auslegung der Isaiasstelle (6,3) vgl. Origenes, De princ. I, 3,4 (53,6 Görgemanns-Karpp).

die Gott als Gott erscheinen läßt[835]. Sie ist die grundlegende Seinsbestimmung, die die Fülle des göttlichen Seins in ihrer Einmaligkeit und Herrlichkeit aussagt[836]. Als solche ist sie dem »Geist-sein« zugeordnet — »denn Gott ist Geist« (Joh. 4,24) — und bringt darin noch einmal das Göttliche Gottes, das Gemeinsame mit dem Vater und dem Sohn zum Ausdruck[837]. »Geist-sein und Heilig-sein ist die Wesensbeschreibung Gottes selbst, das, was ihn als Gott kennzeichnet[838].« Wenn aber nun das Geist-sein wie auch das Heilig-sein das Gemeinsame mit dem Vater und dem Sohn kennzeichnet[839], worin ist dann das Eigentümliche des Geistes zu sehen[840]? Eine genauere Analyse der von Basilius benutzten Begriffe kann helfen, das Gemeinte näher zu bestimmen.

Basilius hat die Heiligkeit des Geistes mit den Begriffen »ἁγιωσύνη«, »ἁγιότης«, vorzugsweise aber mit »ἁγιασμός« charakterisiert, so daß er sagen kann: »αὐτό ἐστιν ἁγιασμός« — er ist selbst die Heiligung[841], und er ist »πηγὴ ἁγιασμοῦ« — die Quelle der Heiligung[842]. Während ἁγιάζω aus dem Nomen ἅγιος entwickelt ist, bezieht sich ἁγιασμός auf das Verbum ἁγιάζειν als Nomen actionis[843], d. h. es bedeutet zunächst nicht »Heiligkeit«, sondern »Heiligung«. Zwar ist es denkbar, daß ein Nomen actionis in passive Bedeutung übergeht, doch hat die philologische Untersuchung zunächst von der aktiven Bedeutung auszugehen[844]. In Anwendung auf den Heiligen Geist (αὐτό ἐστιν ἁγιασμός)[845] kann daraus gefolgert werden: Der Heilige Geist ist »ἅγιος« wie der Vater und der Sohn, aber in ihm manifestiert sich Gottes »Heilig-sein« in der Weise, daß er sich als der Heiligende erweist. Der Heilige Geist ist selbst die Heiligung, d. h. er ist die umfassende Vermittlung zwischen Gott und Mensch[846]. »Im« Geist wendet sich Gott als der Heilige und Transzendente der Schöpfung zu, um sie zur Teilhabe an der Heiligkeit zu rufen. Insofern kommt

[835] Vgl. L. Scheffczyk, Art. Heiligkeit Gottes, LThK V, 135; K. Stalder, Das Werk des Heiligen Geistes in der Heiligung bei Paulus, 101 ff.
[836] L. Scheffczyk, a.a.O. 135.
[837] Adv. Eun. III, 3 (PG 29,661 A).
[838] J. Ratzinger, Der Heilige Geist als communio, in: Erfahrung und Theologie des Heiligen Geistes, 225. Für diesen Zusammenhang interessiert besonders das erste Kapitel: Der Name Heiliger Geist als Hinweis auf das Eigentümliche der dritten trinitarischen Person (Augustinus, De trin.), a.a.O. 224 ff.
[839] Vgl. O. Bardenhewer, Geschichte der altkirchlichen Literatur, III, 160.
[840] DSS IX, 22 (322,10 Pruche); Adv. Eun. III, 2 (PG 29,660 C).
[841] Adv. Eun. III, 2 (PG 29,660 A).
[842] Adv. Eun. III, 2 (PG 29,660 C).
[843] Vgl. Blass - Debrunner, Grammatik, § 109.
[844] Vgl. O. Procksch, Art. ἁγιασμός, ThWb I, 114.
[845] Adv. Eun. III, 2 (PG 29,660 B).
[846] Vgl. W. D. Hauschild, Gottes Geist und der Mensch, 147.

in diesem Werk der Vermittlung gerade auch die Eigenart des Geistes am besten zum Ausdruck. Dort, wo Basilius vom Geist spricht, geht es ihm um diese doppelte Bewegung: einerseits um seine vollkommene Transzendenz, seine Göttlichkeit und andererseits um seine Immanenz, sein heiligendes Wirken in uns[847]. Obwohl es zum Wesen des Geistes gehört, zwischen Gott und Mensch zu vermitteln[848], steht der Heilige Geist doch nicht »zwischen« Gott und Schöpfung, sondern auf der Seite Gottes. Er hat den ἁγιασμός nicht als »accidens«, sondern ihm eignet die Heiligkeit von Natur aus[849]. Deshalb wendet sich an ihn alles, was nach Heiligkeit strebt und alles, was nach der Tugend lebt[850]. Er ist Ursprung (ἁγιασμοῦ γένεσις)[851] und Quelle der Heiligung[852].

Ist aus dem allen drei göttlichen Personen gemeinsamen »ἅγιος« so gerade auch die besondere »Physiognomie« des Heiligen Geistes ertastet[853], so ist dies in einem zweiten Schritt aus der Bezeichnung »πνεῦμα« zu versuchen.

Im IX. Kap. »De Spiritu Sancto«, in dem Basilius seine »ἀφοριστικαὶ ἔννοιαι« über den Heiligen Geist mit den Namen und Titeln einleitet, begründet er das »Pneuma-sein« mit dem Stichwort der Unkörperlichkeit. Pneuma ist vornehmlich der Name des ganz Unkörperlichen, des rein Unstofflichen und Ungeteilten. Joh. 4,24 ist auch hier die biblische Begründung, die als solche die Andersartigkeit Gottes bezeugt[854]. Aber nach diesem Schriftbeweis führt Basilius aus: »Wer das Wort »πνεῦμα« hört, der kann in seinem Denken sich keine bestimmte Natur vorstellen oder eine, die Wandlungen und Veränderungen unterworfen ist; vielmehr erkennt er, wenn er sich mit seinen Gedanken zum Höchsten erhebt, mit Notwendigkeit eine νοερὰ οὐσία, unendlich an Kraft, unbegrenzt hinsichtlich der Größe, mit Zeiten und Ewigkeiten nicht zu fassen[855].« Die Betonung der »Unkörperlichkeit« läßt erkennen, daß Basilius seinen Pneumabegriff von gängigen philosophischen Pneumavorstellungen abgrenzen muß. Die Grundbestimmtheit des profan-griechischen, vor allem des stoischen Pneumabegriffes ist und bleibt eine subtile

[847] J. M. Hornus, La divinité du Saint-Esprit comme condition du salut personnel selon Basile, in: Verbum caro 23 (1969).
[848] Vgl. W. D. Hauschild, a.a.O. 148.
[849] DSS XIX, 48 (416,14 Pruche).
[850] DSS IX, 22 (324,21 Pruche).
[851] DSS IX, 22 (324,25 f. Pruche).
[852] Adv. Eun. III, 2 (PG 29,660 C).
[853] Vgl. zur Analyse des Namens bei Augustinus, J. Ratzinger, a.a.O. 224 ff.
[854] Vgl. W. Pannenberg, Die Aufnahme des philosophischen Gottesbegriffes, in: Grundfragen system. Theologie, 318. Zu beachten ist besonders das Kapitel »Gottes Andersartigkeit als Geistigkeit«, 318—320.
[855] DSS IX, 22 (324,15 ff. Pruche).

und wirkungskräftige Körperlichkeit[856]. Das Pneuma ist zwar als eigene Substanz gefaßt, die πῦρ und ἀήρ in sich vereint, durch größere Feinheit, Aktivität und Lebendigkeit als Quelle und göttliches Prinzip der vier Elemente diese übersteigt und durchdringt[857]. Die spontane Eigenbewegtheit und Spannungsgeladenheit machen Pneuma zu dem Kraftstoff, der die gesamte Wirklichkeit in allen ihren Teilen durchdringt, zusammenhält, bewegt, belebt und gestaltet[858]. Infolgedessen bedeutet Pneuma in diesem Vorstellungshorizont nie etwas rein Geistiges, ihm haftet trotz aller Spiritualisierung der Charakter des Stofflichen an. Von diesem Pneumaverständnis grenzt Basilius das Πνεῦμα ἅγιον radikal ab.

Der Geist ist eine νοερὰ οὐσία[859], personal, eine vollkommene Existenz[860], die mit den Kategorien von Raum und Zeit nicht zu fassen ist[861]. Dieses Pneuma ist in einem totalen Sinn immateriell und einfach[862]. Unerreichbar durch seine Natur, faßlich aber auf Grund seiner ἀγαθότης, seiner Güte[863]. Die völlige Andersartigkeit, die durch die Geistigkeit zum Ausdruck gebracht ist, ist damit zwar erwiesen, aber das »Eigentümliche« des Geistes, das Basilius ja in diesem Namen angezeigt sieht, ist damit noch in keiner Weise gegeben. Das Spezifikum des Geist-seins ist bei Basilius eng mit der Interpretation von Psalm 32,6 verbunden. Diese Stelle ist im obigen Teil der Arbeit mehrfach zitiert und der Kontext bei Basilius in den verschiedenen Schriften aufgezeigt. Hier sei deshalb nur auf die Interpretation in »De Spiritu Sancto« verwiesen.

Der Heilige Geist ist »aus Gott« hervorgegangen, nicht wie die Geschöpfe, nicht wie der Sohn »gezeugt«, sondern als »Hauch des Mundes«. »Mund« ist hier weder ein körperliches Organ, noch Pneuma ein sich auflösender Atem, sondern »Hauch« (πνεῦμα) ist lebenspendende Wesenheit (οὐσία ζῶσα), Herr der Heiligung, wobei die Vertrautheit mit Gott offenbar wird, die Weise seines Daseins (der τρόπος τῆς ὑπάρξεως) unaussprechlich bleibt[864]. Obwohl Basilius die profan-griechische Bedeutung von πνεῦμα als Luft, Atem etc. zurückweist[865], bleibt doch die in der etymologischen Grundbedeutung enthaltene Vorstellung einer bewegenden, belebenden Kraft

856 Vgl. H. Kleinknecht, Art. πνεῦμα, ThWb VI, 355.
857 Vgl. H. Kleinknecht, ebd. 352.
858 Ebd. 352.
859 DSS IX, 22 (324,18 Pruche).
860 Hom. Contra Sab. et Ar. 4 (PG 31,609 B).
861 DSS IX, 22 (324,19 Pruche).
862 DSS IX, 22 (322,11 Pruche).
863 DSS IX, 22 (324,20 Pruche).
864 DSS XVIII, 46 (408,1 ff Pruche).
865 Vgl. Hom. in Psalm. 32,4 (PG 29,333 B); DSS XVIII, 46 (408,6 Pruche).

erhalten, und sie wird von Basilius als »οὐσία ζῶσα«, als lebenspendende Wesenheit charakterisiert. Im Heiligen Geist wird offenbar, daß Gott »überströmendes Leben« ist. Das πνεῦμα ζωοποιοῦν manifestiert diese »lebenschaffende Kraft Gottes« in der Schöpfung, die die Geschöpfe mitreißt in die immer größere Verähnlichung mit Gott.

»Heiliger Geist« — diese ihm eigentümliche und ihm zukommende Bezeichnung ist Ausdruck für die Person selbst[866]. Zwischen dem Namen und seinem Träger besteht eine reale Beziehung[867]. Die Wirklichkeit Gottes mit einem Namen bezeichnen, das ist nur insofern möglich, als Gott selbst seine Wirklichkeit von sich her zeigt und darin seinen Namen offenbart. Dies geschieht in der Heilsgeschichte, aber gerade so, daß darin dem Menschen deutlich wird, er könne und dürfe die Wirklichkeit Gottes nie kategorial als eine neben anderen verstehen[868]. Heiligkeit und Geistigkeit eignet dem Πνεῦμα ἅγιον in einer radikal anderen Weise als jedem geschaffenen Sein. Im Geist offenbart sich Gott als der ganz Andere, der sich aber als der Heiligende und Lebenschenkende der Schöpfung zuwendet.

Neben der Bezeichnung »Heiliger Geist« findet Basilius in der Schrift noch weitere Titel, die das »Eigene« des Geistes auszudrücken vermögen. Mit Joh. 15,26 nennt er ihn »Geist der Wahrheit«[869], der in sich die Wahrheit hell aufscheinen läßt[870]; er nennt ihn »Geist der Weisheit«, der in seiner Größe Christus, die Kraft und Weisheit Gottes offenbart[871]. In Anlehnung an biblische Aussagen spricht Basilius von einem »geraden«, einem »rechten«, einem »gerechten« Geist, der wegen der Unerschütterlichkeit seines Wesens keine Abweichungen kennt[872]. In diesem Zusammenhang finden wir bei Basilius auch den Terminus »πνεῦμα ἡγεμονικόν«[873]. Hinter diesem Begriff, den Basilius zwar, wie aus dem Zusammenhang hervorgeht, biblisch zu belegen versucht[874], steht doch unverkennbar eine Vorstellung des stoischen Pneumabegriffs. Die Rolle des ἡγεμονικόν ist in stoischer Begrifflichkeit das Leiten und Lenken[875]. Wie die Seele Prinzip der einzelnen Teile des Organismus ist, so

[866] Ep. 210,4 (III, 193 Courtonne).
[867] Vgl. H. Vorgrimmler, Art. Name Gottes, LThK VII, 782.
[868] Ebd. 782.
[869] DSS IX, 22 (322,8 Pruche); DSS XVIII, 46 (410,14 Pruche).
[870] DSS XVIII, 46 (410,15 Pruche).
[871] DSS XVIII, 46 (410,16 Pruche).
[872] DSS XIX, 48 (416,20 Pruche); DSS IX, 22 (322,9 Pruche).
[873] DSS IX, 22 (322,9 Pruche).
[874] Vgl. DSS IX, 22 (322,9 Pruche); DSS XIX, 48 (418,27 Pruche); die bibl. Begründung scheint sich auf Ps. 50,14 zu beziehen.
[875] Vgl. B. Pruche, Sur le Saint-Esprit, Introduction, 172.

ist nach der Auffassung des Basilius das Πνεῦμα ἅγιον jenes Prinzip der Ordnung, der Leitung und Führung im Leben der Geschöpfe. Basilius entfaltet die Weise der Wirksamkeit des πνεῦμα ἡγεμονικόν am Leben der Engel. An der Erschaffung und Vollendung dieser himmlischen Mächte hatte Basilius ja vorzugsweise das Wirken des Geistes dargestellt. Aber dieses Leben der Engel wäre nicht zu denken ohne die lenkende und leitende Tat des Heiligen Geistes. Ohne seine Gegenwart lösen sich die Chöre der Engel auf; die Gesetzmäßigkeit und Ordnung schwindet, ihr Dasein ist ohne Gesetz und Ordnung[876]. Ihr Dienst, der unaufhörliche Lobpreis Gottes, wäre nicht möglich, da Anbetung und jegliches gläubige Bekenntnis nur »im« Geist geschieht[877]. Die Einheit dieser himmlischen Mächte, die als Harmonie und Symphonie beschrieben wird, kann ohne die Leitung des Heiligen Geistes nicht bewahrt werden[878].

Überschauen wir diese Aussagen über das πνεῦμα ἡγεμονικόν, so ist festzustellen, daß das Thema der belebenden und einenden Tat des Geistes im Universum stoischen Einfluß erkennen läßt[879]. Aber auch hier gilt, was oben über den Einfluß Plotins gesagt wurde. Basilius gebraucht Begriffe der Stoa, aber sie werden gleichzeitig so souverän gebraucht, daß sie ihres philosophischen Inhaltes fast entleert sind, dafür aber mit biblischem Bedeutungsgehalt gefüllt werden. Wenn Basilius das »Eigene« des Geistes im Begriff des ἡγεμονικόν ausgedrückt findet, dann wird darin wiederum deutlich, daß Gott sich »im« Geist als Creator erweist, der seine Schöpfung nicht nur ins Dasein ruft, sondern sie erhält, sie führt und leitet. Die lenkende und einende Funktion des Geistes ist bei Basilius weniger auf den Kosmos als auf die vernunftbegabten Geschöpfe bezogen. Das Pneuma ist Prinzip der Ordnung, nicht im Sinn starrer Gesetzmäßigkeit, sondern von einender Harmonie, die als solche Voraussetzung für den Lobpreis Gottes ist.

Es zeigte sich im Voraufgehenden, daß Basilius das »ἴδιον« des Geistes vorzugsweise in den überlieferten Namen und Titeln ausgedrückt findet. Die hinter diesem Vorgehen stehende Phänomenanalyse ist nun in einigen Schritten zu entwickeln. Der Name ist Bezeichnung einer konkreten, individuellen Existenz. Der Beweisgang, der bei den im Taufbefehl überlieferten Namen beginnt und von hier aus die konkrete Einzelexistenz wie auch das Gemeinsame der φύσις und der θεότης begründet, scheint das ursprüngliche basilianische Argumentationsschema zu sein. Wir sahen, wie sich

[876] DSS XVI, 38 (382,61 ff. Pruche).
[877] DSS XVI, 38 (382,60 Pruche).
[878] DSS XVI, 38 (384,96 ff. Pruche).
[879] Vgl. zu diesem Problem B. Pruche, Sur le Saint-Esprit, Introduction, 174 f.

die Argumentationsfigur »Taufe — Glaube — Doxologie« durch das ganze Werk »De Spiritu Sancto« zieht und die Absicht verfolgt, von der im Taufbefehl ausgedrückten Dreiheit zur Einheit zu führen. Basilius arbeitet dort, wo er eigenen Intentionen folgt, kaum mit dem Schema »κοινόν« und »ἴδιον« bzw. »οὐσία« und »ὑπόστασις«, sondern er läßt sich auf diese Begrifflichkeit meistens nur ein, wo eine Auseinandersetzung mit den Gegnern es notwendig erscheinen läßt. Es sei darum hier zunächst der von Basilius bevorzugte Argumentationsgang verfolgt. Zugespitzt auf die hier anstehende Fragestellung finden wir ihn in Ep. 210, einem Brief, der etwa 376 verfaßt ist, vermutlich nur wenige Wochen vor dem an Amphilochius von Ikonium gerichteten Schreiben, in dem Basilius versucht, den Sprachgebrauch von οὐσία und ὑπόστασις zu klären[880]. Ep. 210 gibt Einblick, wie Basilius in der Unterscheidung zwischen dem Gemeinsamen und dem jeweils »Eigenem« von Vater, Sohn und Geist vorgeht, nicht aus Freude am Spekulieren, sondern aus heilsökonomischen Gründen[881]. In diesem Brief setzt Basilius sich mit einer sabellianischen These auseinander. Dieser These zufolge besage die Aussage »Ich bin im Namen meines Vaters gekommen« (Joh. 5,43) und »Lehrt alle Völker und tauft sie auf *den* Namen des Vaters, des Sohnes und des Heiligen Geistes (Mt. 28,19)«, daß es hier nur um einen einzigen Namen gehe, da es ja nicht heiße »auf die Namen«, sondern »auf *den* Namen«[882]. Daraufhin legt Basilius dar, daß dies den Vater als den Ursprung und Grund (ἀρχή — αἰτία) bezeichne. Die drei im Taufbefehl genannten Namen aber zeigen an, daß jedem Namen eine eigene Bedeutung zugrunde liegt, da die Namen auf πράγματα verweisen, πράγματα[883] aber ihre eigenständige in sich gegründete Existenz haben. »Vater, Sohn und Geist haben dieselbe Natur und eine einzige Gottheit, aber verschiedene Namen, die in uns bestimmte, festumrissene Vorstellungen hervorrufen. Es ist ja unmöglich, daß man Vater, Sohn und Heiligen Geist die Doxologie entrichten kann, ohne die Eigentümlichkeiten (ἰδιώματα) eines jeden unvermischt auseinanderzuhalten[884].« Es wird deutlich, wie »gesund basilianisch«[885] der Briefschreiber über Vater,

[880] Zu diesem in Briefe (233—236) aufgeteilten Traktat vgl. H. Dörries, De Spiritu Sancto, 138.

[881] Vgl. J. Verhees, Mitteilbarkeit Gottes in der Dynamik von Sein und Wirken, 19 ff.

[882] Ep. 210,3 (II, 193 Courtonne).

[883] Mit πράγμα verbindet sich die Vorstellung von Wirklichkeit, Tatsächlichkeit, von realen Gegebenheiten etc., vgl. H. Menge, Griech.-deutsches Schulwörterbuch mit besonderer Berücksichtigung der Etymologie, Berlin 1906, 476.

[884] Ep. 210,4 (II, 194 Courtonne).

[885] Vgl. J. Verhees, Mitteilbarkeit Gottes in der Dynamik von Sein und Wirken, 23.

Sohn und Geist denkt. In der Betonung der Verschiedenheiten von Vater, Sohn und Geist verliert er sich nicht in wertfreien Spekulationen, sondern das Ziel ist in den Konsequenzen zu sehen, die der von ihm bekämpfte Sabellianismus daraus zieht. Wer sagt, daß Vater, Sohn und Geist ein, wenn auch vielgestaltiges Wesen sind, der leugnet außer dem ewigen Dasein des Sohnes sein heilbringendes Wohnen unter den Menschen, sein Herabsteigen in das Reich des Todes, seine Auferstehung und das Gericht, zu dem er wiederkommt, wie auch die eigenständigen ἐνέργειαι des Geistes[886]. Diese heilsgeschichtliche Entfaltung der Trinität und die darin gegebene Ausformung der Verschiedenheit von Vater, Sohn und Geist ist ureigenster Ansatz basilianischer Theologie, man denke nur an »De Spiritu Sancto« XVI und die dort skizzierte Seinsdynamik, die sich vom Vater als dem Grund, der ἀρχή[887], über den Sohn zum Pneuma hin in die Schöpfung entfaltet[888]. Der Ausgang vom Taufbefehl und das wichtige Anliegen der Doxologie — wer kein Auge hat für das unterscheidend Eigene, ist auch nicht imstande zu der dem Vater, Sohn und Geist entsprechenden Doxologie[889] — das alles ist, wie es in Ep. 210 dargelegt wird, gut basilianisch.
Betrachtet man demgegenüber die Aussagen von Ep. 214 und 236, dann ist festzustellen, wie fremd, ja gewissermaßen unbasilianisch, diese Aussagen sind. In Ep. 236,6 unterscheidet Basilius οὐσία und ὑπόστασις in der Weise, daß er οὐσία dem Allgemeinen und ὑπόστασις dem Besonderen zuordnet. Die allen gemeinsame οὐσία als solche tritt nicht in Erscheinung, sondern erst die ἰδιώματα machen das κοινόν zur ὑπόστασις. R. Hübner ist der Frage nachgegangen, welche Metaphysik hinter der Differenzierung von κοινόν und ἴδιον steht und hat nach eingehenden Analysen festgestellt, daß Basilius von der Seinsanalyse der Stoiker ausgeht[890]. Die Stoiker gehen in der Analyse des konkreten Seins von der οὐσία ὕλη, dem πρῶτον ὑποκείμενον aus, das charakterisiert wird durch das ποιόν, die Beschaffenheit. Auf der einen Seite steht das Unbestimmte, das ὑποκείμενον, als passive undeterminierte und undefinierte Materie, auf der anderen Seite befindet sich das Bestimmende, die Form, überhaupt alles, was als charakterisierendes Element bezeichnet werden kann. Die »Wesenheit« wird aber bei den Stoikern zuerst bestimmt durch

[886] Ep. 210,3 (II, 193 Courtonne).
[887] DSS XVI, 38 (378,22 Pruche); Ep. 210,4 (II, 193 f. Courtonne).
[888] DSS XVI, 38 (378,23 ff. Pruche); vgl. auch die Ausführungen von J. Verhees, a.a.O. 12.
[889] Ep. 210,4 (II, 194 Courtonne).
[890] Vgl. R. Hübner, Gregor von Nyssa als Verfasser der sog. Ep. 38 des Basilius. Zum unterschiedlichen Verständnis der οὐσία bei den kappadozischen Brüdern, in: Epektasis, Paris 1972, 480.

die κοινὴ ποιότης, die allgemeine Beschaffenheit. Sie wird dadurch zu einer species, zu einem κοινῶς ποιός, d. h. konkret gesprochen zu dem Lebewesen Mensch. Wenn aber die ἴδια ποιότης hinzukommt, wird sie zu einem ἰδίως ποιός, d. h. zum Individuum, zu Sokrates oder Diogenes[891].

In Adv. Eun. I, 19 ist deutlich zu erkennen, daß Basilius schon Eunomius gegenüber das Schema der stoischen Seinsanalyse von dem zugrundeliegenden Substrat und den Qualitäten anwendet[892]. Das κοινόν als das allen Hypostasen Gemeinsame zu definieren war für Basilius vor allem in der Auseinandersetzung mit Eunomius notwendig geworden, um sein Argument zu widerlegen, die οὐσία Gottes sei die »Ungezeugtheit«. Ein Zitat aus dem II. Buch gegen Eunomius läßt ebenfalls seine Vertrautheit mit dieser Begrifflichkeit erkennen: »Wenn jemand annimmt, daß die Gezeugtheit und die Ungezeugtheit gewisse Kennzeichen der Eigenschaften sind, die an der Usia wahrgenommen werden und die zum klaren Begriff (ἔννοια) von Vater und Sohn hinführen, so wird er sowohl der Gefahr der Gottlosigkeit entgehen als auch die Folgerichtigkeit in seinen Vernunftschlüssen bewahren. Denn die ἰδιότητες, die als χαρακτῆρες und Formen an der Usia betrachtet werden, unterscheiden zwar das Gemeinsame durch eigentümliche Merkmale, trennen aber nicht die gleiche Natur der Usia. So ist z. B. die Gottheit das Gemeinsame, die Proprietäten aber sind die Vaterschaft und die Sohnschaft; aus der Vereinigung beider Elemente, des κοινόν und des ἴδιον ergibt sich für uns die Erkenntnis der Wahrheit, so daß wir, wenn wir von dem ungezeugten Licht hören, darunter den Vater verstehen, wenn wir aber von dem gezeugten hören, dabei an den Sohn denken, indem wir bei ihnen, insofern sie Licht und Licht sind, keine Entgegensetzung finden, insofern sie aber gezeugt und ungezeugt sind, der Gegensatz bemerkt wird. Dies ist die Natur der Idiomata, daß sie in der Gleichheit der Usia einen Unterschied anzeigen, und daß sie zwar oft einander entgegengestellt, einen Gegensatz bilden, die Einheit der Usia aber nicht trennen[893].«

Dieses Zitat läßt mit aller Deutlichkeit erkennen, daß hinter der Argumentation des Basilius und dem Versuch, die Idiomata zu bestimmen, das Schema »ἀγέννητον — γεννητόν« steht. Diese Begriffe stehen hinter den Bezeichnungen »πατρότης — υἱότης«, werden aber noch nicht zu einer bekenntnisartigen Formel ausgebaut,

891 Vgl. A. Grillmeier, Das scandalon oecumenicum des Nestorius, in: Scholastik 36 (1961) 340.
892 Adv. Eun. I, 19 (PG 29,556 A—B).
893 Adv. Eun. II, 28 (PG 29,637 B—C).

wie dies später bei Gregor von Nazianz erfolgte[894]. Basilius hat trotz des Vorteils, den die Verwendung der Prädikate ἀγέννητον — γεννητόν ihm bot, sie in seine eigene dogmatische Terminologie nicht fest aufgenommen. Sie widerstrebten ihm, weil sie unbiblisch waren[895]. Nur selten und nur da, wo er polemisch argumentiert, kommen sie bei ihm vor.

Bei der Bestimmung der ἰδιότης des Geistes müssen wir uns vor Augen halten, daß im Hintergrund der Argumentation das Schema ἀγέννητον — γεννητόν — κτιστόν der Pneumatomachen steht[896]. Hier taucht nun die Schwierigkeit auf, daß keiner der drei genannten Modi auf den Heiligen Geist anzuwenden ist. Der Heilige Geist ist nicht ἀγέννητον (denn es gibt nur einen einzigen Ungezeugten und einen einzigen Ursprung des Seienden, den Vater), noch ist er gezeugt (denn nur ein Eingeborener ist in der Glaubensüberlieferung gelehrt worden). »Daß ›der Geist der Wahrheit vom Vater ausgeht‹ (Joh. 15,26), haben wir gelernt und darin bekennen wir, daß er ungeschaffen aus Gott stammt[897].« Es ist bezeichnend für Basilius, daß er die Aussage über den Heiligen Geist mit einer Schriftstelle füllt, in der das Stichwort »ἐκπορεύεσθαι«, das die spätere Tradition aufgreift, wohl vorkommt, hier aber nicht Anlaß zu spekulativer Entfaltung bietet. Die Ausdrücke ἐκπορεύεσθαι, ἐκπορεύεται, προέλθον zeigen, verbunden mit den jeweils angeführten Schriftstellen, klar das »Aus-Gott-sein« des Geistes auf, aber der Modus des Daseins (τρόπος τῆς ὑπάρξεως)[898], ist ἄρρητος, geheimnisvoll, unaussprechlich. Vom Sohn wissen wir, daß er durch Zeugung (γεννητός) hervorging, vom Geist aber wissen wir nur, daß er ἄρρητος, auf geheimnisvolle, unaussprechliche Weise von Gott ausging[899]. Wir sahen oben bereits, daß in »De Spiritu Sancto« XVIII auf dem Hintergrund der Exegese von Psalm 32,6 mit fast den gleichen Worten wie in der eben genannten Homilie der Ausgang des Geistes beschrieben wurde. Die Tatsache, daß die Pneumatomachen mit dem Schema ἀγέννητον — γεννητόν — κτιστόν argumentieren, mag erklären, warum Basilius seit Beginn seiner schriftstellerischen Tätigkeit zunächst darzustellen beginnt, daß der Heilige Geist kein Geschöpf ist, sondern daß er ungeschaffen aus Gott

894 Gregor von Nazianz ging ebenfalls von der Seinsanalyse »κοινόν — ἴδιον« aus und kennzeichnet die persönlichen Eigentümlichkeiten durch die Formel: ἀγεννησία — γέννησις — ἐκπόρευσις, Or. theol. V (221, A 3 Barbel); vgl. auch K. Holl, Amphilochius von Ikonium, 167 f.

895 Vgl. K. Holl, Amphilochius von Ikonium, 136.

896 Vgl. oben 13 f.

897 Ep. 125,3 (II, 34 Courtonne).

898 DSS XVIII, 46 (408,1 ff. Pruche).

899 Hom. Contra Sab. et Ar. 7 (PG 31,616 C).

stammt[900]. Basilius hat es vermieden, eine feste Formel zu schaffen, bzw. eine freie Konstruktion der Idiomata durch eine spekulative Ableitung zu entwickeln. Er entscheidet sich zunächst dazu, die Idiomata für die drei Hypostasen in der einfachen Weise zu gewinnen, daß er aus ihren im Taufbefehl bezeugten Namen die Bestimmungen für das je Eigene von Vater, Sohn und Geist bildet, wie er es z. B. in Ep. 236 tut: Wir bekennen bei der Gottheit eine οὐσία, um ihr Sein nicht verschieden zu definieren, jede Hypostase aber für sich, auf daß der Begriff des Vaters, des Sohnes und des Geistes ἀσύγχυτος καὶ τετρανωμένη sei. Hielte man hier nicht die abgesonderten χαρακτῆρες fest, wie πατρότης, υἱότης und ἁγιασμός, so könnte man nicht gesund Rechenschaft des Glaubens geben. Man muß also zum Allgemeinen das Besondere hinzufügen. Das Gemeinsame ist die Gottheit (θεότης), das Besondere die πατρότης, so daß man, beides verknüpfend, bekennt: »Ich glaube an Gott Vater« oder »an Gott Sohn«. Ebenso muß man folgerecht auch beim Heiligen Geist die Aussage bilden und sagen: »Ich glaube an den göttlichen Heiligen Geist.« So wird man sowohl die Einheit (ἑνότης) festhalten im Bekenntnis der einen Gottheit, wie auch das Besondere der Personen in Unterscheidung der bei jeder genannten Idiomata. Bei der Gleichsetzung von Usia und Hypostasis aber könnte man dem Bösen des Sabellius nicht entgehen, der trotz des Versuches, die Personen zu unterscheiden, ein und dieselbe Hypostase sich je nach dem Bedürfnis umgestalten ließ[901].

Schon die Tatsache, daß man, um eine Näherbestimmung des Verhältnisses von Usia und Hypostasis zu erhalten, den Blick über »De Spiritu Sancto« hinauswenden muß[902], jene Schrift, die doch das Ganze seiner Lehre vom Heiligen Geist enthalten sollte, zeigt, daß Basilius eigentlich nicht seine ihm am Herzen liegende Thematik darlegt, sondern auf Wünsche des Empfängers eingeht. Die Briefe geben uns einen Einblick in die Notwendigkeit einer klaren begrifflichen Scheidung der noch im Nicaenum nebeneinander stehenden Begriffe οὐσία und ὑπόστασις[903]. In den Briefen wird aber

[900] Vgl. Ep. 125,3 (II, 34 Courtonne).

[901] Ep. 236,6 (III,53 f. Courtonne).

[902] Vgl. H. Dörries, De Spiritu Sancto, 139.

[903] Dem Begriff »ὑπόστασις« haftete ein übler Beigeschmack an, seit die Arianer diesen Begriff in ihre theologische Auseinandersetzung aufgenommen hatten. Das Unbehagen, das man bei diesem Begriff empfand, wird in der Tatsache deutlich, daß die Synode von Sardika (342) die Annahme von göttlichen Hypostasen in scharfer Form als Ketzerei erklärte, vgl. Theodoret, Kirchengeschichte, II, 8,37—52; vgl. auch H. Dörrie, Hypostasis, Wort- und Bedeutungsgeschichte, 56. Athanasius, der bis zuletzt im Gegensatz zu B. Usia und Hypostasis gleichgesetzt hatte und eine Abneigung gegen die Verwendung von Hypostasis als Personbegriff empfand, hat diesen Widerstand aber

auch das primäre Anliegen Basilius' des Großen faßbar: Ihm kam es nicht in erster Linie auf formvollendete begriffliche Fassung der Anwesenheit der drei Hypostasen in der einen Gottheit an, sondern auf die Abwendung unmittelbarer Gefahren, auf die Beseitigung von Mißständen. Sehr konkret wird die Gefahr des Sabellianismus und die dadurch gegebene Notwendigkeit klarer begrifflicher Scheidung in Ep. 214 geschildert: »Welche Verleumdung wäre gravierender als diese, ... wenn auch bei uns sich einige fänden mit der Behauptung, die Hypostase des Vaters und des Sohnes und des Heiligen Geistes sei nur eine? Wohl möchten die Betreffenden den Unterschied der Personen lehren; aber wenn Sabellius zuvor dieselbe Wendung gebrauchte und gesagt hat, Gott sei der Hypostase nach nur einer, werde aber in der Schrift verschiedentlich personifiziert entsprechend der Art des Bedürfnisses und er lege sich bald die väterlichen Bezeichnungen zu ... bald die des Sohnes ... und nehme bald das πρόσωπον des Geistes an, wenn der Augenblick die Bezeichnung dieser Person (πρόσωπον) verlangt[904].« Aus diesem Zitat geht deutlich hervor, daß Basilius, der für seine theologischen Gedankengänge den Prosoponbegriff vermeidet, ihn vorwiegend verwendet, wenn er sich mit dem Sabellianismus auseinandersetzt[905].

Ep. 210 hingegen zeigt, wie Basilius von sich aus lieber den Hypostasisbegriff verwendet, um die Individualität einer Person zu kennzeichnen. In diesem Brief, in dem er auf die Gefahr des Judaismus wie des Polytheismus aufmerksam macht, führt er aus: »Es reicht nämlich nicht, die Unterschiede der Personen aufzuzählen, sondern man muß bekennen, daß jede einzelne Person (πρόσωπον) in einer wirklichen Hypostase (ἀληθινῇ ὑποστάσει) existiert. Denn die Bildung von Personen ohne Individualität verwarf auch Sabellius nicht ...[906].«

Mag dieser Versuch, das »Gemeinsame« und das »Eigene« von Vater, Sohn und Geist zu bestimmen, für Fehldeutungen nicht ganz

doch im rechten Augenblick aufgegeben. Der Zeitpunkt läßt sich noch ziemlich genau bestimmen: Die Synode von Alexandria 362 stellte frei, von drei Hypostasen Gottes zu sprechen, vgl. H. Dörrie, Hypostasis, 57; vgl. auch C. Andresen, Zur Entstehung und Geschichte des trinitar. Personenbegriffes, in: ZNW 52 (1961) 36.

[904] Ep. 214,3 (II, 204 Courtonne).

[905] Der Ausdruck πρόσωπον hatte in der damaligen theologischen Diskussion offensichtlich eine ziemlich blasse und eher unpersönliche Bedeutung bekommen (etwa wie wechselhafte Qualität oder Funktion), vgl. J. Verhees, Mitteilbarkeit Gottes in Sein und Wirken, 20; vgl. auch C. Andresen, a.a.O. 35 f.

[906] Ep. 210,5 (II, 196 Courtonne).

unanfällig gewesen sein[907], für die nächsten Bedürfnisse, d. h. den Kampf gegen Sabellius und Eunomius konnte diese Definition ausreichen. Aber man wird Basilius gewiß nicht gerecht, wenn man ihn nur von der zuletzt dargestellten im gewissen Sinn »unbasilianischen« Begrifflichkeit her beurteilt. In seinem sog. Glaubensbekenntnis, dem Prooem. »De fide«, einer Schrift, die vermutlich an eine Mönchsgemeinschaft gerichtet ist, nimmt Basilius weder den Prosoponbegriff noch den Hypostasisbegriff auf[908]. Er bemüht sich vielmehr, in enger Anlehnung an den biblischen Sprachgebrauch, in einer eigenen Form »aufbauender« Rede, so schlicht wie möglich den Wunsch nach einem schriftlichen Bekenntnis zu erfüllen[909]. Basilius ist sich zutiefst der Begrenztheit menschlicher Erkenntnis und Sprache bewußt und damit des fragmentarischen Charakters aller Begriffe[910]. Darum zieht er es vor, in hymnischer Form der Wunder und Wohltaten zu gedenken, denn seiner Usia nach ist Gott unserer Erkenntnis entzogen, aber seine Wirkungen steigen zu uns hernieder[911]. Folglich kommt man zur Erkenntnis auf Grund der Wirkungen und zur Anbetung auf Grund der Erkenntnis[912]. Die Sorge des großen Kappadoziers gilt dieser sich in der Heilsdynamik offenbarenden Trinität und der damit übereinstimmenden Doxologie[913]. Durch die Auseinandersetzung mit dem Sabellianismus zeigte sich, daß die dringende Frage nach dem Wesen und Bestand der biblischen Offenbarungstrinität gestellt war[914]. Basilius hatte diese Frage in dem Sinn beantwortet, daß er mit aller Schärfe das Problem aufzeigte, daß die Annahme einer heilsökonomischen Trinität nicht sinn- und bedeutungsvoll ist, wenn sie nicht in der real existierenden immanenten Trinität begründet ist. Die heilsökonomische Trinität *ist* die Widerspiegelung der immanenten Trinität, wobei für unseren Zusammenhang zu beachten ist, daß das »Eigene« der dritten göttlichen Person darin besteht, »Πνεῦμα

[907] Vgl. K. Holl, Amphilochius von Ikonium, 132 ff.; C. Braun, Der Begriff der Person, 18 f.

[908] Prooem. De fide 4 (PG 31,685 A — 688 B).

[909] Prooem. De fide 2 (PG 31,680 C).

[910] In »De fide« weist Basilius darauf hin, daß die menschliche Natur, obwohl sie in der Erkenntnisfähigkeit fortschreitet, doch immer weit hinter dem zurückbleibt, was der Würde des Gegenstandes entsprechen würde. Es genügt weder ein Name, um alle Herrlichkeiten Gottes anzuzeigen, noch kann ein Name ohne Gefahr gebraucht werden, da wir in jedem Namen nur eine Teilaussage machen; so etwa, wenn wir Gott »Vater« nennen, ihn nicht gleichzeitig auch als »Schöpfer« bezeichnen etc., vgl. De fide 3 (PG 31,684 B).

[911] Ep. 234,1 (III, 42 Courtonne).

[912] Ep. 234,3 (III, 43 Courtonne).

[913] Ep. 210,4 (II, 194 Courtonne).

[914] L. Scheffczyk, Mysterium Salutis, II, 166.

ἅγιον«, »ἁγιαστικὴ δύναμις« zu sein, d. h. jene Heilsdynamik vom Vater — durch den Sohn in die Schöpfung zu verströmen, um so die andere Bewegung zu ermöglichen, die dieser entspricht[915], »im« Geist — durch den Sohn — zum Vater zu führen, und dadurch die Geschöpfe zu vollenden.

3. *Die* ὁμοτιμία *des Geistes mit dem Vater und dem Sohn*

Bereits in den voraufgehenden Kapiteln wurde sichtbar, daß Basilius sowohl in den Wirkungen wie auch in den Namen und Titeln implizit die Göttlichkeit des Geistes bezeugt. Die Gottheit des Sohnes hatte er offen bekannt und sie mit dem Terminus »ὁμοούσιος« geschützt[916]. Im Hinblick auf den Heiligen Geist aber hat er es vermieden, ihn in der Öffentlichkeit als »θεός« zu bezeichnen bzw. ihn durch »ὁμοούσιος« zu bestimmen, sondern er zog es vor, ihn mit »θεῖον« und »ὁμότιμον« zu beschreiben[917]. Die Gründe, die zu dieser Terminologie führten bzw. die Akzentuierungen, die darin gegeben sind, sind im Folgenden in einigen Schritten zu beleuchten.

Basilius hatte dem ὁμοούσιος gegenüber offenbar Bedenken, wie aus Ep. 52,1 zu entnehmen ist[918], gesteht aber doch zu, daß dieser Terminus im Sinn der Väter von Nicaea in Anwendung auf den Sohn berechtigt sei, um die Ebenbürtigkeit der Natur anzuzeigen[919]. Aus diesem Zusammenhang geht hervor, daß Basilius hier ὁμότιμον als Synonym für ὁμοούσιος gebraucht[920]. Noch deutlicher wird in Ep. 90 sichtbar, daß ὁμότιμον ein Äquivalent für ὁμοούσιος geworden ist. In diesem Brief an die Bischöfe des Occidents spricht Basilius von einer Proklamation (κήρυγμα) der Väter, die die Häresie des Arius umstürzt, die Kirche aber in der gesunden Lehre aufbaut. Die »gesunde Lehre« ist das Bekenntnis zur Wesensgleichheit des Sohnes mit dem Vater[921] und zur Homotimie des Geistes[922]. Es ist eindeutig, daß ὁμοούσιος auf den Sohn, ὁμότιμος auf das Pneuma bezogen ist. In der Tat treten in der letzten Phase des trinitarischen Streites die synonymen Umschreibungen des ὁμοούσιος wie ὁμότιμος,

[915] DSS XVIII, 47 (412,17 ff. Pruche).
[916] Vgl. M. Orphanos, Ὁ Υἱός καὶ τὸ Ἅγιον Πνεῦμα εἰς τὴν τριαδολογίαν τοῦ M. Βασιλείου, Athen 1976, 174.
[917] Zu diesem Problemkreis vgl. M. Orphanos, a.a.O. 140 f.
[918] Ep. 52,1 (I, 134 Courtonne).
[919] Ep. 52,2 (I, 135 Courtonne).
[920] Ep. 52,2 (I, 135 Courtonne).
[921] ὁμοούσιος τῷ πατρί.
[922] τὸ Πνεῦμα τὸ Ἅγιον ὁμοτίμως συναριθμεῖταί τε καὶ συλλατρεύεται, Ep. 90,2 (I, 196 Courtonne).

ὁμόδοξος, συνδοξαζόμενος auf[923]. Schon Funk hatte darauf hingewiesen, daß der Hauptpunkt, um den sich die Kontroverse bewegt, das Wort ὁμότιμος, näherhin die Bezeichnung der trinitarischen Personen als ὁμότιμοι ist[924]. Der Ausdruck scheint neben ὁμοούσιος und häufig als Äquivalent für dieses Wort, insbesondere als Stichwort der Orthodoxen bzw. der Nicäer gebraucht worden zu sein[925]. Das Aufkommen dieser synonymen Umschreibungen für ὁμοούσιος steht ohne Zweifel im Zusammenhang mit der Argumentation aus der Proskynese[926].

Es zeigte sich bereits im Verlauf der vorhergehenden Kapitel, daß der Streit um die Homousie des Geistes sich in der kirchlichen Praxis darstellt als Streit um die Homotimie, um die gleiche Ehre. Der oben entfaltete Anlaß der Schrift »De Spiritu Sancto« und die Antwort, die Basilius auf die Herausforderung der Gegner in der »neuen« doxologischen Formel »mit« dem Heiligen Geist zu geben versucht, lassen den Duktus der Argumentation klar erkennen. Dennoch muß man feststellen, daß Basilius auf einen einzigen Begriff, wie etwa »ὁμότιμον«, nicht festzulegen ist. Dieses Stichwort kommt relativ selten vor, und oft sind es die Gegner, die die Aufnahme dieses Stichwortes bestimmen[927]. Aber das Bemühen, die Homotimie, die Würde und Größe des Geistes, aufzuzeigen, bestimmt sein ganzes Hauptwerk. Die Frage nach der rechten Doxologie war der äußere Anlaß, die »δόξα φυσική«, die Voraussetzung unserer Doxologie, aufzuzeigen, ist daher grundliegendes Anliegen seiner ganzen Schrift. Ausgangspunkt für den Aufweis der Homotimie des Geistes ist die These des Aëtius, die oben bereits entfaltet wurde. Dieser These zufolge muß das, was von Natur ungleich ist, auch ungleich ausgedrückt werden, und umgekehrt: was ungleich ausgedrückt wird, ist ungleich auch hinsichtlich der Natur[928]. Die arianische Fehlinterpretation des »διά« der doxologischen Formel »im« Heiligen Geist hatte zur Folge, daß Basilius auch die Homo-

[923] Vgl. A. v. Harnack, Lehrbuch der Dogmengeschichte, II, 266 A 2; K. Holl, Amphilochius von Ikonium, 126; W. D. Hauschild, Die Pneumatomachen, 51 A 3.

[924] F. X. Funk, Kirchengeschichtliche Abhandlungen, II, 357. Funk führt eine Fülle von Beispielen an.

[925] Vgl. Funk, ebd. II, 357.

[926] Vgl. A. v. Harnack, Lehrbuch der Dogmengeschichte, II, 266 A 2.

[927] In DSS XVIII z. B. begründen die Gegner die Ablehnung der συναρίθμησις damit, daß sie nur denen zukomme, die ὁμότιμοι seien (396,2 Pruche). Einmal wird ὁμότιμον in negativer Fassung aufgenommen: es wäre eine Blasphemie, über den Heiligen Geist wie über ein Werkzeug, einen Hörigen und einen ὁμοτίμου τῇ κτίσει, einem der Schöpfung Gleichrangigen zu denken, DSS XIX, 56 (424,20 Pruche).

[928] DSS II,4 (260,11 ff. Pruche).

timie des Sohnes verteidigen mußte, da die Gegner aus dieser Präposition den niederen Rang des Sohnes ableiteten[929]. Ihnen hält Basilius entgegen, doch einzusehen, daß Christus Gottes Kraft und Weisheit sei, Bild des unsichtbaren Gottes, Abglanz der Herrlichkeit, daß der Vater ihn siegelte und sich ihm einprägte[930]. Durch eine Vielzahl von Schriftstellen wird die τιμή des Sohnes begründet, wobei Psalm 109 auf den Ort zur Rechten des Vaters verweist, der eindeutig die Gleichheit der Ehre zum Ausdruck bringt[931]. Aus diesem Kapitel geht mit aller Deutlichkeit hervor, daß ὁμότιμος zu einem Äquivalent für ὁμοούσιος geworden ist. Der Wandel in der Begriffsbildung, der Streit um die Doxologien und die These der Gegner, diese Gegebenheiten stehen im Hintergrund der Argumentation um die Homotimie des Geistes. Der Taufbefehl ist das sichere Fundament, das die »gleiche Ehre« aus der Gemeinsamkeit der göttlichen Natur bezeugt. Den Gegnern gegenüber, die mit dem Begriff der »Unterzählung« (ὑπαρίθμησις) argumentieren, ist jedoch darzulegen, daß es bei der Koordination der Namen nicht einfach um eine Addition geht, die zum Tritheismus führen würde, sondern um den Aufweis der Einheit. Basilius löst dieses Problem dadurch, daß er das Korrelationsprinzip anwendet und sagt: Wie der Sohn sich zum Vater verhält, so der Geist zum Sohn, der Ordnung der Worte gemäß, die bei der Taufe verwendet werden[932]. Zwar sind es drei Namen, die die Eigenart der Hypostasen charakterisieren, aber dennoch führt diese Kenntnis der Namen nicht zu einer Vielheit, sondern zur Einheit[933]. Denn der Sohn ist im Vater, und der Vater ist im Sohn, da ja dieser so ist wie jener und jener wie dieser, und darin liegt ihre Einheit[934]. Der Eigenart der Person gemäß[935]

929 DSS VI, 15 (292,32 Pruche).
930 DSS VI, 15 (292,15 f. Pruche).
931 DSS VI, 15 (296,70 Pruche).
932 DSS XVII, 43 (398,15 f. Pruche).
933 DSS XVIII, 45 (398,18 Pruche).
934 DSS XVIII, 45 (406,10 Pruche). Wie das »Im-Vater-Sein« des Sohnes von den Pneumatomachen her problematisiert worden ist, erfahren wir von Athanasius. Die Arianer wollen aus Joh. 17,21 »Wie du, Vater, in mir bist und ich in dir bin, laß auch sie in uns eins sein« ableiten, daß der Sohn in derselben Weise wie alle Menschen im Vater ist. Athanasius verneint die Identität des Sohnes mit den Erlösten. »Jener ist der Natur und dem Wesen nach wahrer Gott, wir werden nur auf dem Weg der Adoption und der Gnade Söhne, da wir an seinem Geist Anteil haben«, Or. c. Ar. III, 19 (PG 26,364 A). »Damit sie eins seien wie wir« — das bedeutet, wie das Wort im eigenen Vater ist, so sollen auch wir im Hinblick auf ihn als unser Vorbild miteinander eins werden in der Einheit des Herzens und des Geistes«, Or. c. Ar. III, 20 (PG 26,364 B).
935 DSS XVIII, 45 (406,13 Pruche).

sind sie »einer« und »einer«, in der Gemeinschaft ihrer Natur aber sind sie »eins«[936]. Die Einheit der Natur, die die Voraussetzung für die gleiche Ehre ist, wird hier veranschaulicht durch das Bild des Königs, in dem der König selbst geschaut wird, ein Beispiel, das Basilius bereits in »Adv. Eun.« II, 16 verwandte, hier in »De Spiritu Sancto« nur kurz andeutet und in der Homilie Contra Sab. et Ar. weiter ausführt. Wie im Bild der König geschaut wird, man aber doch nicht von zwei Königen spricht, so offenbart das »wahre« Bild[937] die Einheit der Gottheit[938]. Die Folgerung, die Basilius daraus zieht, ist: so wie die Herrschaft und Macht über uns eine ist, so ist auch der Lobpreis nur ein einziger, weil die Ehrung des Bildes auf das im Bild Dargestellte übergeht[939].

In diesen Vergleich mit dem Königsbild, das in »De Spiritu Sancto« die Anwendung der »Unterzählung« der Gegner widerlegen sollte, ist in dem Aufweis der Proprietät der Personen einerseits und der Einheit der Natur andererseits der Heilige Geist nicht miteinbezogen. Dies geschieht wiederum durch das Korrelationsprinzip: Wie der Sohn sich zum Vater verhält, so der Geist zum Sohn[940]. Was wir vom Sohn sagen, das haben wir auch vom Geist zu sagen, daß wir ihn als besondere Person (ἴδιον πρόσωπον) bekennen müssen[941]. Der Sohn ist unzertrennlich mit dem Vater verbunden. Es gibt nichts, was sie trennt und was diese ewige Verbindung zerreißt. Denn zwischen sie fällt keine Zeit und bei ihnen kann sich unser Geist keine Trennung denken, so daß der Eingeborene nicht immer beim Vater oder der Heilige Geist nicht immer beim Sohn gewesen wäre[942]. Basilius beschreibt das Pneuma als συμπληρωτικόν, das durch sich die selige Dreiheit vollendet[943]. In allem ist der Geist dem Vater und dem Sohn untrennbar verbunden, in Herrlichkeit und Ewigkeit, in Kraft und Königswürde, in Herrschaft und Gottheit[944]. Nicht aus der Notwendigkeit des Augenblicks wurde der Heilige Geist Gott zugeordnet, sondern wegen seiner naturhaften Gemeinschaft mit Gott[945].

936 DSS XVIII, 45 (406,14 Pruche).
937 Interessant ist in der Homilie Contra Sab. et Ar. 4 die Beziehung zu Hebr. 1,3: »Wenn du vom Bild hörst, dann verstehe darunter den Abglanz der Herrlichkeit ...« (PG 31,608 B).
938 Hom. Contra Sab. et Ar. 4 (PG 31,608 C).
939 DSS XVIII, 45 (406,19 Pruche).
940 DSS XVIII, 43 (398,14 f. Pruche).
941 Hom. Contra et Sab. et Ar. 4 (PG 31,609 A).
942 Ebd. 4 (PG 31,609 B).
943 Hom. in Hexaem. II, 6 (168 Giet); DSS XVIII, 45 (408,26 Pruche).
944 Ep. 105 (II, 7 Courtonne).
945 DSS XIII, 30 (352,27 f. Pruche).

Diese »Natur-Gemeinschaft«, in die der Heilige Geist untrennbar einbezogen ist, begründet die »δόξα φυσική«[946], die dem Geist eignet, so wie das Licht die Doxa der Sonne ist, unabhängig von der von außen entgegengebrachten Verherrlichung. Basilius spricht von einer zweifachen Verherrlichung, die dem Geist zukommt, und erläutert sie von Mal. 1,6 her: »Der Sohn ehrt den Vater und der Knecht seinen Herrn[947].« Die von außen erwiesene Ehre ist die des Knechtes, sie entspricht der Schöpfung; die des Geistes aber ist familiär (οἰκειακή), d. h. sie entspricht der Ehrung, die der Sohn dem Vater erweist. Auch hier sind die Aussagen mittels des Korrelationsprinzips ausgeführt. Wie Christus von sich sagt: »Ich habe dich verherrlicht auf Erden, indem ich das Werk vollbrachte, das zu vollbringen du mir aufgetragen hast" (Joh. 17,4), so wird auch über den Heiligen Geist gesagt: »Jener wird mich verherrlichen, denn er wird von dem Meinigen nehmen und euch verkünden« (Joh. 16,14)[948]. Wie der Sohn vom Vater verherrlicht wird, so wird der Geist durch die Gemeinschaft mit Vater und Sohn verherrlicht[949].

Fragt man nach der inhaltlichen Bestimmung der Doxa, die den Sohn mit dem Vater verbindet, so ist festzustellen, daß sie als ein gegenseitiges Offenbarungsgeschehen charakterisiert wird. Der Sohn verherrlicht den Vater dadurch, daß er das Werk vollendet, d. h. den Vater offenbart. Der Heilige Geist offenbart in sich die Ehre des Eingeborenen[950], Christus, die Kraft und Weisheit Gottes. Die Verherrlichung des Geistes aber, die Basilius durch das »Zeugnis des Eingeborenen« (Mt. 12,31) gegeben sieht, deutet darauf hin, daß diese sich im Menschen realisiert[951]. Die Lästerung des Geistes, die nicht vergeben wird, weist noch darüber hinaus auf das Jüngste Gericht, denn am Bewahren oder Betrüben des Geistes entscheidet sich das Schicksal des Getauften[952]. Wie unsere Verherrlichung die eigene Doxa des Geistes voraussetzt, so stellen wir mit den doxologischen Formeln nur seine ihm eigene Würde (οἰκεία ἀξία) ins Licht[953]. Dem Heiligen Geist diese Doxa zu versagen, würde eine Verleugnung der ganzen Gottheit sein[954].

946 DSS XVIII, 46 (410,22 Pruche).
947 DSS XVIII, 46 (410,23 ff. Pruche).
948 DSS XVIII, 46 (410,29 Pruche).
949 DSS XVIII, 46 (410,31 f. Pruche).
950 DSS XVIII, 47 (412,16 Pruche).
951 Vgl. Wer den »im Menschen wohnenden Geist nicht ehrt, der ehrt auch nicht den Sohn, und wer den Sohn nicht ehrt, der ehrt auch nicht den Vater«, Hom. Contra Sab. et Ar. 7 (PG 31,617 A).
952 DSS XVI, 40 (388,18 f. Pruche).
953 DSS XXVI, 63 (747,20 Pruche); DSS XXVIII, 69 (488,8 Pruche).
954 Hom. Contra Sab. et Ar. 7 (PG 31,617 A).

Die Gegner aber glauben, dem Geist diese Doxa verwehren zu müssen. Zwar scheinen sie zu gewissen Zugeständnissen bereit gewesen zu sein, aber ihre These ist dennoch eindeutig: »Das mag so sein . . ., aber keineswegs wird dem Geist so viel Ehre geschuldet, daß wir ihn durch Doxologien erhöhen müßten[955].« Etwas resigniert klingt die Antwort, die Basilius gibt: Woher sollen wir die Beweise für die alles Begreifen überragende Würde des Geistes nehmen, wenn von ihnen die Gemeinschaft mit dem Vater und dem Sohn nicht als hinreichend zum Zeugnis seiner Würde angesehen wird[956]? Doch dann lenkt er den Blick noch einmal auf die der ganzen Schöpfung erwiesenen Wohltaten, auf die Größe seines Tuns, auf das in seinem Namen Ausgedrückte[957]. Seine ἐνέργειαι, unaussprechlich sind sie in ihrer Größe, unzählbar in ihrer Fülle. Seine Existenz liegt jenseits jeder Zeit; Vergangenheit, Gegenwart und Zukunft sind von seinem Wirken bestimmt. Denn er war da, er war vorher da, war mit dem Vater und dem Sohn vor den Zeiten da, so daß man, wenn man etwas vom Jenseits der Äonen erkennt, begreift, daß diese jünger sind als der Geist[958]. Ein Blick in die Heilsgeschichte zeigt die Größe seines Wirkens und führt uns zu einem Übermaß des Staunens[959]. Das Staunen über diese Wunder führt Basilius zu dem Schluß: Sollten wir hier fürchten, seine Würde durch übertriebene Ehrungen zu übersteigern? Sollten wir nicht vielmehr fürchten, auch wenn wir ihm das Größte, das menschliches Denken und Sprechen erfassen kann, zuerkennen, daß unsere Vorstellungen ihn dennoch erniedrigen[960]?

Von ganz verschiedenen Seiten aus kommt Basilius zum gleichen Ergebnis: vom Taufbefehl, von den Schöpfungswerken, vom Wirken des Geistes in der Heilsgeschichte, von seinen Namen; dies alles sind Beweise seiner untrennbaren Verbundenheit mit dem Vater und dem Sohn und begründen die δόξα φυσική, die Voraussetzung ist für die dargebrachte Doxologie. Das alles besagt jedoch nicht, daß bei Basilius an die Stelle des ὁμοούσιος im Sinn einer formelhaften Wendung der Ausdruck ὁμότιμος getreten sei. Es hat sich im Gang der Untersuchung mehrfach gezeigt, daß Basilius die gemeinte Sache lieber mit dem selbst geprägten Begriff der »φυσικὴ κοινωνία« belegt. Basilius ist nicht auf einen einzigen Begriff festzulegen, sondern er gibt, wie H. Dörries hervorhebt, seiner Meinung vielfältigen Ausdruck, um den Gedanken immer wieder in ur-

955 DSS XIX, 48 (416,1 f. Pruche).
956 DSS XIX, 48 (416,3 f. Pruche).
957 DSS XIX, 48 (416,9 Pruche).
958 DSS XIX, 49 (418,1 ff. Pruche).
959 DSS XIX, 49 (420,22 ff. Pruche).
960 DSS XIX, 49 (420,37 ff. Pruche).

sprünglicher Frische hervorzubringen[961]. Es liegt ihm nicht so viel am Begriff, wie an der Sache selbst: der Aufnahme des Heiligen Geistes in den Lobpreis der Gemeinde. Die φυσικὴ κοινωνία ist zur κοινωνία τῆς δόξης geworden[962]. Dieser Akzent ist nicht beliebig gesetzt, sondern konsequente Folgerung aus dem in der Taufe grundgelegten Glauben. Basilius hat mit dem Erweis der Homotimie des Geistes eine den Argumenten der Gegner angemessene Form gefunden, die Homousie des Geistes mit dem Vater und dem Sohn auszusagen — der Situation der Zeit entsprechend. Dem Prinzip seiner sog. »Ökonomie« zufolge nennt er den Heiligen Geist in der Öffentlichkeit nicht »θεός«, sondern bezeichnet ihn mit »θεῖον« und »ὁμότιμον«.

Das Problem der »Ökonomie« des Basilius, schon von den Zeitgenossen Athanasius und Gregor von Nazianz interpretiert[963], ist in der Forschungsgeschichte mehrfach Gegenstand der Untersuchung gewesen. Eine sehr gründliche Auseinandersetzung mit diesem Faktum ist von M. Orphanos vorgelegt worden[964]. Es erübrigt sich daher, hier auf alle Details einzugehen, die für seine Zurückhaltung maßgebend gewesen sind. Hier sei nur hervorgehoben, daß aus der Tatsache, daß Basilius für den Heiligen Geist die Bezeichnung »θεός« vermeidet, nicht gefolgert werden darf, daß er an die volle Göttlichkeit des Geistes nicht glaubte. Für seine Zurückhaltung mögen politische und theologische Gründe maßgebend gewesen sein[965]. Die theologische Beweisführung des Basi-

961 Vgl. H. Dörries, De Spiritu Sancto, 143.

962 Vgl. ebd. 143.

963 Vgl. Athanasius, Ep. ad Joan. et Antiochum (PG 26,1165 f.); Ep. ad Palladium (PG 26,1168). Gregor von Nazianz berichtet in Ep. 58 von einer heftigen Kritik eines Mönches. B. habe so vollendet über Vater und Sohn gesprochen, aber nicht ebenso Rühmliches auch über den III. Artikel zu sagen gewagt. Gregor glaubt, B. in Schutz nehmen zu müssen und seine zurückhaltende Sprache aus dessen so viel ausgesetzterer Lage erklären zu müssen. Basilius hat in Ep. 71 auf diese Kritik geantwortet, aber er geht mit keinem Wort auf den Wunsch nach einer eigenen Stellungnahme ein, sondern bringt nur in besorgten Worten zum Ausdruck, daß er die Auslegung, die sein Freund vom Prinzip seiner »Ökonomie« machte, nicht gutheißen kann.

964 M. Orphanus, a.a.O., vgl. das Kap. über die »Ökonomie«, 113 ff.

965 Für die kirchenpolitische Situation ist das XXX. Kapitel ein plastisches Gemälde, DSS XXX, 76—79 (520—530 Pruche). Zur Diskussion um die theologischen Voraussetzungen vgl. H. Dörries, De Spiritu Sancto, vor allem das Kapitel über »Kerygma und Dogma«, 121 ff. Dazu der Aufsatz von B. Pruche, Autour du traité sur le Saint-Esprit de saint Basile de Césarée, Recherches de science religieuse 52, 1964, 204—232. Zu der in diesem Aufsatz vorgebrachten Kritik vgl. H. Dörries, Basilius und das Dogma vom Heiligen Geist, in: Wort und Stunde, Gesammelte Studien zur Kirchengeschichte des 4. Jh., Göttingen 1966, Bd. I, 124 A 7.

lius läßt erkennen, daß pastorale Klugheit ihn in der Wahl der Begriffe führt. Es geht ihm nicht um ein in sich stimmiges, logisches System, sondern um das Bekenntnis zu dem in der Heilsgeschichte sich offenbarenden Gott und um den in der Taufe grundgelegten Glauben und die damit übereinstimmende Doxologie. In diesem Bemühen wird eine Grundhaltung sichtbar, die auch das Prinzip seiner »Ökonomie« beleuchten mag. Basilius ist überzeugt, daß eine Wahrheit nur dann öffentlich verkündet werden kann, wenn sie auch rezipiert, wenn sie geglaubt werden kann. Ohne Beziehung zu Basilius, aber doch auf seine »Ökonomie« anwendbar, findet sich bei Gregor von Nazianz in seiner Pfingstrede ein Hinweis, der für diesen Zusammenhang von Bedeutung ist. Gregor erklärt hier, daß diejenigen, die den Heiligen Geist für Gott halten, von Gott erleuchtet und von hoher Gesinnung seien, wenn sie vor Verständigen sich zu ihrer Einsicht bekennen. Wenn sie es aber vor Unverständigen tun, handeln sie nicht »ökonomisch«, denn dann setzen sie schwache Augen der hellen Sonne aus und geben feste Speise denen, die noch der Milch bedürfen. Man muß schrittweise vorangehen und Licht um Licht anzünden und Wahrheit zur Wahrheit fügen[966].

[966] Gregor von Nazianz, Or. 41,6 (PG 36,437 B).

§ 4 Schluß: Der dritte Glaubensartikel im Licht der basilianischen Pneumatologie

Wenn wir heute mit den Worten des Nicaeno-Konstantinopolitanischen Symbols unseren Glauben an den Heiligen Geist bekennen, stehen wir in einer langen Tradition. Es war das Ziel der Arbeit, den Beitrag, den Basilius der Große von Caesarea in der entscheidenden Phase der definitiven Ausgestaltung des dritten Glaubensartikels vorbereitend geleistet hat, darzustellen.
In der Erarbeitung der Grundzüge der Theologie des Heiligen Geistes ist sichtbar geworden, daß vom Glauben an den Heiligen Geist nicht isoliert gesprochen werden kann. Das erste, unverzichtbare Merkmal ist für Basilius die Einbindung in das Bekenntnis zum dreifaltigen Gott. Man kann sich nicht zum Geist bekennen und dabei vom Vater und vom Sohn absehen wollen. Nur im Rahmen einer trinitarischen Theologie läßt sich auch die Pneumatologie unverkürzt aussagen.
Im Verlauf der Untersuchung hat sich gezeigt, daß die Pneumatologie des Basilius in der Auseinandersetzung mit der frühen apologetisch-monotheistischen Trias-Spekulation[1] entfaltet wird. In dieser Auseinandersetzung kann das Mönchtum insofern als prägender Faktor bzeichnet werden, als es als »Erfahrungshorizont« die konkrete Ausgestaltung der Pneumatologie mit bestimmt hat. Von daher ergab sich die Notwendigkeit, die pneumatologische Frage in der Konfrontation mit den häretischen Gruppierungen kurz zu skizzieren, wie auch das Pneumaverständnis des Mönchtums kurz zu umreißen. Als konstitutive Elemente der basilianischen Pneumatologie können zunächst die triadischen Formeln des Alten und des Neuen Testamentes genannt werden. An der Verwendung der doxologischen Formeln hatte sich der Streit um die Homotimie des Geistes entfacht und die Antwort Basilius des Großen in seinem Hauptwerk »De Spiritu Sancto« notwendig gemacht. Als weiteres konstitutives Element, das in der Abwehr der pneumatomachischen Argumente von größter Bedeutung war, ist der Taufbefehl zu nennen. Die im Taufbefehl (Mt. 28,19) formulierte Trinität und die darin gegebene τάξις der drei göttlichen Personen ist Basilius Richtschnur für den Glauben und die Doxo-

[1] Vgl. oben 11 ff.; vgl. auch H. Saake, Minima Pneumatologica, 110.
[2] DSS XXVII, 68 (490,16 Pruche).

logie[2]. Im Taufbefehl nahm das theologische Denken des Basilius seinen Ausgangspunkt, und mit Hilfe des johanneischen Korrelationsprinzips der Gleichheit des Verhältnisses zwischen Vater und Sohn wie zwischen Sohn und Geist[3] und der ἐκ — διά — ἐν-Formel wird aus der im Taufbefehl gegebenen Gleichstellung der göttlichen Personen, ausgehend von der Dreiheit, die Einheit der göttlichen Natur wie auch die Verschiedenheit der Wirksamkeit theologisch entfaltet.

Die Tatsache, daß das theologische Denken des Basilius im Taufbefehl seinen Ausgang nahm, deutet gleichzeitig darauf hin, daß das Taufgeschehen jener »Ort« ist, wo das Bekenntnis zum Heiligen Geist seinen eigentlichen »Sitz im Leben« hatte. Dabei ist zu beachten, daß die Taufe nicht nur historisch der Ursprung für das trinitarische Bekenntnis ist, sondern es wird sichtbar, daß sie von ihrem inneren Gehalt her mit diesem Bekenntnis verknüpft ist, daß sie das Handeln von Vater, Sohn und Geist, das in der Taufe erfahren wird, auslegt[4]. Von hier aus wird auch das besondere Werk des Heiligen Geistes sichtbar. Im Wirken des Geistes kommt die Bewegung Gottes, die sich, ausgehend vom Vater durch den Sohn, in die Schöpfung verströmt, zum Ziel. Wenn der dritte Glaubensartikel den Heiligen Geist als »πνεῦμα ζωοποιόν«, als lebenspendendes Pneuma, bezeichnet, dann ist darin ausgesagt, daß Gott sich »im« Geist als Lebensspender der Schöpfung zuwendet; daß er diese Schöpfung nicht in einem einmaligen Akt gesetzt hat, sondern daß er immer als derjenige, der »neues Leben schafft«, sich der Schöpfung zuwendet. Wenn Basilius diese Gegebenheit in besonderer Weise mit der Taufe verbindet, dann kommt darin zum Ausdruck, daß die »neue Schöpfung«, die in der Taufe gewirkt wird, das Werk des Heiligen Geistes in uns ist.

Die Aussage vom »lebenschaffenden Pneuma« geht im Verständnis des Basilius aber noch daüber hinaus. Es darf wohl als einer der größten Erfolge im Ringen mit den Pneumatomachen gewertet werden, daß Basilius in überzeugender Weise die Teilhabe des Geistes am gesamten Schöpfungswerk bezeugt. Die Anwendung des ἐκ — διά — ἐν-Schemas ermöglicht ihm, sowohl die Koordinierung der Wirksamkeit des Geistes mit dem Schöpfungswirken des Logos durchzuführen und dadurch die bei Origenes noch vorhandene »niedere« Rangstufe des Geistes zu überwinden, wie auch das

[3] DSS XI, 27 (342,26 f. Pruche); DSS XXVI, 64 (476,2 Pruche); Hom. Contra Sab. et Ar. 4 (PG 31,609 AB); vgl. zur Bedeutung bei Athanasius, A. Laminski, Der Heilige Geist als Geist Christi und Geist der Gläubigen, 136—138.

[4] Vgl. zu diesem Aspekt in der Theologie des Irenäus von Lyon, H.-J. Jaschke, Der Heilige Geist im Bekenntnis der Kirche, 332.

Argument der Pneumatomachen von der Geschöpflichkeit des Geistes zu widerlegen. Die Durchführung dieses Schemas läßt ferner in jenem bedeutsamen XVI. Kapitel[5] »De Spiritu Sancto« mit aller Deutlichkeit den »theologischen Ort« für die Wirksamkeit des Geistes sichtbar werden.

»Geist des Lebens« — diese Aussage des Symbols ist bei Basilius in einem umfassenden Sinn zu verstehen. Er verbindet mit dem Pneuma die über den Wassern der Urflut schwebende Schöpferkraft Gottes in Gen. 1,2[6] und spannt diesen Bogen der Wirksamkeit des Geistes bis hin zum Jüngsten Gericht[7] und zur Auferstehung der Toten[8]. In der Pneumatologie des Basilius werden so auch Grundfragen der Anthropologie expliziert: Im Pneuma wird offenbar, daß Gott die Schöpfung nicht nur ins Dasein ruft, sondern sie auch vollendet. Basilius verbindet mit dem Geist den Begriff des ἡγεμονικόν[9], d. h. die Rolle des Führens und Leitens wie auch den Begriff der τελείωσις, der Vollendung, der identisch ist mit der Heiligung[10]. Aber — und dieser Aspekt ist zu beachten — dieses Pneuma wirkt nicht nach der Art der Naturgesetzmäßigkeit, sondern nach dem Maß des Glaubens und der Reinigung von allen πάθη.

Neben dem »Lebenschaffen« hebt das Symbol von Konstantinopel auch das prophetische Wirken des Geistes hervor. Es zeigte sich oben in der Darstellung der inspiratorischen Wirksamkeit des Geistes, daß dieses die Tiefen Gottes offenbarende Wirken des Pneuma in besonderer Weise das »Eigene« des Geistes zum Ausdruck bringt, daß Erkenntnis Gottes ohne das Licht des Geistes nicht möglich ist. Basilius spannt auch hier den Bogen der Wirksamkeit des Geistes von den alttestamentlichen Patriarchen und Propheten, unter denen Moses jene zentrale Gestalt ist, bis hin zur Gegenwart der Kirche. Vergangenheit, Gegenwart und Zukunft sieht Basilius vom offenbarenden und erleuchtenden Wirken des Geistes umfaßt.

Die zentrale Aussage des Symbols, daß der Heilige Geist »mit dem Vater und dem Sohn zugleich angebetet (συμπροσκυνούμενος) und verherrlicht (συνδοξαζόμενος) werde«, führt schließlich in den Kern der basilianischen Pneumatologie. Im dritten Teil der Arbeit wurde die im Streit um die Doxologien faßbare besondere Problemstellung

[5] DSS XVI, 38 (378,14 ff. Pruche).
[6] Hom. in Hexaem. II, 6 (166 f. Giet).
[7] DSS XVI, 40 (388,14 f. Pruche).
[8] DSS XXIV, 56 (452,7 f. Pruche).
[9] DSS XIX, 48 (418,27 Pruche).
[10] DSS XVI, 38 (380,39 Pruche); DSS IX, 22 (324,23 Pruche).

bei Basilius erarbeitet und auf die zentrale Bedeutung der Argumentation aus der Proskynese verwiesen. Der Streit um die Homousie des Geistes, der sich in der kirchlichen Praxis als Streit um die Homotimie des Geistes mit dem Vater und dem Sohn darstellt, läßt erkennen, daß den Pneumatomachen gegenüber, die dem Geist nur eine »mittlerisch-dienende« Funktion zuerkannten und daraus seine Zugehörigkeit zur Schöpfung ableiteten, die gleichrangige ontologische Stellung des Geistes theologisch entfaltet werden mußte. Basilius entwickelt die ontologische Stellung des Geistes aus der heilsökonomischen Wirksamkeit, besonders durch die Teilhabe am Schöpfungswerk und bezeugt durch den »Kyrios«-Titel[11] seine Zugehörigkeit zur Gottheit[12]. Im letzten Teil der Arbeit, in dem versucht wurde, die ὁμοτιμία des Geistes aus der theologischen Argumentation des Basilius zu verstehen, ist deutlich geworden, daß die Aussagen des Symbols, der Geist sei mit dem Vater und dem Sohn »anzubeten« und zu »verherrlichen«, als mit »ὁμοούσιος« völlig gleichwertig gelten können[13].

Wenn wir heute mit den Worten dieses Bekenntnisses unseren Glauben an den Heiligen Geist bekennen und dabei nicht mehr von jenem zeitgeschichtlichen Kontext des 4. Jahrhunderts ausgehen, dann kann von der Theologie des Basilius her der Hinweis hilfreich sein, daß Lobpreis des Geistes immer auch Memoria seiner Großtaten beinhaltet, Erinnerung seiner θαύματα, seiner Wunder. Und zu diesen Großtaten gehören nach Basilius nicht in erster Linie jene außergewöhnlichen Zeichen und Wunder, sondern die Charismen, die zu einem Dienst in der Kirche befähigen; dazu gehört die Mitteilung sittlicher Kräfte und vor allem die Hinführung zur Erkenntnis und zum Bekenntnis des Glaubens. Glaube und Bekenntnis zu Jesus Christus ist nur möglich »im« Heiligen Geist.

So führt die theologische Argumentation des Basilius, ausgehend von den triadischen Formeln und dem Taufbefehl zur Bezeugung der »φυσικὴ κοινωνία«, der Naturgemeinschaft des Geistes mit dem Vater und dem Sohn, die als solche Voraussetzung für die Homotimie des Geistes ist. Politische und theologische Motive mögen ihn bewogen haben, die Homousie des Geistes in der Öffentlichkeit mehr implizit zu verkünden. Mögen seine Formulierungen, die sich weitgehend in Gelegenheitsschriften finden, für Mißverständnisse anfällig gewesen sein, sie lassen aber gleichzeitig auf pastorale

[11] DSS XX, 51 (426 ff. Pruche); DSS XXI, 52 (432 ff. Pruche).

[12] Vgl. A.-M. Ritter, Das Konzil von Konstantinopel und sein Symbol, 299, »τὸ κύριον« dürfte also soviel bedeuten wie »τὸ θεῖον« und dem Gottesprädikat sachlich zumindest sehr nahe kommen.

[13] Vgl. ebd. 302.

Klugheit und theologische Bescheidenheit schließen und zeugen von einer Persönlichkeit von großem Format.
Das Bekenntnis zum Heiligen Geist — so läßt sich zusammenfassend von Basilius her sagen — ist das Bekenntnis zum dreifaltigen Gott, dessen lebenspendende, erhaltende und vollendende Dynamis sich »im« Geist der Schöpfung zuwendet. Es ist das Bekenntnis zum Heiligen Geist als der Macht, durch die der erhöhte Herr inmitten der Weltgeschichte anwesend bleibt als Prinzip einer neuen Geschichte und einer neuen Welt[14].

[14] Vgl. die Aussagen zum dritten Artikel des apostolischen Symbols bei J. Ratzinger, Einführung in das Christentum, München 1968, 275 f.

Literaturverzeichnis

I. Quellen

1. Texte

Migne, J. P., Sancti Patris nostri Basilii Caesarea Cappadociae archiepiscopi. Opera omnia quae exstant. Patrologia Cursus completus. Series graeca. Tom. 29—32, Paris 1857

Courtonne, Y., Saint Basile, Lettres. Texte établi et traduit par Y. Courtonne, Tome I—III, Paris, Tome I 1957, II 1961, III 1966

Courtonne, Y., Saint Basile, Homélies sur la richesse. Édition critique et exégétique, Paris 1935

Giet, St., Basile de Césarée: Homélies sur l'Hexaémeron, Texte grec, avec introduction et traduction, Sources chrétiennes 26, Paris 1968

Johnston, C. F. H., The Book of Saint Basil the Great, Bishop of Caesarea in Cappadocia. On the Holy Spirit, Written to Amphilochius, Bishop of Iconium, against the Pneumatomachi, Oxfort 1892

Pruche, B., Basile de Césarée, Sur le Saint-Esprit, introduction, texte, traduction et notes, Sources chrétiennes 17 bis, Paris 1968

2. Übersetzungen

Blum, M., Basilius von Cäsarea, Über den Heiligen Geist, Sophia, Quellen östlicher Theologie, Bd. 8, Freiburg 1967

Gröne, V., Ausgewählte Schriften des hl. Basilius des Großen, Bischofs von Cäsarea und Kirchenlehrers nach dem Urtext übersetzt, BKV[1] Bd. 1—3, Kempten, 1875—1881

Hauschild, W.-D., Basilius von Caesarea, Briefe, zweiter Teil, eingeleitet, übersetzt und erläutert von W.-D. Hauschild, Bibliothek der griechischen Literatur, Bd. 3, Stuttgart 1973

Stegmann, A., Ausgewählte Briefe, Homilien und Predigten des hl. Kirchenlehrers Basilius des Großen, BKV[2] Bd. 1—2, München 1925

Sämtliche Schriften des hl. Basilius des Großen, sämtliche Werke der Kirchenväter aus dem Urtext ins Deutsche übersetzt, Bd. 19—26, Kempten, 1838—1842

Alle anderen Quellen, die benutzt wurden, sind in den Anmerkungen angegeben.

II. Sekundärliteratur

Abramowski, L., Art. Eunomius, in: RAC VI, 936—947

— Das Symbol des Amphilochius, in: ZNW 29 (1930) 129—135

Adam, A., Lehrbuch der Dogmengeschichte, Bd. I, Gütersloh 1965

Altaner, B. - Stuiber, A., Patrologie. Leben, Schriften und Lehre der Kirchenväter, Freiburg 1966[6]

Altaner, B., Altlateinische Übersetzungen von Basilius-Schriften, in: Kleine patristische Schriften, TU 83 (Berlin 1967) 409—415

— Augustinus und Basilius der Große, in: Kleine patristische Schriften, ebd., 269—276.

Althaus, H., Die Heilslehre des hl. Gregor von Nazianz, MBTh 34, Münster 1972

Amand, D., L'ascèse monastique de Saint Basile de Césarée, Maredsous 1948

Amand de Mendieta, E., La tradition manuscrite des œuvres de saint Basile, in: Revue d'Histoire Ecclésiastique, 49 (1954) 507—521

— The Pair Κήρυγμα and Δόγμα in the Theological Thought of St. Basil of Caesarea, in: Journal of Theological Studies, N. S. 16 (1965) 129—142

Andresen, C., Zur Entstehung und Geschichte des trinitarischen Personenbegriffes, in: ZNW 52 (1961) 1—39

Bacht, H., Die Prophetische Inspiration in der kirchlichen Reflexion der vormontanistischen Zeit, in: Scholastik 19 (1944) 1—18

— Wahres und falsches Prophetentum. Ein kritischer Beitrag zur religionsgeschichtlichen Behandlung des frühen Christentums, in: Biblica 31 (1955) 237—262

— Das Vermächtnis des Ursprungs. Studien zum frühen Mönchtum, Würzburg 1972

Balthasar, H. U. von, Spiritus Creator. Skizzen zur Theologie III, Einsiedeln 1967

— Die großen Ordensregeln, Einsiedeln 1961

Bardenhewer, O., Geschichte der altkirchlichen Literatur, Bd. III, Freiburg 1912

Baus, K. - Ewig, E., Die Reichskirche nach Konstantin dem Großen. Erster Halbband: Die Kirche von Nikaia bis Chalkedon. Handbuch der Kirchengeschichte, hrsg. von H. Jedin, Bd. II/1, Freiburg 1973

Bertrams, H., Das Wesen des Geistes nach der Anschauung des Apostels Paulus. Eine biblisch-theologische Untersuchung, Münster 1913

Bobrinskoy, B., Liturgie et ecclésiologie trinitaire de saint Basile, in: Verbum Caro 23 (1969) 1—32

Braun, C., Der Begriff der »Person« in seiner Anwendung auf die Lehre von der Trinität und Incarnation, Mainz 1876

Campenhausen, H. von, Die griechischen Kirchenväter, Stuttgart 1955

Cavallin, A., Studien zu den Briefen des hl. Basilius, Lund 1944

Christou, P. C., L'enseignement da saint Basile sur le Saint-Esprit, in: Verbum Caro 23 (1969) 86—99

Crouzel, H., Art. Geist (Heiliger Geist), in: RAC IX, 490—545

Dautzenberg, G., Urchristliche Prophetie. Ihre Erforschung, ihre Voraussetzungen im Judentum und ihre Struktur im ersten Korintherbrief, Berlin 1975

Dehnhard, H., Das Problem der Abhängigkeit des Basilius von Plotin, PTS 3, Berlin 1964

Dirking, A., Die Bedeutung des Wortes Apathie beim hl. Basilius dem Großen, in: ThQ 134 (1954) 202—212

Dölger, F. J., Sonnenscheibe und Sonnenstrahl in der Logos- und Geisttheologie des Gregorios Thaumaturgos, AChr 6 (1950) 74—75

— Sphragis. Eine altchristliche Taufbezeichnung in ihren Beziehungen zur profanen und religiösen Kultur des Altertums, in: Studien zur Geschichte und Kultur des Altertums, Paderborn 1911

Dörrie, H., Die Epiphanias-Predigt des Gregor von Nazianz (Hom. 39) und ihre geistesgeschichtliche Bedeutung, in: Kyriakon. Festschrift für J. Quasten, Münster 1970, 409—423

— Präpositionen und Metaphysik. Wechselwirkung zweier Prinzipienreihen, in: Museum Helveticum 26 (1969) 217—228 = Platonica Minora, München 1976, 124—136

— Ὑπόστασις. Wort und Bedeutungsgeschichte, in: Nachrichten der Akademie der Wissenschaften in Göttingen, Phil.-histor. Klasse, 1955, 35—92

Dörries, H., De Spiritu Sancto. Der Beitrag des Basilius zum Abschluß des trinitarischen Dogmas, Göttingen 1956

— Basilius und das Dogma vom Hl. Geist, in: Wort und Stunde. Gesammelte Studien zur Kirchengeschichte des 4. Jahrhunderts, Bd. I, Göttingen 1966
— Christlicher Humanismus und mönchische Geistethik, in: ThLZ 79 (1954) 643—656
Escribano-Alberca, I., Glaube und Gotteserkenntnis in der Schrift und Patristik, in: Handbuch der Dogmengeschichte, hrsg. von M. Schmaus, A. Grillmeier und L. Scheffczyk, Bd. I, Fasz. 2a, Freiburg 1974
Frank, S. K., ΑΓΓΕΛΙΚΟΣ ΒΙΟΣ. Begriffsanalytische und begriffsgeschichtliche Untersuchung zum »engelgleichen Leben« im frühen Mönchtum, Münster 1964
— Gehorsam und Freiheit im frühen Mönchtum, in: RQ 64 (1969) 232—245
Gerlitz, P., Außerchristliche Einflüsse auf die Entwicklung des christlichen Trinitätsdogmas, Leiden 1963
— Der mystische Bildbegriff (εἰκών und imago) in der frühchristlichen Geistesgeschichte, in ZRGG 15 (1963) 244—256
Gribomont, J., Histoire du texte des Ascétiques des S. Basile, Louvain 1953
— In tomos 29, 30, 31, 32. Patrologiae Graecae ad editionem operum Sancti Basilii Magni, introductio et adnotationes, Chevetogue, 1959—1961
— Les Règles Morales de saint Basile et le Nouveau Testament, in: TU 64 (1957) 416—426
Grillmeier, A., Das Scandalum oecumenicum des Nestorius, in: Scholastik 36 (1961) 321—356
— Die theologische und sprachliche Vorbereitung der christologischen Formel von Chalkedon, in: Das Konzil von Chalkedon, Geschichte und Gegenwart, Bd. 1, hrsg. von A. Grillmeier und H. Bacht, Würzburg 1951, 5—202
Gunkel, H., Die Wirkungen des Hl. Geistes nach der populären Anschauung der apostolischen Zeit und der Lehre des Apostels Paulus, Göttingen 1909
Hasenhüttl, G., Charisma. Ordnungsprinzip der Kirche, Ökumenische Forschungen, hrsg. von H. Küng und J. Ratzinger, Freiburg 1969
Hahn, A., Bibliothek der Symbole und Glaubensregeln der alten Kirche, Hildesheim [3]1962
Harnack, A. von, Lehrbuch der Dogmengeschichte, Bd. 1—3, Darmstadt [4]1964
Hauschild, W.-D., Die Pneumatomachen. Eine Untersuchung zur Dogmengeschichte des vierten Jahrhunderts, Hamburg 1965
— Gottes Geist und der Mensch. Studien zur frühchristlichen Pneumatologie, München 1972
Hausherr, I., Hésychasme et Prière, in: OrChrA 176, Rom 1966
— Noms du Christ et voies d'Oraison, in: OrChrA 157, Rom 1960
— Christliche Berufung zum Mönchtum nach den Kirchenvätern, in: G. Thils und K. V. Truhlar, Laien und christliche Vollkommenheit, Freiburg 1966
Heising, A., Der Hl. Geist und die Heiligung der Engel in der Pneumatologie des Basilius von Caesarea, in: ZKTh 87 (1965) 257—308
Heitmann, C. - Mühlen, H., Erfahrung und Theologie des Hl. Geistes, München 1974
Henry, P., Les états du texte de Plotin, Museum Lessianum, Section phil., Nr. 20, Paris 1938
Heussi, K., Der Ursprung des Mönchtums, Tübingen 1936
Holl, K., Amphilochius von Ikonium in seinem Verhältnis zu den großen Kappadoziern, Tübingen-Leipzig 1904
— Enthusiasmus und Bußgewalt beim griechischen Mönchtum, Hildesheim [2]1969
Hornus, J. M., La divinité du Saint-Esprit comme condition du salut personnel selon Basile, in: Verbum Caro 23 (1969) 33—62

Hübner, R., Gregor von Nyssa als Verfasser der sog. Ep. 38 des Basilius. Zum unterschiedlichen Verständnis der οὐσία bei den kappadozischen Brüdern, in: Epektasis. Melanges patristique offerts au Cardinal J. Daniélou, publiés par J. Fontaine et C. Kannengießer, Paris 1972, 463—490

Humbertclaude, P., La doctrine ascétique de saint Basile de Césarée, Paris 1932

Jaeger, W., Gregor von Nyssas Lehre vom Hl. Geist, hrsg. von H. Dörries, Leiden 1966

— Basilius und der Abschluß des trinitarischen Dogmas, in: ThLZ 4 (1958) 255—258

Jaschke, H.-J., Der Hl. Geist im Bekenntnis der Kirche. Eine Studie zur Pneumatologie des Irenäus von Lyon im Ausgang vom altchristlichen Glaubensbekenntnis, MBTh 40, Münster 1976

Jahn, A., Basilius Magnus plotinizans, Bern 1838

Jungmann, J. A., Die Stellung Christi im liturgischen Gebet, Münster ²1962

Kasper, W. - Sauter, G., Kirche — Ort des Geistes, Ökumenische Forschungen, Freiburg 1976

Kleinknecht, H., Art. πνεῦμα, in: ThW VI, 330—453

Knoch, O., Der Geist Gottes und der neue Mensch, Stuttgart 1975

Koch, L., Die Geistsalbung bei der Taufe im Jordan in der Theologie der alten Kirche, in: BM 1—2 (1938) 15—20

Koch, R., Geist und Messias. Beitrag zur biblischen Theologie des Alten Testaments, Wien 1950

Kraft, H., Ὁμοούσιος, in: ZKG 66 (1954—55) 1—23

Kranich, A., Der hl. Basilius in seiner Stellung zum Filioque, Braunsberg 1882

Kremer, J., Begeisterung und Besonnenheit. Zur heutigen Berufung auf Pfingsten, Geisterfahrung und Charisma, in: Diakonia 5 (1974) 155—168

Kretschmar, G., Studien zur frühchristlichen Trinitätstheologie, BHTh 21, Tübingen 1956

Laminski, A., Der Hl. Geist als Geist Christi und Geist der Gläubigen. Der Beitrag des Athanasius von Alexandrien zur Formulierung des trinitarischen Dogmas im vierten Jahrhundert, Erfurter Theologische Studien 23, Leipzig 1969

Laun, F., Die beiden Regeln des Basilius, ihre Echtheit und Entstehung, ZKG 44 (1925) 1—61

Lauterburg, M., Der Begriff des Charisma und seine Bedeutung für die praktische Theologie, Gütersloh 1898

Leisegang, H., Der Hl. Geist. Das Wesen und Werden der mystisch-intuitiven Erkenntnis in der Philosophie der Griechen, Darmstadt ²1967

Lietzmann, H., Apollinaris von Laodizea und seine Schule, TU I, Tübingen 1904

— Geschichte der alten Kirche, Bd. IV, Berlin 1944

Loofs, F., Eustathius von Sebaste und die Chronologie der Basiliusbriefe, Halle 1898

Lossky, V., Die mystische Theologie der morgenländischen Kirche. Geist und Leben der Ostkirche, Bd. I, Köln 1961

Meinhold, P., Art. Pneumatomachoi, in: Real-Encyclopädie der klassischen Altertumswissenschaft, 41 (1951) 1066—1101

Melcher, R., Der achte Brief des hl. Basilius, ein Werk des Evagrius Ponticus, Münster 1923

Mellis, L., Die ekklesiologischen Vorstellungen des hl. Basilius des Großen, Rom 1973

Merki, H., Ὁμοίωσις Θεῷ. Von der platonischen Angleichung an Gott zur Gottähnlichkeit bei Gregor von Nyssa, Paradosis VII, Freiburg in der Schweiz 1952
— Art. Ebenbildlichkeit, in: RAC IV, 459—479
Mühlen, H., Die abendländische Seinsfrage als der Tod Gottes und der Aufgang einer neuen Gotteserfahrung, Paderborn [2]1968
— Die Erneuerung des christlichen Glaubens, München 1974
— Der Hl. Geist als Person, in der Trinität, bei der Inkarnation und im Gnadenbund, Münster [2]1967
— Una mystica Persona. Die Kirche als Mysterium der heilsgeschichtlichen Identität des Hl. Geistes in Christus und den Christen, Paderborn [3]1968
Nagel, P., Die Motivierung der Askese in der alten Kirche und der Ursprung des Mönchtums, TU 95, Berlin 1966
Nager, F., Die Trinitätslehre des hl. Basilius des Großen. Eine dogmengeschichtliche Studie, Paderborn 1912
Normann, F., Teilhabe — ein Schlüsselwort der Vätertheologie, MBTh 42, Münster 1978
Orphanos, M., Creation and Salvation according to St. Basil of Caesarea, Athen 1975
— Ὁ Υἱός καὶ τὸ Ἅγιον Πνεῦμα εἰς τὴν τριαδολογίαν τοῦ M. Βασιλείου, Athen 1976
Ortiz de Urbina, I., Nizäa und Konstantinopel, Mainz 1964
Pannenberg, W., Der Geist des Lebens, in: Glaube und Wirklichkeit. Kleine Beiträge zum christlichen Denken, München 1975
— Die Aufnahme des philosophischen Gottesbegriffes als dogmatisches Problem der frühchristlichen Theologie, in: Grundfragen systematischer Theologie. Gesammelte Aufsätze, Göttingen [2]1971
— Analogie und Doxologie, in: Grundfragen systematischer Theologie, ebd., 181—201
— Was ist eine dogmatische Aussage, in: Grundfragen systematischer Theologie, ebd. 159—180
Petit, P., Émerveillement, prière et Esprit chez Saint Basile le Grand, in: Collectanea Cisterciensia 35 (1973) 81—107, 218—238
Quasten, J., Patrology, Bd. III, Utrecht 1960
Rahner, K., Das enthusiastisch-charismatische Erlebnis in Konfrontation mit der gnadenhaften Transzendenzerfahrung, in: C. Heitmann - H. Mühlen, Erfahrung und Theologie des Hl. Geistes, München 1974, 64—80
Ratzinger, J., Der Hl. Geist als communio. Zum Verhältnis von Pneumatologie und Spiritualität bei Augustinus, in: C. Heitmann - H. Mühlen, Erfahrung und Theologie des Hl. Geistes, München 1974, 223—238
Ring, O., Drei Homilien der Frühzeit Basilius' des Großen, Paderborn 1930
— Das Basiliusproblem, in: ZKG 51 (1932) 365—383
Ritter, A. M., Charisma im Verständnis des Johannes Chrysostomus und seiner Zeit, Göttingen 1972
— Das Konzil von Konstantinopel. Forschungen zur Kirchen- und Dogmengeschichte 15, Göttingen 1965
Ritschl, D., Athanasius. Versuch einer Interpretation, ThSt 76, Zürich 1964
Rüsch, Th., Die Entstehung der Lehre vom Hl. Geist bei Ignatius von Antiochia, Theophilus von Antiochia und Irenäus von Lyon, Zürich 1952
Saake, H., Beobachtungen zur athanasianischen Pneumatologie, in: NZSThR 15 (1973) 348—364
— Minima Pneumatologica, in: NZSThR 14 (1972) 107—111

— Pneumatologica Paulina. Zur Katholizität der Problematik des Charisma, in: Catholica 26 (1972) 212—223
Schermann, Th., Die Gottheit des Hl. Geistes nach den griechischen Vätern des vierten Jahrhunderts. Eine dogmengeschichtliche Studie, Freiburg 1901
Schlink, E., Die Struktur der dogmatischen Aussage als ökumenisches Problem, in: Der kommende Christus und die kirchlichen Traditionen. Beiträge zum Gespräch zwischen den getrennten Kirchen, Göttingen 1961
Schoemann, J. B., Eikon in den Schriften des hl. Athanasius, in: Scholastik XVI (1941) 335—350
Scholl, E., Die Lehre des hl. Basilius von der Gnade, Freiburg 1881
Seeberg, R., Lehrbuch der Dogmengeschichte, Bd. I—II, Darmstadt [3]1953
Spidlik, Th., La Sophiologie de S. Basile, OrChrA 162, Rom 1961
Stalder, K., Das Werk des Hl. Geistes in der Heiligung bei Paulus, Bern 1962
Staimer, E., Die Schrift »De Spiritu Sancto« von Didymus dem Blinden von Alexandrien. Eine Untersuchung zur altchristlichen Literatur- und Dogmengeschichte, München 1960
Strohm, M., Die Lehre von der Energeia Gottes. Eine dogmengeschichtliche Betrachtung, in: Kyrios 8 (1968) 63—84
Stuiber, A., Art. Doxologie, in: RAC IV, 210—226
Swete, H. B., The Holy Spirit in the Ancient Church. A study of Christian Teaching in the Age of the Fathers, London 1912
Torrance, T. F., Spiritus creator, in: Verbum Caro 23 (1969) 63—85
Unterstein, K., Die natürliche Gotteserkenntnis nach der Lehre der Kappadozischen Kirchenväter, Straubing 1902/03
Verbecke, G., L'évolution de la doctrine du Pneuma du stoicisme à S. Augustin, Louvain 1940
Verhees, J., Pneuma, Erfahrung und Erleuchtung in der Theologie des Basilius des Großen, in: Ostkirchliche Studien 25 (1976) 285—302
— Die Bedeutung der Transzendenz des Pneuma bei Basilius, in: Ostkirchliche Studien 25 (1976) 285—302
— Mitteilbarkeit Gottes in der Dynamik von Sein und Wirken nach der Trinitätslehre des Basilius des Großen, in: Ostkirchliche Studien 27 (1978) 3—24
Vischer, L., Basilius der Große. Untersuchungen zu einem Kirchenvater des 4. Jahrhunderts, Basel 1953
Wagner, G., Der Hl. Geist als offenbar machende und vollendende Kraft. Der Beitrag der orthodoxen Theologie, in: C. Heitmann - H. Mühlen, Erfahrung und Theologie des Hl. Geistes, München 1974, 214—222
Wittig, J., Des hl. Basilius des Großen Geistliche Übungen auf der Bischofskonferenz von Dazimon 374/75 im Anschluß an Isaias 1—16, in: Breslauer Studien zur historischen Theologie, Bd. I, Breslau 1922, 1—89
— Leben, Lebensweisheit und Lebenskunde des hl. Metropoliten Basilius des Großen von Cäsarea, in: Ehrengabe deutscher Wissenschaft, hrsg. von F. Fessler, Freiburg 1920

Sachregister

Autorenregister

Verzeichnis der griechischen Wörter